Deutsche revolutionäre Demokraten I

Herausgegeben und eingeleitet von Walter Grab

Hans-Werner Engels

Gedichte und Lieder deutscher Jakobiner

J. B. Metzler

© J. B. Metzlersche Verlagsbuchhandlung
und Carl Ernst Poeschel Verlag GmbH in Stuttgart
1971. Satz und Druck: Gulde-Druck Tübingen
Printed in Germany

ISBN 3 476 00236 5

Inhalt

Die deutschen Jakobiner

»Traditionen gehören nicht in die alleinige Erbpacht von Reaktionären, obgleich diese am lautesten von ihnen reden. Glücklicherweise hat es auch in Deutschland lange vor der Revolution von 1848 nicht wenige freiheitlich und sozial gesinnte Männer und Frauen gegeben, auch ganze Gruppen und Stände, die sich mit der Bevormundung der Herrschenden nicht abfinden wollten. Einer demokratischen Gesellschaft steht es schlecht zu Gesicht, wenn sie auch heute noch in aufständischen Bauern nichts anderes als meuternde Rotten sieht, die von der Obrigkeit schnell gezähmt und in die Schranken verwiesen werden. So haben die Sieger Geschichte geschrieben. Es ist Zeit, daß ein freiheitlich-demokratisches Deutschland unsere Geschichte bis in die Schulbücher anders schreibt.«

Diese Worte des Bundespräsidenten Gustav Heinemann [1] verweisen auf die Notwendigkeit, die fortschrittlichen Bewegungen früherer Jahrhunderte in ihrer gegenwartsbezogenen Bedeutung aufzuzeigen und die Emanzipationskämpfe der unterdrückten und entrechteten Klassen im Lichte der gesellschaftlichen Entwicklung zu untersuchen. Nur durch die Aneignung des lange vernachlässigten, unbeachteten und unterschlagenen demokratischen Erbes kann die deutsche Geschichtsschreibung neue, zukunftsweisende Traditionen an die Stelle der alten und überlebten setzen.

Ein historischer Knotenpunkt, an dem politische Weichen für viele Jahrzehnte gestellt wurden, war die Epoche der französischen Revolution. Der Übergang von der feudalagrarischen zur industriekapitalistischen Produktionsweise, vom Absolutismus zum parlamentarischen Rechts- und Verfassungsstaat, von der kirchlichen und adeligen Bevormundung des Untertanen zu den individuellen Freiheiten des mündigen Staatsbürgers bestimmte die Richtung des erreichbaren Fortschritts. Die tiefgreifenden Veränderungen, die Deutschland als Folge der welterschütternden Umwälzung durchmachte, führten es auf den Weg der bürgerlichen Demokratie. Dieser mühselige, von vielen Rückschlägen begleitete Prozeß nahm vier Generationen in Anspruch: Erst 1918, am Ende des Ersten Weltkriegs, konnten die Überreste der ständischen Privilegienordnung beseitigt werden.

Zu Unrecht ist es weitgehend unbekannt, daß das deutsche Bürgertum am Ende des 18. Jahrhunderts eine Anzahl jakobinischer Revolutionäre hervorbrachte, die die demokratischen Errungenschaften Frankreichs auf Deutschland zu übertragen versuchten. Diese Publizisten postulierten die politische Gleichheit und Freiheit aller Bürger, unabhängig von deren Her-

[1] Das Zitat ist der Rede bei der Schaffermahlzeit in Bremen vom 13. Februar 1970 entnommen.

kunft, Besitz und sozialer Stellung, in einem republikanischen Staatswesen
und riefen das Volk zum Umsturz der bestehenden Sozialordnung auf [2].
Historikern, die den Höhepunkt der deutschen Geschichte in der von oben
vollzogenen Reichseinigung durch Bismarck erblickten, war nicht daran
gelegen, die Erinnerung an die radikalen Demokraten Deutschlands zur
Zeit der französischen Revolution wachzuhalten. Das nimmt nicht wunder,
interpretierte doch die vorherrschende Richtung der Geschichtswissenschaft
die Vergangenheit vom Standpunkt der »großen Männer, die Geschichte
machten«, das heißt aus der Perspektive der Herrschenden. Die von einem
antifranzösischen und antiaufklärerischen Weltbild geprägten Darstellungen der konservativ-deutschnationalen Historiographie versagten dem jakobinischen Flügel der Aufklärung die Anerkennung seiner nationalen
Bedeutung; sie ignorierten die Demokraten oder verfemten sie als Lan-
desverräter und Mietlinge Frankreichs [3]. Auch in neuerer Zeit erwähnen

[2] In folgendem wird der Begriff »Jakobiner« mit dem der revolutionären Demokraten gleichgesetzt, wie es dem Gebrauch der Revolutionsepoche entsprach.
Vgl. *G. F. Rebmann*, Vorläufiger Aufschluß über mein sogenanntes Staatsverbre-
chen, meine Verfolgung und meine Flucht (Altona 1796), S. 16: »Die Demokraten pflegt man auch Jakobiner zu nennen.« Ebenso *Heinrich Würzer*, Der patriotische Volksredner (Altona 1796), S. 84: »Bei uns (sind) die Bezeichnungen Jakobiner und Demokrat zu gleichbedeutenden Wörtern und zu Schimpfnamen geworden, womit alle diejenigen belegt werden, die den Ursprung aller Souveränität vom Volke herleiten und die Rechtmäßigkeit und Notwendigkeit politischer
Reformen behaupten.« — Auch eine Generation später hatte der Demokratiebe-
griff noch die gleiche Bedeutung. Vgl. *Carl v. Rotteck* und *Carl Welcker*, Staats-
lexikon oder Encyclopädie der Staatswissenschaften, 4. Band (Altona 1837),
S. 252 f. »In der neuesten Zeit (. . .) sind die Benennungen Demokrat, Demagog
und Revolutionär fast für gleichbedeutend erklärt oder geachtet worden.« — Für
die Begriffsverschiebung des Terminus »Demokratie« vgl. *Arthur Rosenberg*,
Demokratie und Sozialismus (Frankfurt/M. 1962), S. 9 f. Rosenberg wies nach,
daß sowohl Marx als auch Bismarck die Demokraten während der Revolution
von 1848/49 als Revolutionäre bezeichneten. — Die Kennzeichnung des Jakobinismus als konsequent bürgerlicher Demokratismus betont *Heinrich Scheel*,
Deutsche Jakobiner, in: Zeitschrift für Geschichtswissenschaft, 17. Jg., Heft 9,
1969 Berlin/DDR), S. 1130 ff., hier S. 1131.
[3] Aus der Fülle der deutschnationalen Geschichtswerke, die den deutschen Jakobinismus abfällig beurteilen, seien erwähnt: *Karl Klein*, Geschichte von Mainz
während der ersten französischen Occupation 1792/93 (Mainz 1861); *ders.*,
Georg Forster in Mainz 1788–1793 (Mainz 1863); *Justus Hashagen*, Das Rheinland und die französische Herrschaft. Beiträge zur Charakteristik ihres Gegensatzes (Bonn 1908); *E. Sauer*, Die französische Revolution von 1789 in zeitgenössischen deutschen Flugschriften und Dichtungen (Weimar 1913); *Max Springer*,
Die Franzosenherrschaft in der Pfalz 1792–1814 (Departement Donnersberg)
(Stuttgart u. a. 1926); *Otto Tschirch*, Geschichte der öffentlichen Meinung in
Preußen im Friedensjahrzehnt vom Baseler Frieden bis zum Zusammenbruch des
Staates (1795–1806), 2 Bde, (Weimar 1933/34). Vgl. auch die abschätzigen Be-
merkungen bei *Heinrich von Treitschke*, Deutsche Geschichte im 19. Jahrhundert,
Bd. 1 (Leipzig 1879), S. 129 f. und bei *Heinrich v. Sybel*, Geschichte der Revolu-
tionszeit 1789–1800, Bd. 3 (wohlfeile Ausgabe, Stuttgart 1898), S. 50.

viele Gelehrte den deutschen Jakobinismus nur mit knappen Worten und reduzieren ihn auf eine Randerscheinung der Revolutionskriege, um ihn aus dem Geschichtsbewußtsein des deutschen Volkes zu eliminieren [4]. Die Studien von englischen, französischen, amerikanischen und Schweizer Gelehrten, die die Wirkung der französischen Revolution auf Deutschland zum Thema haben, sind meist geistesgeschichtliche »Gratwanderungen« und befassen sich hauptsächlich mit der Frage, welche Impulse das Schaffen der bedeutenden Philosophen und der klassischen und romantischen Dichter durch die Umwälzung jenseits des Rheins erfuhr. Diese Werke erörtern nur summarisch die politische und literarische Tätigkeit der revolutionären bürgerlichen Demokraten und übergehen die sozialen Aspirationen der Unterklassen und die vielerorts aufflammenden Unruhen in den deutschen Teilstaaten mit nahezu völligem Stillschweigen [5].

In der Bundesrepublik blieb die Forschung über Deutschland zur Revo-

[4] Die breitangelegte Darstellung von *Franz Schnabel*, Deutsche Geschichte im 19. Jahrhundert (4 Bde, Freiburg 1929–37), die als Standardwerk der liberalen Geschichtsschreibung gilt, widmet dem deutschen Jakobinismus in Bd. 1, S. 126 f., nur wenige Zeilen. *Willy Andreas*, Das Zeitalter Napoleons und die Erhebung der Völker (Heidelberg 1955) nennt die Mainzer Jakobiner auf S. 116 »Revolutionsschwärmer, frankophile Mitläufer und Konjunkturpolitiker« und schmäht ihren Kampf gegen die Feudalherrschaft mit den Worten: »Das landesverräterische Treiben der sogenannten Patrioten«. – In dem neubearbeiteten Werk von *Bruno Gebhardt*, Handbuch der deutschen Geschichte, Hrsg. Herbert Grundmann, 9. Aufl. (Stuttgart 1970) geht *Max Braubach* in Bd. 3, S. 12 mit einem einzigen Satz über die Jakobinerbewegung im Rheinland 1792/93 hinweg und läßt die demokratischen Strömungen im übrigen Deutschland unbeachtet. Die Bibliographie über Georg Forster (a.a.O., S. 13, Anm.) ist zwar gegenüber der 1960 erschienenen 8. Aufl. erweitert, weist jedoch immer noch beträchtliche Lücken auf. *Golo Mann*, Deutsche Geschichte des 19. und 20. Jahrhunderts (Frankfurt/M. 1958) erwähnt den deutschen Jakobinismus mit keinem einzigen Wort, nennt jedoch Johann Georg Forster fälschlich „Friedrich Georg" (S. 57). – Eine ausführliche Analyse der Historiographie über den Mainzer Jakobinismus bietet *Heinrich Scheel*, Die Mainzer Republik im Spiegel der deutschen Geschichtsschreibung, in: Jahrbuch für Geschichte, Hrsg. Ernst Engelberg u. a. (Berlin/DDR 1969), Bd. 4, S. 9 ff.
[5] Zu diesen Werken gehören: *George Peabody Gooch*, Germany and the French Revolution (London 1920); *Alfred Stern*, Der Einfluß der französischen Revolution auf das deutsche Geistesleben (Stuttgart u. Berlin 1928); *Reinhold Aris*, History of political thought in Germany from 1789 to 1815 (London 1936); *Jacques Droz*, L'Allemagne et la Révolution française (Paris 1949); *Klaus Epstein*, The Genesis of German Conservatism (Princeton 1966). *R. R. Palmer*, The Age of the Democratic Revolution, A political history of Europe and America, 1760–1800, Vol. 2, The struggle (Princeton 1964) konstruiert S. 443 eine nicht vorhandene »Rebmannfrage«, da er nicht zu den Quellen vorstieß und sich mit widersprüchlicher Sekundärliteratur begnügte. – Das Werk von *Sydney Seymour Biro*, The German Policy of Revolutionary France. A Study in French diplomacy during the war of the first coalition 1792–97 (2 Vol., Cambridge, Mass. 1957) steht dem Jakobinismus äußerst kritisch gegenüber.

lutionszeit im allgemeinen eine Domäne der Lokalgeschichtsschreibung. In einigen wissenschaftlichen Journalen und Festschriften des Rheinlands sind Aufsätze über französische Besetzungspolitik und Biographien rheinischer Jakobiner erschienen. Manche dieser Studien legen von den konservativen Vorurteilen ihrer Verfasser Zeugnis ab [6]. Es existieren jedoch auch einige eingehende Untersuchungen, biographische Darstellungen sowie kleinere Abhandlungen und Miszellen, die die zukunftsweisende Bedeutung der demokratischen Strömungen in Deutschland zu Ende des 18. Jahrhunderts hervorheben, die jakobinischen Intellektuellen gebührend würdigen und die Ereignisse vom Standpunkt des gesellschaftlichen Fortschritts beurteilen [7]. Umfassende sozialgeschichtliche Arbeiten stehen noch aus.

Die Geschichtswissenschaft der DDR hat den sozialen und revolutionären Bewegungen der Epoche schon vor längerer Zeit ihr Augenmerk zugewandt. Großangelegte Untersuchungen sowie kommentierte Quellen-

[6] So z. B. *Leo Just*, Der Mittelrhein im Zeitalter der französischen Revolution und Napoleons, in: Jahrbuch der Geschichte und Kunst des Mittelrheins, 10. Jg. (1958), S. 54 ff.; *Karl Georg Faber*, Johann Andreas Georg Friedrich Rebmann, in: Pfälzer Lebensbilder (Speyer 1964), S. 191 ff.; ders., Verwaltungs- und Justizbeamte auf dem linken Rheinufer während der französischen Herrschaft, in: Festschrift für Franz Steinbach zum 65. Geburtstag (Bonn 1960), S. 350 ff.; *Helmut Mathy*, Anton Joseph Dorsch (1758–1819). Leben und Werk eines rheinischen Jakobiners, in: Mainzer Zeitschrift. Mittelrheinisches Jahrbuch für Archäologie, Kunst und Geschichte. 62. Jg. (Mainz 1967), S. 1 ff.; ders., Georg Wedekind. Die politische Gedankenwelt eines Mainzer Medizinalprofessors, in: Festschrift Ludwig Petry (Wiesbaden 1968), S. 177 ff.; ders., Als Mainz französisch war. Studien zum Geschichtsbild der Franzosenzeit am Mittelrhein 1792/93 und 1798/1814 (Mainz 1968); *T. C. W. Blanning*, The Nobility and Revolution in Mainz, 1792/93, in: Gedenkschrift Martin Göhring. Studien zur europäischen Geschichte, Hrsg. Ernst Schulin (Wiesbaden 1968), S. 107 ff.

[7] *Fritz Valjavec*, Die Entstehung der politischen Strömungen in Deutschland 1770–1815 (München 1951) steht zwar der jakobinischen Bewegung nicht vorurteilsfrei gegenüber, leistet jedoch wichtige Pionierarbeit und gibt der weiteren Forschung wertvolle Fingerzeige. Der deutsche Jakobinismus wird positiv eingeschätzt in: *Heinrich Reintjes*, Weltreise nach Deutschland. Johann Georg Forsters Leben und Bedeutung (Düsseldorf 1953); *Kurt Kersten*, Der Weltumsegler. Johann Georg Adam Forster 1754–1794 (Bern 1957); *Walter Grab*, Demokratische Strömungen in Hamburg und Schleswig-Holstein zur Zeit der ersten französischen Republik (Veröffentlichungen des Vereins für Hamburgische Geschichte, Band 21, Hamburg 1966); ders., Norddeutsche Jakobiner. Demokratische Bestrebungen zur Zeit der französischen Revolution (Hamburger Studien zur neueren Geschichte, Hrsg. Fritz Fischer, Bd. 8, Frankfurt/M. 1967); ders., Die Revolutionspropaganda der deutschen Jakobiner 1792/93, in: Archiv für Sozialgeschichte, Bd. 9 (Hrsg. Georg Eckert, Hannover 1969), S. 113 ff.; ders., Eroberung oder Befreiung? Deutsche Jakobiner und die Franzosenherrschaft im Rheinland 1792/99 (Schriften aus dem Karl-Marx-Haus, Heft 4, Trier 1970); *Ludwig Uhlig*, Georg Forster. Einheit und Mannigfaltigkeit in seiner geistigen Welt (Tübingen 1965); *Johann Benjamin Erhard*, Über das Recht des Volks zu

sammlungen haben der Forschung wichtige Anregungen gegeben [8]. Die Deutsche Akademie der Wissenschaften in Berlin hat die ersten Bände einer historisch-kritischen Gesamtausgabe der Werke des bedeutendsten deutschen Jakobiners, Georg Forster, bereits veröffentlicht [9]. Mehrere Monographien und Spezialuntersuchungen haben unser Wissen über den deutschen Jakobinismus bereichert und wissenschaftliches Neuland gewonnen [10].

einer Revolution und andere Schriften (Hrsg. und mit einem Nachw. vers. von *Hellmut G. Haasis*, München 1970); *Ralph Rainer Wuthenow*, Vernunft und Republik. Studien zu Georg Forsters Schriften (Bad Homburg v. d. H. 1970); *Erwin Dittler*, Johann Georg Friedrich List, in: Ekkart-Jahrbuch der Badischen Heimat (Freiburg 1970), S. 51 ff.; *Richard Wilhelm*, Friedrich Christian Laukhard, Aufklärer und Revolutionär, in: Alzeyer Geschichtsblätter, Heft 6 (Alzey 1969), S. 26 ff. — In der »sammlung insel« (si) sind einige jakobinische Quellenschriften erschienen: *Adolph Freiherr Knigge*, Des seligen Herrn Etatsrats Samuel Conrad von Schaafskopf hinterlassene Papiere; von seinen Erben herausgegeben. Mit einem Nachwort von *Iring Fetscher* (si 12, Frankfurt/M. 1965); *Georg Forster*, Über die Beziehung der Staatskunst auf das Glück der Menschheit und andere Schriften, Herausg. von *Wolfgang Rödel* (si 20, Frankfurt/M. 1966); *Adolph Freiherr Knigge*, Josephs von Wurmbrand politisches Glaubensbekenntnis, mit Hinsicht auf die französische Revolution und deren Folgen. Hrsg. von *Gerhard Steiner* (si 33, Frankfurt/M. 1968); *Georg Friedrich Rebmann*, Kosmopolitische Wanderungen durch einen Teil Deutschlands. Hrsg. und eingeleitet von *Hedwig Voegt* (si 34, Frankfurt/M. 1968); Von deutscher Republik 1775–1795. I. Aktuelle Provokationen, II. Theoretische Grundlagen. Hrsg. von *Jost Hermand* (si 41/1 u. 2, Frankfurt/M. 1968). — Rödel, Steiner und Voegt sind Wissenschaftler der DDR. *Gerhard Steiner* gab auch eine Auswahl von Forsters Schriften in der Bundesrepublik heraus: Georg Forster. Werke in vier Bänden (Frankfurt/M. 1970).
[8] *Heinrich Scheel*, Süddeutsche Jakobiner. Klassenkämpfe und republikanische Bestrebungen im deutschen Süden Ende des 18. Jahrhunderts (Deutsche Akademie der Wissenschaften zu Berlin, Schriften des Instituts für Geschichte, Bd. 13, Berlin/DDR 1962, 2. Aufl. 1971); *ders.* (Hrsg.), Jakobinische Flugschriften aus dem deutschen Süden Ende des 18. Jahrhunderts (Deutsche Akademie der Wissenschaften zu Berlin, Schriften des Instituts für Geschichte, Bd. 14, Berlin/DDR 1965); *Claus Träger* (Hrsg.), Mainz zwischen Rot und Schwarz. Die Mainzer Revolution 1792–1793 in Schriften, Reden und Briefen (Berlin/DDR 1963).
[9] Georg Forsters Werke. Sämtliche Schriften, Tagebücher, Briefe. Hrsg. von der Deutschen Akademie der Wissenschaften zu Berlin, Institut für Deutsche Sprache und Literatur (Berlin/DDR 1958 ff.), verantwortlich *G. Steiner*, seit 1970 *H. W. Seiffert*). Von der auf 19 Bände berechneten Gesamtausgabe liegen bisher fünf Bände vor.
[10] Von den zahlreichen in der DDR erschienenen Publikationen über den deutschen Jakobinismus seien außer den in Anm. 8 registrierten Werken noch erwähnt: *Hedwig Voegt*, Die deutsche jakobinische Literatur und Publizistik 1789–1800 (Berlin/DDR 1955); *dies.* (Hrsg.), Georg Friedrich Rebmann, Hans Kiekindiewelts Reisen in alle vier Weltteile und andere Schriften (Berlin 1958); *Wolfgang Rödel*, Forster und Lichtenberg. Ein Beitrag zum Problem deutsche Intelligenz und französische Revolution (Berlin/DDR 1960); *Walter Markov*,

Die dem Gedankengut der Aufklärung zugewandten Philosophen, Dichter und Publizisten, die in den monarchischen Teilstaaten Deutschlands seit etwa 1770 als Sprecher der bürgerlichen Opposition auftraten, fühlten sich über die engen Landesgrenzen miteinander verbunden und bildeten gleichsam eine von ihren Regierungen unabhängige Geistesvereinigung: die deutsche Gelehrtenrepublik. Von weltbürgerlichen Ideen erfüllt, öffneten sie der englischen und der französischen Aufklärung das Einzugsgebiet in Mitteleuropa, pflegten mit ihren Trägern Gedankenaustausch, postulierten die Menschheitsverbrüderung in einem übernationalen »Reich der Vernunft« und trugen so zu einer völkerverbindenden und humanen Gesinnung bei. In politischer Hinsicht sahen die deutschen Aufklärer eine Beschränkung des Absolutismus und der Macht des Klerus zwar als erforderlich an, waren jedoch im allgemeinen jedem Radikalismus abhold, begnügen sich vorwiegend mit theoretischer Diskussion der Freiheits- und Gleichheitsideen und hegten Träume von einem friedlichen Reformwerk aufgeklärter Fürsten. Ihre Staatsauffassung war vom herkömmlichen Quietismus geprägt. Gewohnt, auf praktischen Einfluß von vornherein zu verzichten und zwischen ihrem Privatleben und der Politik eine Trennungslinie zu ziehen, also den Besitzern der Macht das Lenken des Staates zu überlassen, neigten die meisten Koryphäen des deutschen Geisteslebens zu zagen Kompromissen mit den traditionellen Mächten.

Als im Jahre 1789 die Kunde nach Deutschland drang, daß das französische Volk tausendjährige Einrichtungen zerschlagen und an die Stelle der aus dem Mittelalter überkommenen Sozialhierarchie und der absoluten Königsherrschaft von Gottes Gnaden die Prinzipien der Volkssouveränität gesetzt hatte, jubelte der Kreis der deutschen Gelehrtenrepublik der Errichtung der neuen Gesellschaftsordnung in Frankreich zu. Diese Begeisterung, die in den ersten drei Jahren nach Ausbruch der Revolution allgemein anhielt, blieb jedoch im Literarischen und Philosophischen stecken. Während die von der westlichen Aufklärung jahrzehntelang propagierten Ideen der Menschenrechte und des legitimen Widerstands gegen die despotische Obrigkeit in Frankreich ins Politische umschlugen, fanden sie in Deutschland keine revolutionäre Verwirklichung. Die beachtlichen intellektuellen Fortschritte lagen in der Regel außerhalb des politischen Bereichs; dafür ist Schillers Wort kennzeichnend:
Deutschland, aber wo liegt es? Ich weiß das Land nicht zu finden;
Wo das gelehrte beginnt, hört das politische auf.

Babeuf in Deutschland, in: Literaturgeschichte als geschichtlicher Auftrag. Werner Krauss zum 60. Geburtstag (Hrsg. Werner Bahner, Berlin/DDR 1961), S. 61 ff.; *Claus Träger*, Aufklärung und Jakobinismus in Mainz 1792/93, in: Weimarer Beiträge, 1963, S. 684 ff. — Eine vollständige Liste der bis 1969 in der DDR erschienenen Abhandlungen über den Jakobinismus bringt *Heinrich Scheel*, Deutsche Jakobiner (s. oben, Anm. 2).

Obzwar die deutschen liberalen Aufklärer [11] den »Sieg der Vernunft« — also die Errichtung der bürgerlichen Ordnung — in Frankreich aus der Entfernung gebührend bewunderten, waren sie weit davon entfernt, revolutionäre Aktionen im eigenen Land gutzuheißen. Ihre politische Publizistik setzte auch während der Revolutionsperiode die bis ins Mittelalter zurückreichende Tradition der Fürstenspiegel fort, deren Auffassung darin bestand, daß der Fürst ein Beispiel für die Sittlichkeit der Untertanen abgeben solle und für die Gerechtigkeit im Staate zu sorgen habe. Daher wandten sich die Liberalen an die Souveräne der deutschen Teilstaaten, um sie zur Einsicht zu bringen, daß die absolute Gewalt in ihren Händen ebenso gefährlich für sie selbst wie schädlich für die Untertanen sei. Ehrfurchtsvoll vor den Thronen stehenbleibend, hielten sie das Interesse der Herrscher und der Beherrschten für vereinbar und verstärkten ihre Bitten an die Potentaten, im Hinblick auf die drohende revolutionäre Gefahr aus eigenem Willensentschluß Verfassungen zu gewähren. Sie waren der Meinung, daß es vom guten Willen der Fürsten abhänge, ihre Macht freiwillig zu beschneiden, öffentlicher Kritik und Kontrolle zu unterstellen und den Wünschen der bürgerlichen Opposition auf dem evolutionären Wege allmählicher Reformen Genüge zu tun. Sie machten die Souveräne darauf aufmerksam, daß bei Mißachtung ihrer Bitten und Warnungen eine Erhebung der unzufriedenen Untertanen und eine Nachahmung der französischen Revolution zu befürchten sei.

Die Mehrzahl der deutschen Intelligenz neigte den staatstheoretischen und politischen Prinzipien Immanuel Kants zu, die in dessen moralphilosophischen Abhandlungen niedergelegt waren [12]. Für den Königsberger

[11] Der Ausdruck »Liberal« war während der Revolutionsepoche ungebräuchlich und wurde erst durch die spanische liberale Konstitution von 1812 in die politische Begriffswelt eingeführt, um Anhänger gemäßigter Reformen von den Radikalen zu unterscheiden. Es ist heute allgemein üblich, den Terminus für die vorrevolutionären bürgerlichen Aufklärer sowie für die Girondisten und deren Anhänger in anderen Staaten anzuwenden. Vgl. *Kingsley Martin*, French liberal thought in the 18th century (London, 3. Aufl. 1962) und *F. Valjavec*, Politische Strömungen (oben, Anm. 7).
[12] Insbesondere in Kants Schriften: Beantwortung der Frage: Was ist Aufklärung? In: Berlinische Monatsschrift, hrsg. J. E. Biester und F. Gedicke (Dezember 1784, S. 481 ff.); Grundlegung zur Metaphysik der Sitten (Berlin 1789); Über den Gemeinspruch: Das mag in der Theorie richtig sein, taugt aber nicht für die Praxis, in: Berlinische Monatsschrift (September 1793, S. 201 ff.). — Über die Einstellung Kants und seiner Anhänger zur französischen Revolution vgl. *Dieter Bergner*, Neue Bemerkungen zu Johann Gottlieb Fichte. Fichtes Stellungnahme zur nationalen Frage (Berlin/DDR 1957); *Arnold Hauser*, Sozialgeschichte der Kunst und Literatur (2 Bde, München 1958), hier das Kapitel »Deutschland und die Aufklärung«, Bd. 2, S. 104 ff.; *Leo Kofler*, Zur Geschichte der bürgerlichen Gesellschaft. Versuch einer verstehenden Deutung der Neuzeit (3. Aufl. Neuwied und Berlin 1966), hier das Kapitel »Der bürgerliche Humanismus und seine historischen Schranken«, S. 590 ff.; *Dieter Henrich*, Über

Philosophen und seine meisten Anhänger und Schüler bedeutete die Revolution nichts anderes als eine Umwälzung im bloßen Denken. Kant erklärte jeden Versuch zur gewaltsamen Veränderung einer Verfassung für illegitim und negierte emphatisch das Widerstandsrecht der Untertanen. Das politische Problem in ein Erziehungsproblem umwandelnd, lehrte er, daß die Befreiung der Menschen von den traditionellen Lebens- und Staatsformen im wesentlichen ein Bewußtseinsprozeß sei. Er ging vom Grundsatz aus, daß eine harmonische und im Interesse aller Menschen ablaufende gesellschaftliche Entwicklung möglich sei und faßte die Errichtung der bürgerlichen Ordnung als ethische Aufgabe, als Realisierung des Sittengesetzes auf. Laut seinen Maximen war sozialer Fortschritt nur dadurch zu erreichen, daß die auf der bürgerlichen Tugendlehre beruhende neue Gesellschaftsordnung, die an die Stelle des auf religiöser Sanktionierung basierenden Privilegiensystems treten sollte, von einem weisen und aufgeklärten Souverän in schrittweisen Reformen durchgesetzt würde. Die Aufklärung durfte sich keinesfalls zu einem das Regierungssystem sprengenden Mittel entwickeln; der Obrigkeitsgehorsam mußte aufrechterhalten bleiben. Demgemäß sahen die Anhänger Kants ihr Ziel nicht darin, die politischen Machtverhältnisse umzustürzen, sondern sie wollten durch Erziehung auf das Bewußtsein von Herrschern und Beherrschten einwirken, um die Umwandlung der Monarchie in eine Institution zum Schutze bürgerlicher Interessen zu fördern. Sie hegten die Auffassung, daß die Befreiung der Volksmassen aus ihrer Lage als Unterdrückte ihrer Feudalherren nur das Werk der Monarchen sein könne. Fichte kleidete diese Gedanken in die Worte: »Würdigkeit der Freiheit muß von unten heraufkommen, die Befreiung kann ohne Unordnung nur von oben herunterkommen.« [13] Das bedeutete die Garantierung der monarchischen Rechte trotz der abstrakten Befürwortung der Volkssouveränität. Eine derartige Betrachtungsweise, die in ihrer Konsequenz nicht zum Handeln, sondern zur Kontemplation führen mußte, hemmte die Beseitigung der bestehenden Autokratien und ihre Ersetzung durch bürgerliche Rechtsstaaten, in denen gewählte Volksvertretungen die oberste gesetzgebende Macht ausübten. Antifeudal, nicht aber antidynastisch gesinnt, warben die Häupter der deutschen Aufklärung um die Gunst der Fürsten und waren bereit, sich an den Partikularismus, an die politische Zersplitterung Deutschlands anzupassen. Die historisch notwendige Lösung der nationalen Frage, nämlich die Umgestaltung

den Sinn vernünftigen Handelns im Staat, in: Kant, Gentz, Rehberg (Theorie 1, hrsg. von Hans Blumenberg u. a., Frankfurt/M. 1967); *Zwi Batscha*, Gesellschaft und Staat in der politischen Philosophie Fichtes (Kritische Studien zur Politikwissenschaft, hrsg. von Walter Euchner u. a., Frankfurt/M. 1970).
[13] *J. G. Fichte*: Beiträge zur Berichtigung der Urteile des Publikums über die französische Revolution. 1. Teil: Zur Beurteilung ihrer Rechtmäßigkeit. Vorrede, S. 19 (Leipzig o. J.).

des grotesken Monstrums »Deutsches Reich« in einen einheitlichen bürgerlichen Nationalstaat konnte auf diese Weise nicht verwirklicht werden.

Die meisten deutschen Aufklärer gaben sich mithin dem idealistischen Trugschluß hin, daß die geistige Befreiung der politischen vorauszugehen habe und daß die moralische Besserung des einzelnen an die Stelle der Revolution treten müsse. Diese Haltung ist durch die Tatsache erklärbar, daß die intellektuellen Wortführer des Bürgertums eine Klasse vertraten, die wirtschaftlich zu schwach und unentwickelt war, um als selbständige politische Potenz auftreten und ihre sozialen und nationalen Aufgaben aus eigener Kraft lösen zu können. Im Gegensatz zu den Bourgeoisien Hollands, Englands und Frankreichs konnte sich die deutsche Bürgerklasse weder auf einem weiträumigen Markt entfalten noch die Reichtümer überseeischer Gebiete erschließen. Während sich im Westen Europas das Bürgertum zum Repräsentanten des politisch entrechteten Volkes aufgeschwungen hatte und in nationalen Revolutionen über die absolute Fürstenherrschaft siegreich geblieben war, blieb die Mehrheit der deutschen Kaufleute und Händler in kleinlichem Krämergeist befangen und verharrte im allgemeinen zaghaft und gedrückt in dem von Katheder und Kanzel jahrhundertelang gepredigten Obrigkeitsrespekt. Die freien Reichsstädte waren, von wenigen Ausnahmen abgesehen, zu wirtschaftlicher und politischer Bedeutungslosigkeit hinabgesunken, von feudalen Streuländereien eingeschnürt und – trotz ihres gepriesenen »Republikanismus« – von erstarrten Oligarchien beherrscht. In den monarchisch regierten Staaten schuf die von allen weltlichen und geistlichen Institutionen geförderte Anhänglichkeit an das legitime Herrscherhaus künstliche Trennungen innerhalb des Volkes und trug zu einer partikularistisch-beschränkten Geisteshaltung bei. Dem Luthertum fehlten jegliche Antriebe zu sozial oder politisch revolutionärer Haltung; in den Klerikalstaaten und den von katholischen Dynastien beherrschten Gebieten hemmte der starke Einfluß der Kirche auf das Volk die Wirkung des antiabsolutistischen und antireligiösen Denkens der Aufklärung. Ein deutsches Nationalbewußtsein war bei den breiten Schichten kaum in Ansätzen vorhanden.

Die auf dem Boden der industriellen Revolution Englands entstehenden Theorien von Adam Smith sowie der Sieg der republikanischen Ideen im amerikanischen Unabhängigkeitskrieg führten jedoch dazu, daß sich auch innerhalb der bürgerlichen Oberschicht Deutschlands ein neues Selbstverständnis herauszubilden begann. Die liberalen Presseorgane, die seit den der französischen Revolution unmittelbar vorangehenden Jahren an Zahl und Bedeutung zunahmen, traten im Namen *aller* politisch Unprivilegierten auf, obwohl ihre Interessen in erster Linie den Interessen des gehobenen Bürgertums entsprachen. Da die von dieser Schicht angestrebte Wirtschaftsfreiheit nur bei Aufhebung der ständischen Geburtsvorrechte realisiert werden konnte, waren die Liberalen scharfe Gegner des Adels und dessen »unvernünftiger« Prärogativen. Sie betonten, daß die Sozialfunktion der Aristokratie gesunken war und daß sie Rechte in Anspruch nahm, ohne entsprechende Pflichten zu tragen. Während sie die Scheidemauern zwischen Adel und Bürgertum abzubauen trachteten, waren sie keineswegs geneigt, die soziale Kluft zu verringern, die sie von den Besitzlosen trennte: Sie erwarteten von den Monarchen den Schutz ihres Eigentums vor den Ansprüchen der aufbegehrenden Unterklassen und behaupteten, daß nur der Wohlhabende ein guter Bürger sein könne, weil ihn sein Besitz an die Staatsinteressen binde. Ihre Gleichheitsforderungen beschränkten sich auf das Gebiet des Rechts, berührten jedoch nicht die politische, wirtschaftliche und soziale Ungleichheit der Bevölkerung. Der liberal-individualistische Freiheitsbegriff entsprang den Bedürfnissen der entstehenden kapitalistischen Gesellschaft und darf keineswegs mit den traditionellen feudal-korporativen Freiheiten identifiziert werden, die prinzipiell auf der Beibehaltung des Privilegiensystems beruhten [14]. Ihrer Auffassung nach waren individuelle Freiheit und Privateigentum unlöslich miteinander verknüpft; es konnte zwar Eigentum ohne Freiheit, aber keine Freiheit ohne Eigentum geben. Sollte die von ihnen angestrebte Sozialordnung ein freies Gemeinwesen bilden, so mußte sie sich aus Eigentümern zusammensetzen; den Eigentumslosen und wirtschaftlich Abhängigen erkannten sie nicht als vollberechtigtes Mitglied der bürgerlichen Gesellschaft an [15]. Unter Freiheit verstand die besitzende und gebildete Bürgerklasse vor allem Freiheit des Erwerbs, der wirtschaftlichen Betätigung. Daher bekämpften die Liberalen den merkantilistischen Dirigismus, die staatlichen Monopole, die ökonomischen Adelsprivilegien, die Schollenpflichtigkeit der Bauern, die grundherrschaftlichen Lasten, die Außen- und Binnenzölle sowie alle anderen feudalen Beschränkungen, die den freien Handel und die Entfaltung der Manufakturbetriebe und der langsam aufkommenden industriellen Unternehmungen beeinträchtigten. Sie sahen das Eigentum als Voraussetzung

[14] Unter dem Begriff »Feudal« wird hier nicht das System mittelalterlicher Lehensbeziehungen zwischen Souverän bzw. Senior und Vasallen bezeichnet, das am Ende des 18. Jahrhunderts nicht mehr bestand, sondern die Gesellschaftsordnung, die politische Rechte aus vornehmer Geburt (und nicht aus bürgerlichem Besitz) herleitete und prinzipiell auf Ungleichheit im Gesetz beruhte. In Frankreich hoben die Dekrete vom 11. und 26. August 1789, die in die Verfassung von 1791 einverleibt wurden, die Feudalbeziehungen zwischen Produzenten und Oberherrn auf. — *Maurice Dobb*, Entwicklung des Kapitalismus (Köln 1970), S. 46 f., definiert den Feudalismus als Produktionsweise und identifiziert ihn mit dem System der Leibeigenschaft. Vgl. auch *W. v. Hippel*, Le régime féodal en Allemagne au XVIIIe siècle et sa désagrégation, in: Annales historiques de la révolution française, Nr. 196 (Paris 1969), S. 239 ff.
[15] Eine gute Zusammenfassung der zeitgenössischen liberalen Anschauungen bietet *Johann Heinrich Albert Reimarus*, Freiheit. Eine Volksschrift (Hamburg 1791). Vgl. auch die Analyse *Leo Koflers* (Anm. 12), S. 433 ff.

des Mitspracherechts in öffentlichen Angelegenheiten an und verlangten, daß das wohlhabende Bürgertum bei der Steuergesetzgebung repräsentiert werde. Da im absolutistischen Staat Höhe und Verwendungszweck der Steuern im Ermessen des Potentaten lagen und willkürlich festgesetzt wurden, beschuldigten sie diesen der Vergeudung öffentlicher Mittel und traten für die offene Rechnungslegung des Staatshaushaltes ein. Auf dem Arbeitsmarkt waren die Liberalen bestrebt, das gebundene Arbeitsverhältnis der alten Sozialordnung durch das freie zu ersetzen und an die Stelle der überkommenen Bedarfsdeckungswirtschaft das Prinzip der freien Konkurrenz treten zu lassen. Sie waren daher entschiedene Gegner der althergebrachten und versteinerten Zunftprivilegien. Zu den wichtigsten Postulaten der Liberalen gehörten auch die religiöse Freiheit und die Aufhebung der Zensur, denn die Bindung des Staates an die Kirche und die Unterdrückung der freien Meinungsäußerung, die wesentliche Bestandteile des Privilegiensystems waren, standen der Durchsetzung der bürgerlichen Gesellschaftsordnung im Wege.

Die intellektuellen Wortführer des Besitzbürgertums, die von ihren Fürsten ebenso ausdauernd wie vergebens erflehten, diesen Forderungen stattzugeben, suchten ihr Publikum nur in der gebildeten Öffentlichkeit. Sie distanzierten sich entschieden von den stets aufs neue ausbrechenden »Tumulten und Zusammenrottierungen« der Bauern und Stadtplebejer und standen deren Bestrebungen, ihre elende wirtschaftliche Lage zu bessern, größtenteils verständnislos, wenn nicht sogar feindlich gegenüber. Den Herrschern gegenüber unterwürfig, waren die Liberalen in ihrem Verhältnis zu den unteren Sozialschichten von elitärem Standesdenken erfüllt und daher nicht bereit, den wirtschaftlichen Forderungen der Besitzlosen und Unterprivilegierten politischen Nachdruck zu verleihen.

Die Servilität und politische Zaghaftigkeit des deutschen Mittelstandes standen zum selbstsicheren und mutigen Auftreten des französischen Bürgertums in deutlichem Kontrast. In Frankreich hatte der Absolutismus den Staat geeint; die Bourgeoisie d'Affaires hatte seit dem 17. Jahrhundert an Bedeutung gewonnen, als sie der Bündnispartner des Königtums gegen den Feudaladel gewesen war. Im Verlaufe mehrerer Generationen hatte sie durch Errichtung zahlreicher Manufakturbetriebe sowie durch Großhandel und Ausbeutung von Kolonialgebieten beträchtliche Vermögen ansammeln können. Die vom Ideengut der Aufklärung durchdrungenen Repräsentanten des dritten Standes begnügten sich seit 1789 nicht mehr damit, vom Monarchen und vom Adel Konzessionen zu erbitten, sondern stellten politische Forderungen auf, um an der Staatsmacht teilzuhaben und sie notfalls allein zu übernehmen. Die Revolutionäre hatten es vermocht, Autorität und Befugnisse des Monarchen auf die Nation zu übertragen und damit ein neues Staatsbewußtsein, eine patriotische und volksverbundene Begeisterung für die Ideen der bürgerlichen Revolution zu erzeugen. Demokratisch gesinnte französische Aufklärer hatten schon bald nach Einberufung der Nationalversammlung die Hoffnung auf eine evolutionäre Reform der Monarchie aufgegeben. Diese radikale Richtung, das Jakobinertum, gewann seit 1791 Terrain, als der König sich mit der ihm aufgezwungenen Konstitution nicht abfinden wollte und im Bunde mit den mitteleuropäischen Feudalmächten hochverräterische Unternehmungen anzuzetteln begann.

Die französische Verfassung von 1791 stellte einen Kompromiß zwischen gemäßigten und radikalen Auffassungen dar: Sie suchte die Beibehaltung der konstitutionellen Monarchie mit den demokratischen Grundsätzen von der unübertragbaren Volkssouveränität miteinander zu verbinden. Die Verfassung war einerseits von den Staatslehren Lockes und Montesquieus geprägt, die die Begrenzung und Kontrolle der Staatsmacht durch gegenseitig sich hemmende Gewalten vorsahen, enthielt aber auch andererseits Teile von Rousseaus Gesellschaftsvertrag, der in seiner Theorie von der Volonté Générale jede Unterwerfung des einzelnen unter einen fremden Willen als unrechtmäßig ansah. Die Widersprüche der Konstitution, die die realen Interessengegensätze zwischen den beiden Gruppierungen des französischen Bürgertums widerspiegelten, blieben notdürftig verdeckt, solange die Monarchie bestand. Während die großbürgerliche liberale Gironde das Königtum als Bremsklotz gegen zu weitgehende politische und soziale Ansprüche der Unterklassen beibehalten wollte, strebten die kleinbürgerlichen, demokratischen Jakobiner die restlose Vernichtung aller feudalen Überreste an. Beim damaligen Fehlen politischer Parteien waren die beiden Strömungen noch nicht institutionell festgelegt. Das politische Denken des aufsteigenden Bürgertums sah eine Harmonisierung widerstreitender Klasseninteressen als erreichbar an und lehnte die Bildung von Parteien ab: Dies wurde als Betonung egoistischer Wünsche von Sondergruppen angesehen. Diese Auffassung entsprang sowohl Rousseaus Lehre vom einheitlichen Willen der Nation, als auch den Vorstellungen der klassischen Antike, die im Entstehen von Faktionen einen Grund für das Niedergehen eines Staatswesens erblickte. Gironde und Montagne waren in den Revolutionsgremien von 1792 keineswegs festgefügte Parteien im modernen Sinne, sondern lockere Interessenverbindungen [16].

Die französischen Jakobiner zogen aus den praktischen Erfahrungen der drei ersten Revolutionsjahre den Schluß, daß nur der gewaltsame Umsturz der Monarchie in engem Bündnis mit den besitzlosen Unterschichten die Grundsätze der Volkssouveränität und des nationalen Selbst-

[16] Vgl. *M. J. Sydenham*, The Girondins (London 1961).

bestimmungsrechts zum Siege führen könne. Die von patriotischer Gesinnung erfüllte Egalité des Jakobinertums drang auf Vertiefung des Demokratisierungsprozesses, wies dem einfachen Volk einen bedeutsamen Platz in der notwendigen Umgestaltung zu und forderte politische Gleichberechtigung aller Staatsbürger unabhängig von Besitz und Herkunft. Demgemäß bestand die jakobinische Praxis in einer Zusammenfassung aller antifeudalen Kräfte zum Kampf gegen die Konterrevolution und zum Sturz der alten Gewalten, in der Verwischung des Klassenantagonismus zwischen Eigentümern und Eigentumslosen.

Hatte schon der im Frühjahr 1792 ausbrechende Krieg zwischen Frankreich und den absolutistischen Mächten Österreich und Preußen die gesellschaftlichen Gegensätze im Lande der Revolution erheblich verschärft, so kam es nach dem Sturz der Monarchie im August zum Bruch innerhalb des siegreichen dritten Standes. Solange das Königtum existierte, hatte der gemeinsame Kampf des Bürgertums und der Plebejer gegen die Feudalität im Vordergrund gestanden; nunmehr brachen die Interessengegensätze der antifeudalen Gesellschaftsschichten deutlich hervor. Während das Besitzbürgertum die Revolution beenden wollte, um deren politische und ökonomische Früchte zu genießen und die unteren Sozialklassen von der Teilnahme an der Staatsmacht fernzuhalten, waren die kleinbürgerlichen Radikalen bestrebt, die in der Deklaration der Menschenrechte niedergelegten Prinzipien bis zur letzten Konsequenz der Demokratisierung des öffentlichen Lebens zu verwirklichen. Die Gironde geriet allmählich ins Hintertreffen, denn die besitzlosen Sansculotten, die soziale Besserstellung, wirtschaftliche Chancengleichheit, ja egalitäre Besitzumschichtung von der Revolution erwarteten, schlugen sich auf die Seite der Jakobiner und gaben dem Radikalisierungsprozeß immer neue Impulse. Wenige Wochen nach der Einberufung des Konvents und der Ausrufung der Republik, im Oktober 1792, wurden die liberalen Girondistenführer aus dem Pariser Jakobinerklub ausgestoßen. Dies war der erste Schritt auf dem Wege zur politischen Suprematie der Jakobiner, der acht Monate später zur Errichtung ihrer Alleinherrschaft führen sollte.

Parallel zu dieser Entwicklung der Revolution im Inneren Frankreichs ging ihre Wirkung auf Deutschland. Nachdem schon der Kriegsausbruch zu einer Erhitzung der politischen Atmosphäre diesseits des Rheins geführt hatte, gab der wachsende Einfluß der Jakobiner in Frankreich den Anstoß, daß der Jakobinismus eine gewisse Position im politischen Kräftefeld Deutschlands gewinnen konnte. Seit dem Sommer 1792 begann ein Teil der aufklärerischen Publizisten in den deutschen Teilstaaten vom liberalen Standpunkt abzurücken und sich die Anschauungen der revolutionären Demokratie zu eigen zu machen.

In Frankreich und besonders in dessen hauptstädtischem Katalysator Paris hatte die Revolution weite Bevölkerungsschichten politisiert und radikalisiert. Dies traf auf Deutschland in geringerem Maß zu, da kein geistiger und politischer Mittelpunkt vorhanden war, um den sich das Leben der werdenden bürgerlichen Nation konzentrieren konnte. Die konfessionelle und territoriale Zerrissenheit und die unterschiedlichen Regierungsformen der deutschen Kleinstaaten verhinderten, daß sich die revolutionären Demokraten von einem anerkannten Forum an die Öffentlichkeit wenden und gemeingültige, überall anwendbare Losungen aufstellen konnten. Einer der bedeutendsten deutschen Jakobiner, Georg Friedrich Rebmann, wies auf diese Hindernisse hin:

> In Frankreich waren nur zwei Hauptinteressen, das Interesse des Hofs, dessen, was zum Hof gehört, des Adels, der Geistlichkeit, und das Interesse des Volks, der Bürger. Daher entstanden zwei Parteien, die miteinander um die Oberhand kämpften. In Deutschland hingegen haben wir dreihundert kleine Höfchen, zweierlei Religionen und statt einer gleich leidenden Nation mehrere ungleichartige, durch Religion, Sitten, Regierungsform getrennte, hie und da ganz leidlich regierte Völker, die nie gleichen Schritt halten können und werden, ehe eine gänzliche, jetzt noch nicht zu erwartende Konsolidierung erfolgt. [17]

Der deutsche Jakobinismus, der immer im Schatten seines französischen Vorbilds stand, umfaßt vielgestaltige Erscheinungen und entzieht sich präziser und eindeutiger Charakterisierung und Definition. Während in Frankreich die revolutionären Demokraten zur Herrschaft gelangten und ihre politischen Maximen in der Verfassung vom Juni 1793 verankern, einige davon sogar zeitweise praktisch erproben konnten, blieb den deutschen Jakobinern die Mitwirkung am Staatsleben versagt. Sie mußten sich damit begnügen, an den herrschenden Zuständen in journalistischer Form Kritik zu üben. Beim Mangel einer autonomen revolutionären Umwälzung in Deutschland gehören literarische Zeugnisse zu den wichtigsten Quellen der jakobinischen Tätigkeit. Nur im Rheinland, das von den Revolutionsheeren erobert und 1797 an Frankreich angeschlossen wurde, erfuhr die deutsch-jakobinische Bewegung eine revolutionäre Praxis; nur dort gelang es ihr, eine gewisse Massenbasis zu erreichen. Der Süden Deutschlands erlebte die bewaffneten Sendboten der Revolution erst, als die Jakobiner jenseits des Rheins als Regierungspartei bereits vernichtet waren und die Eroberungs- und Ausbeutungspolitik ihrer Nachfolger klar zutage traten. Die übrigen Teile des Reichs

[17] *G. F. Rebmann*, Vollständige Geschichte meiner Verfolgungen und meiner Leiden. Ein Beitrag zur Geschichte des deutschen Aristokratism. Amsterdam (vielm. Altona 1796), S. 21. Vgl. *Nadeshda v. Wrasky*, A. G. F. Rebmann. Leben und Werke eine Publizisten zur Zeit der großen französischen Revolution (Phil. Diss. Heidelberg 1907), S. 73.

wurden nur von den Theorien der Revolution berührt. Daher fanden die deutschen Jakobiner im Rechtsrheinischen bei Bauern und Stadtplebejern nur sporadisch eine gesellschaftliche Stütze [17a].

Beim Fehlen eines einheitlichen politischen Programms der jakobinischen Bewegung in Deutschland müssen zahlreiche revolutionäre Publikationen auf ihre staatstheoretischen und gesellschaftspolitischen Prinzipien untersucht werden. Dabei ergibt sich, daß es nicht alle Jakobiner vermochten, ihr früheres liberal-idealistisches Denken völlig abzuschütteln — daß nämlich der Erziehung der Primat zukomme und daß die Erringung der Freiheit im Bewußtsein anstatt in der realen Welt vor sich gehe. In den Kampforganen der revolutionären Demokratie stehen widersprüchliche Auffassungen oft unvermittelt nebeneinander oder gehen ineinander über. Die ideologischen Unklarheiten sind sowohl auf das im Vergleich zum Westen relativ niedrigere Entwicklungsniveau Deutschlands zurückzuführen, als auch auf den (oben bereits erwähnten) Umstand, daß die französische Staatsverfassung ebenfalls unterschiedliche Theorien miteinander zu vereinbaren versuchte. Die Grenzen zwischen liberaler und demokratischer Einstellung sind in den jakobinischen Publikationen daher oft schwer zu ziehen. Die Höhe der politischen Erkenntnis des einzelnen Publizisten hing oft von äußeren Umständen, wie von seinem Wohnsitz und seinen persönlichen Erfahrungen ab [18].

Trotz dieser Schwierigkeiten soll in folgendem versucht werden, liberales von demokratischem Ideengut zu trennen, um die für den deutschen Jakobinismus kennzeichnenden idealtypischen Merkmale festzustellen und zu analysieren.

Wichtigstes Kriterium für die Bestimmung der jakobinischen Bewegung Deutschlands ist ihre revolutionär-demokratische Grundeinstellung. Die jakobinischen Publizisten verzichteten darauf, sich weiterhin an die *Fürsten* mit Bitten um *Reformen* zu wenden; sie sagten sich von der Ideologie einer evolutionären Umwandlung des Privilegiensystems in die bürgerliche Ordnung los und richteten ihre Appelle ans *Volk* mit der Aufforderung zum gewaltsamen *Umsturz*. Sie sahen es als ihre Aufgabe an, das politische Bewußtsein der Unterschichten zu heben, um von der abstrakten Befürwortung des Repräsentativsystems und des parlamentarischen Rechtsstaats zu seiner praktischen, revolutionären Verwirklichung schreiten zu können und die Geburt der bürgerlichen Gesellschaftsordnung

[17a] Vgl. *Heinrich Scheel*, Deutsche Jakobiner (s. Anm. 2), S. 1130, sowie die Diskussionsbeiträge in: Zur Frage des Charakters der französischen Kriege in bezug auf die Entwicklung in Deutschland in den Jahren 1792 bis 1815 (Deutsche Akademie der Wissenschaften zu Berlin, Schriften des Instituts für Geschichte, Reihe III, Bd. 2. Berlin/DDR 1958).
[18] So gelangten sowohl Forster als auch Rebmann nach ihrer Übersiedlung nach Frankreich zu neuen Erkenntnissen. Vgl. die Analyse bei *W. Grab*, Eroberung oder Befreiung (s. Anm. 7), S. 83 f.

zu beschleunigen. Der Hamburger Jakobiner Friedrich Wilhelm von Schütz drückte dies folgendermaßen aus:

> Wir können dem Publico nur insofern nützlich werden, als wir die Werkzeuge sind, herrschende Vorurteile zu bestreiten und richtige Ideen über diesen oder jenen Gegenstand schneller als sonst gewöhnlich in Umlauf zu bringen. Um uns einer passenden Allegorie zu bedienen, so sind wir gleichsam der Geburtshelfer, die Entbindung zu erleichtern, und wir sehen den verständigen Teil des Publikums als die Gebärerin an, die eigentlich die Hauptrolle spielen muß, und welcher wir die Wehen erleichtern helfen. [19]

Die deutschen Jakobiner begriffen, daß eine stabile Basis für eine nationale Entwicklung in Deutschland nur auf den Trümmern des Reichs, durch eine gewaltsame Beseitigung der alten Reichsverfassung und Konstitution zu gewinnen war. Sie mußten es daher ablehnen, sich an die bestehenden politischen Verhältnisse anzupassen und mit den herrschenden Partikulargewalten Kompromisse einzugehen. Da die demokratische Perspektive auf die Regeneration Deutschlands durch eine siegreiche Volkserhebung gerichtet war, mußte die dumpfe Unzufriedenheit der Bauern und der Stadtarmut mit ihrem materiellen Elend auf politische Ziele gerichtet und in Revolutionsbereitschaft und Umsturzwillen verwandelt werden: Orientierung auf die Revolution mußte auch Orientierung auf die soziale Besserstellung der plebejischen Massen bedeuten. Dazu war es notwendig, die durch Herkunft und Bildung bedingten und vom Absolutismus konservierten Schranken zwischen den Besitzenden und dem »gemeinen Haufen« niederzureißen. Stil und Diktion der jakobinischen Revolutionsaufrufe, Gedichte und Aufsätze waren der Vorstellungswelt und dem Begriffsvermögen der Mindergebildeten und Minderbesitzenden angepaßt. Die von patriotischer Volksverbundenheit und zukunftsfreudigem Optimismus erfüllten Schriften dieser Volkstribunen sollten die Leser zu kritisch denkenden und politisch aktiven Staatsbürgern heranbilden, sie von der geistigen Bevormundung durch Kirche und Adel befreien und über die engen Grenzen der deutschen Zwergstaaten hinweg ein demokratisches Nationalbewußtsein entfachen. Ihr Patriotismus hatte nichts mit chauvinistischer Überheblichkeit, Stolz auf das eigene Volkstum oder Haß auf andere Völker zu tun. Sie betonten vielmehr ihre Solidarität mit anderen von Despotismus und Priesterherrschaft befreiten Nationen. Weltbürgertum und Patriotismus bedeuteten in ihren Augen keinen Gegensatz, sondern waren zwei Seiten der gleichen Medaille. Ihre kosmopolitischen Ideen beruhten auf der Überzeugung, daß Frankreich als bürgerlicher Verfassungsstaat prinzipiell eine sittli-

[19] (*F. W. v. Schütz*), Niedersächsischer Merkur, sehr vermischten Inhaltes, 2. Bändchen, 12. Stück, S. 182 (Altona, vielm. Hamburg 1792). — Schütz hatte bei seiner Bemerkung über die »herrschenden Vorurteile« besonders die Diskriminierung der Juden im Auge, deren Emanzipation von allen deutschen Jakobinern energisch gefordert wurde.

chere Politik betreibe als die Willkürregimes der absolutistischen Mächte; als Weltbürger fühlten sie sich gleichzeitig als Vorkämpfer der Befreiung ihrer eigenen Nation vom Feudaljoch. Die europäischen Staaten boten sich ihnen als einheitliches Terrain dar, in dem die »Vernunft« mit den »vielköpfigen Ungeheuern des Despotismus« [20] im Kampf lag. Diese deutschen Citoyens teilten mit ihren französischen Gesinnungsfreunden die Illusion, mit der bürgerlichen Emanzipation auch die allgemeine menschliche Befreiung bewirken zu können. Die Einsicht in die Notwendigkeit, mit dem Volk und für das Volk politische Rechte zu erkämpfen, ohne die alle bürgerlichen Gleichheits- und Freiheitsforderungen blutleere Schemen bleiben mußten, trennte die deutschen Jakobiner von der großen Masse der deutschen Aufklärer, die 1789 voller Begeisterung gewesen waren, aber beim Anstieg auf die Gipfelhöhe des Berges, der Montagne, unter Atemnot zu leiden begannen und der Revolution beim Beginn der Jakobinerherrschaft in Frankreich den Rücken kehrten [21].

Die Jakobiner schöpften aus der politischen und staatsphilosophischen Theorie Rousseaus Anregungen zur Kritik der in Deutschland bestehenden Zustände und sahen nur jene Macht als gesetzmäßig an, die ihre Legitimation auf ausdrückliche Einwilligung aller Volksschichten begründete. Als Revolutionäre, die das neue Evangelium der Selbstbefreiung von Willkürherrschaft in Praxis umzusetzen strebten, betonten sie, daß die Grundsätze der Volkssouveränität und der nationalen Selbstbestimmung zur Beibehaltung der monarchischen Gewalt in unüberbrückbarem Widerspruch stünden. Vom Standpunkt des Rousseauschen Gesellschaftsvertrags erschienen die feudalen Rechtsverhältnisse als Verletzung der »Natur des Menschen« [22]. — Die Jakobiner griffen auch auf die von den »Monarchomachen« und anderen älteren revolutionären Strömungen Westeuropas aufgestellten Vertragstheorien einer beiderseitigen Verpflichtung zwischen Herrschern und Beherrschten zurück und begründeten ihr Widerstandsrecht damit, daß der Vertrag vom Despoten gebrochen worden sei. Auf der Grundlage des Naturrechts ließ sich gewaltsamer Widerstand gegen die etablierte Herrschaft nur aus der Kontinuität des alten und zugleich ewigen Rechts, eben als die Restauration und Regeneration einer bloß durch Fürstenwillkür unterbrochenen Rechtstradition legitimieren

[20] Vgl. (F. W. v. Schütz), Hamburger Merkur, 1. Bändchen, 1. Stück, S. 2 (Hamburg 1792).
[21] Vgl. Heinrich Scheel, Deutsche Jakobiner (Anm. 2), S. 1131. Eine treffende Analyse des Unterschiedes zwischen Liberalismus und Demokratie zur Revolutionsepoche nimmt Ludwig Uhlig (oben, Anm. 7), S. 164 ff. vor.
[22] Zu dieser Problematik vgl. Bernhard Weissel, Von wem die Gewalt in den Staaten herrührt. Beiträge zu den Auswirkungen der Staats- und Gesellschaftsauffassungen Rousseaus auf Deutschland im letzten Viertel des 18. Jahrhunderts (Berlin/DDR 1963).

[23]. Die Jakobiner betonten, daß die natürliche Gleichheit und Freiheit des Menschen, gegen die die Privilegienordnung verstieß, wiederhergestellt werden müsse und daß daher Widerstand gegen die despotische Obrigkeit das Recht, ja sogar die Pflicht des politisch mündigen Staatsbürgers sei. Die Auffassung, daß die natürlichen und unveräußerlichen Menschenrechte durch kein positives Gesetz des Monarchen aufgehoben werden dürften oder könnten, war dem deutschen Staatsrechtsdenken bis dahin nahezu fremd.

In der Auseinandersetzung zwischen Edmund Burke und Thomas Paine über die Rechtmäßigkeit der französischen Revolution ergriffen mehrere deutsche Jakobiner energisch für Paine Partei; sein Buch *The Rights of Man* wurde sogleich nach Erscheinen unter Georg Forsters Mitwirkung ins Deutsche übersetzt und wegen seiner Beliebtheit bald als das »gepriesene Evangelium« breiter Teile des Volks bezeichnet [24]. Paine betrachtete in diesem Werk alle erbliche Herrschaft als Tyrannei und sah eine auf Gewaltenteilung beruhende Republik, deren Legislative aus allgemeinen und gleichen Wahlen hervorging, als einzig rechtliche Staatsform an. Auf die Wegbereiter der Revolution Rousseau und Paine, auf die republikanischen Vorbilder der Vereinigten Staaten und Frankreichs wiesen die deutschen Jakobiner in ihren staatsphilosophischen und agitatorischen Schriften immer wieder hin [25].

In politischer Hinsicht betonten die Jakobiner, daß kein Feudalherrscher jemals den Untertanen politische Rechte zugestanden oder seinen Platz freiwillig geräumt habe und daß daher die schillernde Vielfalt der Privilegienordnung nur durch eine Revolution beseitigt werden könne; in religiöser Hinsicht waren sie antiklerikal, religionskritisch und tendierten zu atheistischen Auffassungen, da sie in der aufklärungsfeindlichen Haltung der Kirchen, in der transzendenten Legitimierung der Monarchie von Gottes Gnaden und im Bündnis zwischen Thron und Altar verläß-

[23] Vgl. *Jürgen Habermas*, Naturrecht und Revolution, in: Theorie und Praxis. Sozialphilosophische Studien (Politica, Band 11, Abhandlungen und Texte zur philosophischen Wissenschaft, Hrsg. von W. Hennis und R. Schur, Neuwied und Berlin 1963), S. 52.

[24] Vgl. *Ernst Brandes*, Betrachtungen über den Zeitgeist in Deutschland in den letzten Dezennien des vorigen Jahrhunderts (Hannover 1808), S. 193. Über die Mitwirkung Georg Forsters bei der Herausgabe von Paines Werk vgl. *K. Kersten* (Anm. 7), S. 230.

[25] Z. B. Huergelmer (Pseud., d. i. *Johann Friedrich Ernst Albrecht* und/ oder *Georg Friedrich Rebmann*), Der politische Tierkreis oder die Zeichen unserer Zeit (Straßburg 1797); Monarchomachus (ebenfalls *Rebmann* und/oder *Albrecht*), Des politischen Tierkreises oder der Zeichen unserer Zeit zweiter Teil (Mainz, im 6. Jahr der Republik, = 1798). – Auch das Flugblatt der Altonaer Jakobiner vom 3. Dezember 1792 nennt Paines Werk ausdrücklich und macht sich dessen Argumentation zu eigen. Vgl. *W. Grab*, Demokratische Strömungen (oben, Anm. 7), S. 103.

liche Stützpfeiler der absolutistischen Macht erblickten; in philosophischer Hinsicht waren sie weitgehend von den materialistischen Konzeptionen französischer Aufklärer beeinflußt, wandten sich gegen die Bestimmung des Menschen aus einer übermundanen Essenz und bekämpften die metaphysische Denkweise, den Mystizismus und den Aberglauben.

Der demokratische Gleichheitsbegriff schloß die von den Liberalen geforderte Rechtsgleichheit ein, ging aber darüber hinaus. Die Jakobiner erkannten, daß auch nach der formellen Gleichstellung der Staatsbürger vor dem Gesetz politische Rechte nur den Wohlhabenden vorbehalten blieben. Da nach ihrer Auffassung die Rechte der Menschen aus ihrer Natur, ihrem Menschsein, nicht aber aus ihrem Besitz entsprangen, forderten sie die vom Privateigentum gelöste *politische* Gleichheit — das Recht aller Bürger, an staatlichen Entscheidungen mitzubestimmen. »Genug, diejenigen, die durch ihre Beiträge die Armeen unterhalten, den Hofstaat ernähren, die Staatsdiener bezahlen, die Wege bessern, die rohen Produkte veredeln und dann versilbern, die Gesundheit des Staatsbürgers erhalten, seinen Geist aufklären und Köpfe haben, von denen sie Kopfgeld bezahlen, sind Bestandteile der Nation, nützliche unentbehrliche Mitglieder und müssen mitgehört werden, wenn von einer Umformung die Rede ist«, heißt es in einem jakobinischen Aufsatz des Jahres 1792 [26]. Das leidenschaftliche Eintreten der Jakobiner für die Belange der Unterklassen kam auch darin zum Ausdruck, daß ihr Freiheitsbegriff eine viel größere Spannweite besaß als die liberalen Freiheitspostulate, die den Interessen des Großbürgertums zu entsprechen suchten. Das demokratische Freiheitsideal bedeutete Attribut und Funktion der Gleichheit, das heißt Unabhängigkeit vom Einfluß anderer, Befreiung von jeglicher Art politischer Vorrechte und sozialer Unterdrückung. Ihnen galt es, ein Gemeinwesen zu schaffen, in dem eine auf vernünftige, objektive Zwecke gerichtete Übereinstimmung des Wollens herrschte und in dem niemand Verfügungsrecht über seinen Mitmenschen hatte. Eine Gesellschaft von mündigen, ebenbürtigen, politisch gleichberechtigten Staatsbürgern, die kein Untertanenverhältnis kannte, mußte nach ihrer Überzeugung auch frei sein.

Obwohl die Demokraten — im Gegensatz zu den Liberalen — für einen Staat eintraten, der dem Eigentum keine politischen Privilegien einräumte, blieben sie in ihrer überwiegenden Mehrzahl bürgerlichen Eigentumsbegriffen verhaftet. Sie hofften, daß die Beseitigung der alten, auf dem Vorrecht der Geburt beruhenden ständischen Ordnung und die Gewährung politischer Gleichheit für alle die ersehnte »Glückseligkeit« herbeiführen und einen »neuen Menschen« hervorbringen werde [27]. Der

[26] Die Stelle findet sich im unsignierten Artikel: Wie ein westfälischer Küster das Recht der Nationen, ihre Konstitution zu ändern, ansehe, in: Schleswigsches ehem. Braunschweigisches Journal (Hrsg. *August v. Hennings*, Altona 1792), Bd. 1, 6. Stück, S. 448 f.

Verlauf der französischen Revolution zeigte jedoch, daß auch nach dem Sturz des Privilegiensystems die auf der Ungleichheit des bürgerlichen Besitzes basierenden Klassengegensätze und sozialen Abstufungen bestehen blieben und daß Ausbeutung und Unterdrückung nicht verschwunden waren, sondern nur ihre *Form* gewandelt hatten: An die Stelle des adligen Grundherren trat der bürgerliche Fabrikherr, an die Stelle des Fronarbeiters der Lohnarbeiter. Auch in der neuen Gesellschaftsordnung lebten »die einen als Masttiere, die anderen als Lasttiere« [28], — auch nach dem Verschwinden der Feudalordnung gab es »eine hervorbringende und eine verzehrende Klasse« [29]. Obwohl die Jakobiner das Entstehen des neuen Antagonismus konstatierten, blieben ihnen dessen Ursachen, die in der Produktionsweise der kapitalistischen Klassengesellschaft lagen, verborgen. Sie schrieben daher das Ausbleiben einer Sozialordnung gleicher und freier Menschen moralischen und subjektiven Faktoren, wie der egoistischen Wesensart der Franzosen, der Bosheit und Unfähigkeit ihrer Machthaber und der Habsucht der Reichen zu. Um den Widersprüchen der entstehenden kapitalistischen Ordnung zu entgehen, stellten einige Jakobiner die utopische Forderung nach Besitzgleichheit auf und kamen auch sozialistischen Vorstellungen des gesellschaftlichen Gemeineigentums nahe [30].

In der von den Jakobinern erstrebten Republik sollten »tugendhafte«

[27] Vgl. *B. Weissel* (Anm. 22), S. 281 ff. Der Flensburger Jakobiner *Georg Conrad Meyer* gab seinem Journal den Namen »Der neue Mensch« (Flensburg 1796/97).
[28] *Franz Heinrich Ziegenhagen*, Lehre vom richtigen Verhältnis zu den Schöpfungswerken und die durch öffentliche Einführung derselben allein zu bewirkende allgemeine Menschenbeglückung (Hamburg 1792), S. 622.
[29] *Heinrich Christoph Albrecht*, Versuch über den Patriotismus (Hamburg 1792), S. 120.
[30] So wollte der Demokrat F. H. Ziegenhagen das soziale Problem durch Errichtung von landwirtschaftlichen Gemeinschaftssiedlungen lösen, aus denen alles Privateigentum verbannt sein sollte. Vgl. sein unter Anm. 28 genanntes Werk und die Darstellung und Analyse seines Projekts bei *Gerhard Steiner*, Franz Heinrich Ziegenhagen und seine Verhältnislehre. Ein Beitrag zur Geschichte des utopischen Sozialismus in Deutschland (Berlin 1962). — Auch der Berliner Sozialutopist *Carl Wilhelm Frölich* schlug in seinem Werk »Über den Menschen und seine Verhältnisse« (Berlin 1792) die Begründung von kommunistischen Gemeinden, in denen der Privatbesitz aufgehoben und die Produktion gelenkt sein sollte, vor. Diese Abhandlung wurde von *G. Steiner* neu herausgegeben und eingeleitet (Berlin/DDR 1960). Vgl. auch *G. Steiner*, Der Traum vom Menschenglück (Berlin 1959). Frölichs Frau Henriette veröffentlichte 1820 einen Briefroman »Virginia oder die Kolonie von Kentucky«, in dem sie ein ideales auf der Grundlage des Gemeinschaftseigentums beruhendes Staatswesen beschrieb. — Der Jakobiner G. C. Meyer (oben, Anm. 27) schlug in seiner Zeitschrift 9. Stück, S. 105, Besitzgleichheit vor; er stand vermutlich mit Mitgliedern von Gracchus Babeufs Zirkel in Paris in Korrespondenz. — Der österreichische Jakobiner *Franz Hebenstreit von Streitenfeld* verfaßte ein lateinisches Gedicht von über 500 Hexametern, »Homo Hominibus«, dessen moralphilosophischer und gesellschafts-

Persönlichkeiten Macht ausüben, also jene, die sich um das öffentliche Wohl, um den Fortschritt des Menschengeschlechts Verdienste erwarben, — nicht aber solche, die Verdiensten im Sinne des materiellen egoistischen Profits nachjagten. Die Jakobiner teilten die liberale Illusion, daß der bürgerliche Verfassungsstaat Moral und Politik vereinigen werde. Legten aber die Liberalen das Schwergewicht auf die freiheitlichen *Rechte* der wohlhabenden Oberschicht und auf die von staatlichen Machtbefugnissen freie Wirtschaft, so betonten die Jakobiner die *Pflichten* des Gemeinwesens gegenüber den sozial Benachteiligten und wirtschaftlich Schwachen. Der Staat, der nach demokratischer Auffassung die Summe aller Bürger, also auch der Mittellosen verkörpert, hat die Aufgabe, den Anspruch aller seiner Bewohner auf materielle und geistige Güter zu gewährleisten. Er muß darauf achten, daß sich der wirtschaftlich Stärkere nicht über Gebühr zur Geltung bringe. Die Demokraten forderten, daß der Staat das Recht des einzelnen auf Arbeit garantiere, für die Unterstützung der Bedürftigen aufkomme, das Bildungsprivileg der Wohlhabenden breche und die Förderung kultureller Interessen übernehme. Sie bejahten daher staatliche Eingriffe in den Privatbereich des Bürgers, was eine Schmälerung des unbeschränkten Verfügungsrechts des einzelnen über sein Privateigentum zur Folge haben mußte.

Obwohl nur eine Minderheit der deutschen Aufklärer sich diese radikalen Auffassungen zu eigen machte und die Majorität an ihren überkommenen gemäßigten Konzeptionen festhielt, sahen die herrschenden konservativen Mächte in *jedem* Aufklärer, auch im zahmsten Liberalen, einen radikalen Demokraten. Die oppositionellen Journale waren ständigen Beschlagnahmungen und Verboten ausgesetzt und daher meist kurzlebig. Zur Unterdrückung der aufrührerischen Ideen boten die Machthaber die erprobten Mittel der Diskriminierung und Diffamierung, des Rufmords und der Korrumpierung auf. Polizeischikanen und Spitzelwesen, die Verletzung des Briefgeheimnisses und körperliche Mißhandlungen der Jakobiner gehörten in fast allen deutschen Teilstaaten zur täglichen Praxis. Die fast überall bestehenden strengen Zensurbestimmungen machten einen über den lokalen Rahmen hinausgehenden Meinungsaustausch und organisatorischen Zusammenschluß der oppositionellen Schriftsteller nahezu unmöglich. Von freiwilligen und gedungenen Konfidenten und Denunzianten ständig beschattet, als »Freiheitsschwindler« verfemt und geächtet, wurden die Jakobiner von einem Teilstaat in den anderen gejagt, ausgewiesen, eingekerkert, ihrer Existenzgrundlage beraubt, zum Selbst-

---

kritischer Inhalt den Vorstellungen Ziegenhagens ähnelt und in der Forderung gesellschaftlichen Gemeineigentums gipfelt. Über dieses Werk vgl. *Ernst Wangermann*, From Joseph II to the Jacobin trials (2. Aufl. Oxford 1967), bes. S. 192 f., und *Alfred Körner*, Andreas Riedel. Ein politisches Schicksal im Zeitalter der französischen Revolution (Diss. Köln 1969), S. 167 f.

mord getrieben oder zur Flucht nach Frankreich gezwungen. Die Verfolgungen wurden dadurch erleichtert, daß die Jakobiner isoliert kämpften und mit den Volksmassen nur selten unmittelbaren Kontakt hatten. Da sich manche Verleger aus Furcht vor der Obrigkeit weigerten, demokratische Schriften herauszugeben, waren die Demokraten oft genötigt, ihre Erzeugnisse illegal zu verbreiten. Zahlreiche Aufrufe und Revolutionsgedichte liegen nur handschriftlich vor. Viele Streiter für ein demokratisches Deutschland mußten mit geschlossenem Visier auf den Kampfplatz treten und ihre Schriften anonym oder unter Pseudonym und unter Angabe von falschen und fingierten Druckorten erscheinen lassen.

Die deutschen Jakobiner verfügten über drei Plattformen zur Verbreitung ihrer Grundsätze und zur Einwirkung auf das Publikum. Es waren die Maurerbünde, die Publizistik und die Bühne. Mehrere Demokraten benutzten alle drei Plattformen gleichzeitig.

Die meisten Jakobiner waren Freimaurer. In den sektenmäßigen Verbindungen der Freimaurerlogen, die über die deutschen Binnengrenzen hinweg Beziehungen unterhielten, suchten die Demokraten gleichsam hinter dem Rücken der Privilegienordnung die gesellschaftliche Gleichheit zu verwirklichen, die ihnen im öffentlichen Leben vorenthalten wurde. Innerhalb des Maurerbundes war der Bürger kein Untertan der Staatsgewalt mehr, sondern Mensch unter Menschen. In den Logen fand die Idee des Humanitätsideals und der moralischen Vervollkommnung begeisterte Anhänger; dort fiel jede Rücksicht auf einengende Standesvorrechte fort. Die große Bedeutung des Freimaurerwesens in Deutschland zur Revolutionszeit war ein Zeichen der Schwäche des Bürgertums, das nicht imstande war, den absolutistischen Staat und die hierarchische Privilegienordnung auf revolutionäre Weise analog zu Frankreich zu beseitigen und daher seine Opposition in Geheimzirkeln auszudrücken versuchte. Zum Wesen der Geheimbünde gehörte aber die beschränkte Zahl ihrer Mitglieder und der dadurch bedingte geringe Einfluß auf die Massen des einfachen Volkes.

Die Publizistik ist als Höhepunkt der jakobinischen Tätigkeit und Wirkungsmöglichkeit anzusehen. Die demokratische Literatur der Epoche weist viele Gattungen auf; die Skala reicht von schwierigen staatstheoretischen Werken bis zu philosophisch-lehrhaften und satirischen Romanen, Zukunftsutopien, Reisebeschreibungen, Agitationsbroschüren und kritischen Kommentaren zum Tagesgeschehen. Besonders zahlreich sind die Revolutionsgedichte; mittels einprägsamer Verse wandten sich die Jakobiner darin fast ausschließlich an den einfachen Mann. Die Freiheitsgedichte sind als Bindeglieder zwischen den gebildeten Demokraten und dem Volk anzusehen. Obwohl sich fast alle Jakobiner publizistisch und schriftstellerisch betätigten, hatte sich fast keiner von ihnen ursprünglich den Journalismus als Lebensberuf gewählt; die Unzufriedenheit mit den politischen Zuständen drängte sie zur Publizistik. Alle Bildungsberufe — Theologen, Offiziere, Advokaten, Ärzte, Lehrer, Universitätsprofessoren — sind unter den Jakobinern zu finden. Nur Angehörige dieser Berufe konnten sich das für einen Publizisten notwendige historische und politische Wissen aneignen. Bei dem damaligen Fehlen einer staatlichen Grundausbildung vermochten Menschen aus den unteren Sozialklassen die zur Herausgabe von Zeitschriften nötigen Kenntnisse nicht zu erwerben.

Nicht nur durch die Presse, sondern auch von der Bühne herab konnte auf die öffentliche Meinung Einfluß genommen werden. Das Theater, auf dem sich ein Stück bürgerlichen Emanzipationskampfes abspielte, konnte eine erzieherische Funktion auf ungebildete Massen ausüben und ihnen demokratisches Gedankengut nahebringen. Die Wirkungsbreite der Bühne übertraf infolge des Analphabetentums breiter Bevölkerungsschichten sogar noch die der Presse. Durch die von der Bühne herab verkündete moralische Rechtsprechung wurde die Unzulänglichkeit der bestehenden Sozialordnung jedermann deutlich sichtbar vor Augen geführt. Hier war es den Stückeschreibern und Schauspielern möglich, den absolutistischen Staat anzuprangern und über seine Repräsentanten Verdammungsurteile zu fällen. Ebenso wie in den Freimaurerbünden die Privilegienordnung kritisiert wurde und sich die Logen durch ihre Geheimhaltung dem Arm weltlicher Gerichtsbarkeit entzogen, war die Bühne imstande, die Untaten und die Unfähigkeit der politischen Gewalthaber zu geißeln und lächerlich zu machen, ohne daß die Verfasser der Stücke Gefahr liefen, zur Rechenschaft gezogen zu werden. Allerdings barg die Bühnentätigkeit der Jakobiner auch einen Nachteil: Das Theater konnte in seiner künstlerischen Aussage zwar eine versteckte politische und moralische Verurteilung der herrschenden Zustände aussprechen, war aber viel weniger als die Presse imstande, die bestehende Ordnung unverhüllt und offen zu bekämpfen.

Die deutschen Jakobiner standen nicht nur, wie ihre französischen Gesinnungsfreunde, vor der Aufgabe, eine politische Umwälzung zuwege zu bringen, sondern sie sahen sich auch in die Notwendigkeit versetzt, die Lösung der nationalen Frage in Angriff zu nehmen. Ihre Bestrebungen hatten sowohl das Ziel, die absoluten Willkürherrschaften durch parlamentarische Verfassungen zu ersetzen, als auch, an Stelle der partikularen Zwergdespotien einen einheitlichen Nationalstaat zu errichten. Nur ein entschlossenes, gemeinsames und gleichzeitiges Vorgehen aller antifeudalen Klassen in den verschiedenen Kleinstaaten hätte es vermocht, das monarchische und aristokratische Herrschaftsprinzip zu beseitigen. Die territoriale Zersplitterung und die ungleichmäßige ökonomische Entwicklung Deutschlands machte einen derartigen Zusammenschluß illusorisch. Es mangelte an der entscheidenden Voraussetzung, nämlich am Vorhandensein eines politisch reifen und kühnen Bürgertums, das sich — wie es in Frankreich geschehen war — an die Spitze aller politisch Nichtprivilegierten hätte stellen müssen. Die wenigen demokratischen Publizisten konnten unmöglich das leisten, was das Bürgertum als Klasse versäumte [31]. Daher blieb die deutsche jakobinische Bewegung während der ganzen Epoche der französischen Republik nicht nur ideologisch, sondern auch militärisch auf den Beistand Frankreichs angewiesen.

Sollte die demokratische Propaganda Erfolg haben, so war es unumgänglich, daß die revolutionären Regierungsgremien Frankreichs die deutschen Jakobiner zu unterstützen bereit waren und sie nicht als Instrumente nationalfranzösischer Politik betrachteten. Eine solche Situation bestand im Herbst und Winter 1792/93, als die unterdrückten Völker Europas die einzigen potentiellen Bundesgenossen Frankreichs darstellten. Damals erlebte die demokratische Agitation einen niemals mehr erreichten Höhepunkt. Nachdem ein Revolutionsheer nach dem Sieg bei Valmy ins Deutsche Reich vorgestoßen war und einen Teil des Rheinlands besetzt hatte, war die Möglichkeit für eine rege Entfaltung demokratischer Propagandatätigkeit gegeben. Die Mainzer Jakobiner schufen eine von Umsturzwillen und weltbürgerlichem Sendungsbewußtsein erfüllte politische Literatur, die zu revolutionärer Beseitigung der monarchistischen, aristokratischen und klerikalen Bevormundung der Untertanen aufrief. Ihre Publizistik und Praxis zeugte vom Bemühen, im Bunde mit den Volksmassen den Umsturz der verrotteten Zustände in den eroberten Gebieten in die Wege zu leiten und dem Privilegiensystem den Todesstoß zu versetzen. Der »Nationalkonvent der freien Deutschen diesseits des Rheins«, der am 17. März 1793 in Mainz zusammentrat, proklamierte die Errichtung eines »freien, unabhängigen, unzertrennlichen Staates«, erklärte jeden Zusammenhang mit dem deutschen Kaiser und Reich für aufgehoben und rief damit das erste auf der Basis der Volkssouveränität beruhende republikanische Staatswesen auf deutschem Boden ins Leben. Sein kurz darauf gefaßter Beschluß, die neue Republik an Frankreich anzuschließen, bedeutete keineswegs den Verrat nationaler Interessen, sondern war vielmehr Ausfluß der patriotischen und gleichzeitig weltbürgerlichen Gesinnung der Jakobiner: Sie verstanden unter Kosmopolitismus nicht mehr nur geistige Hinneigung zu Frankreich als dem Staat, der an der Spitze des gesellschaftlichen Fortschritts stand, sondern politische Vereinigung mit einem Land, das eine erfolgreiche bürgerliche Revolution

[31] Vgl. die Schlußbemerkungen von *Heinrich Scheel*, Süddeutsche Jakobiner (Anm. 8), S. 698 ff.

schon durchgeführt hatte und in dem die Prinzipien der Freiheit und Gleichheit bereits verfassungsrechtlich verankert waren.

Das Erscheinen eines Revolutionsheeres im Rheinland und die Mainzer Jakobinerpropaganda riefen im Winter 1792/93 im Rechtsrheinischen ein vielfaches Echo hervor. In Wien und Berlin, Göttingen und Kiel, Hamburg und Hildesheim sowie in vielen anderen Orten traten Parteigänger der Franzosen auf, die bereit waren, zur politischen Aktion überzugehen. Die Skala des Kampfes reichte von lokalen Protesten gegen Übergriffe der Machthaber bis zu ausführlichen und bis ins Detail ausgearbeiteten Aufrufen zu einer allgemeinen Volkserhebung [32]. Wenn es trotzdem nicht gelang, die latenten sozialen Antagonismen in die revolutionäre Krise zu treiben, so lag dies vor allem daran, daß ohne einen weiteren Vorstoß und entscheidende Siege der Revolutionsarmeen an keine nachhaltige Erschütterung der alten Mächte zu denken war. Die Hoffnungen der Demokraten auf die Beseitigung von Absolutismus und Partikularismus in Deutschland wurden jedoch durch die ephemeren Niederlagen der Franzosen im Frühjahr und Sommer 1793 zunichte gemacht.

Bis zur Hinrichtung des französischen Königs waren die grundsätzlichen Differenzen zwischen der liberalen und der demokratischen Richtung innerhalb der deutschen Opposition noch mehr oder weniger verdeckt. Als jedoch Ludwig XVI. im Januar 1793 gegen den Willen der Mehrheit der Gironde enthauptet wurde, war es allen zeitgenössischen Beobachtern deutlich, daß die politische Macht in Frankreich weitgehend auf die egalitäre Bergpartei übergegangen war. Dies führte zu einer Distanzierung derjenigen Teile des wohlhabenden deutschen Bürgertums, die bis dahin mit den Maßnahmen der französischen Revolutionäre sympathisiert hatten. Sie begannen für die wohlverbürgte »Heiligkeit« ihres Eigentums zu

[32] Vgl. die Beispiele der politischen Gärung und sozialen Unruhe, die bei *Kurt Eisner*, Das Ende des Reichs. Deutschland und Preußen im Zeitalter der großen Revolution (Berlin 1907), bei *Percy Stulz/Alfred Opitz*, Volksbewegungen in Kursachsen zur Zeit der französischen Revolution (Berlin/DDR 1956), bei *Johannes Schildhauer*, Auswirkungen der Französischen Revolution auf Mecklenburg, 1789–1800), in: Wiss. Zeitschr. der Ernst-Moritz-Arndt-Univ. Greifswald, Jahrgang VII, 1957/58, Gesellschafts- und sprachwissenschaftliche Reihe, Nr. 1/2, Greifswald 1958, bei *Anton Ernstberger*, Nürnberg im Widerschein der französischen Revolution, 1789–1796, in: Zeitschrift für bayerische Landesgeschichte, Bd. 21, 1958, S. 409 ff., bei *Carl Haase*, Obrigkeit und öffentliche Meinung in Kurhannover 1789–1803, in: Niedersächsisches Jahrbuch für Landesgeschichte, Bd. 39, 1967, S. 192 ff., bei *Kyösti Julku*, Die revolutionäre Bewegung im Rheinland am Ende des 18. Jahrhunderts (2 Bde., Helsinki 1965 und 1969), bei *Renate Erhardt-Lucht*, Die Ideen der französischen Revolution in Schleswig-Holstein (Neumünster 1969) sowie in den Werken von *F. Valjavec* (Anm. 7), *W. Grab* (Anm. 7), *H. Scheel* (Anm. 8) und *A. Körner* (Anm. 30) zusammengetragen sind. Vgl. auch *Waclaw Dlugoborski*, Die Klassenkämpfe in Schlesien in den Jahren 1793–1799, in: Beiträge zur Geschichte Schlesiens (Hrsg. *E. Maleczynska*), Berlin/DDR 1958, S. 401 ff.

fürchten, fühlten sich vom Machtzuwachs der Unterschichten abgestoßen, in deren Namen die Montagne auftrat, und begannen, am englischen Regierungssystem Gefallen zu finden. Dort waren die Besitzlosen von der Teilnahme am politischen Leben ausgeschlossen. Viele von Humanitätsidealen erfüllte Philosophen und Dichter rückten aus moralischer Entrüstung vom »Königsmord« ab. Kant erklärte die Hinrichtung des französischen Monarchen als eine Perversion des Staatsrechts; Schiller gelangte zur Auffassung, daß es Freiheit »nur im Reich der Träume« gebe und daß »das Gute nicht gedeihen« könne, wenn sich die Völker selbst befreiten. Mehrere liberale Aufklärer schwenkten ins konservative Lager ab, das die Revolution von Anbeginn bekämpft hatte; einige wurden, bewußt oder unbewußt, zu Steigbügelhaltern der Reaktion.

Als im Juni 1793 die Gironde gestürzt wurde und die Alleinherrschaft der Jakobiner begann, mußten die wenigen Publizisten in Deutschland, die den demokratischen Idealen treu blieben, die Hoffnungen auf französische Unterstützung vollends fallen lassen. Der jakobinische Wohlfahrtsausschuß, der mit der Verteidigung der revolutionären Errungenschaften Frankreichs gegen die inneren und äußeren Freinde beschäftigt war, erklärte ausdrücklich, sich nicht in die Angelegenheiten anderer Völker einmischen zu wollen. Robespierre, der sich seit jeher gegen die girondistische Ideologie der Befreiung anderer Völker gewandt hatte, verwarf den Kosmopolitismus in Bausch und Bogen. Er erklärte wiederholt, daß man die Ideen der Revolution nicht mit Bajonetten verbreiten könne und daß man bewaffnete Missionäre nirgends liebe. Das bedeutete, daß die jakobinische Exekutive Frankreichs aus militärischen, politischen und ideologischen Gründen weder imstande noch willens war, den Jakobinern in anderen Ländern zu Hilfe zu kommen. Der Befreiungskampf Deutschlands wurde mithin den dortigen Revolutionären überlassen. Die vereinzelten deutschen jakobinischen Publizisten bildeten jedoch keinen politischen Faktor. Sie mußten sich darauf beschränken, den französischen Kanonen auch weiterhin mit der Feder zu Hilfe zu kommen. In ihren Journalen suchten sie ihren Lesern ein richtiges Bild vom Heroismus der einfachen Menschen Frankreichs zu vermitteln und betonten, daß die Sansculottenheere der Republik die Freiheitshoffnungen ganz Europas gegen die Söldner der feudalen Konterrevolution verteidigten [33]. Sie ließen sich durch die Schreckensherrschaft in Frankreich nicht in ihrer revolutionären Überzeugung irremachen, sahen die Ausschreitungen als

[33] Vgl. Huergelmer (Anm. 25), S. 327; *Heinrich Würzer*, Historisches Journal, 1.–5. Stück (Altona 1794)" ders., Neue Hyperboreische Briefe, 1. Stück (Altona 1796). Weitere Beispiele für die Einstellung der deutschen Jakobiner zur Jakobinerherrschaft in Frankreich vgl. *Walter Grab*, Robespierre et le Gouvernement révolutionaire d'après la presse démocratique d'Allemagne du Nord, in: Actes du colloque Robespierre (Bibliothèque d'Histoire révolutionnaire, 3e série, No. 7, Paris 1967), S. 95 ff.

durch den Verteidigungskampf bedingt an und verglichen sie mit den gleichzeitigen wüsten Exzessen, die sich die preußischen und russischen Heere bei der Niederschlagung des polnischen Aufstands im dynastischen Interesse zuschulden kommen ließen [34].

Konnten die deutschen Jakobiner beim ersten Vordringen der Trikolore im Herbst 1792 noch hoffen, daß die Revolutionsheere bei einer Eroberung von Teilen Deutschlands den Absolutismus beseitigen und Repräsentativverfassungen an dessen Stelle setzen würden, so zeigte sich, als das Rheinland zwei Jahre später, zu Beginn der Thermidorianerherrschaft, wiederum von den Franzosen besetzt wurde, daß sich die gesellschaftlichen Zustände jenseits des Rheins gewandelt hatten. Die Verschiebung der politischen Gewichtsverhältnisse infolge des Sturzes der Jakobinerherrschaft in Frankreich bedeutete, daß die Staatsmacht von den Trägern der Revolution in die Hände ihrer kapitalistischen Nutznießer übergegangen war. Der Citoyen war dem Bourgeois gewichen. Die Thermidorianer und später die Repräsentanten des Direktoriums, die die Früchte der jakobinischen Siege ernteten, sahen nunmehr die Möglichkeit, das wirtschaftlich erschöpfte Frankreich durch Ausraubung der besetzten Gebiete wenigstens teilweise zu ernähren, die leeren französischen Staatskassen aufzufüllen und einen Teil des Raubs in die eigenen Taschen zu leiten. Die großbürgerlichen Kriegsgewinnler benutzten die Parolen der Freiheit und Gleichheit nur mehr zur Beschönigung ihrer Eroberungsabsichten und sahen in den deutschen Demokraten nur Werkzeuge im Interesse der eigenen Hegemonialbestrebungen. Der Abbau der demokratischen Errungenschaften innerhalb Frankreichs ging parallel zur verstärkten Zusammenarbeit mit den mitteleuropäischen Feudalmächten. Das Paktieren zwischen Frankreich und den Teilstaaten des Deutschen Reiches, das sich zuerst im Frieden von Basel mit Preußen 1795, dann im Frieden von Campo Formio mit Österreich 1797 und schließlich im Rastatter Kongreß manifestierte, bedeutete ein völliges Abgehen von den ursprünglich verkündeten Revolutionsprinzipien. Das 1790 von der Nationalversammlung verheißene Selbstbestimmungsrecht der Völker wurde außer acht gelassen. Die Politik des Direktoriums beruhte auf den gleichen unmoralischen Grundsätzen des Ländertauschs und Menschenschachers, die das 18. Jahrhundert gekennzeichnet hatten. Als Machtpolitiker verhandelten die Direktoren mit den absolutistischen Mächten, die in Mitteleuropa nach wie vor die Herrschaft innehatten. An der Errichtung einer unabhängigen linksrheinischen Republik, die 1797 von einigen deutschen Jakobinern als Vorstufe zu einer Einheitsrepublik propagiert und vom französischen General Hoche unterstützt wurde, zeigten sich die Direktoren nicht interessiert. Auch der Plan zur Sprengung des Rastatter

[34] Vgl. *G. F. Rebmann*, Obskurantenalmanach für das Jahr 1798 (Paris, vielm. Altona 1798), S. 288, und Huergelmer (Anm. 25), S. 542.

Kongresses und zur Ausrufung eines südwestdeutschen Freistaats, für den sich oberdeutsche Jakobiner der Hilfe General Augereaus versichert hatten, wurde von den französischen Machthabern hintertrieben [35].

Trotz dieser Enttäuschungen blieb den deutschen Demokraten auch in den letzten Jahren der Republik keine andere Wahl, als immer wieder an die Franzosen zu appellieren und sie an das Versprechen des Konvents zu erinnern, bei der Befreiung der Völker von ihren Despoten tatkräftige Hilfe zu leisten. Die Errichtung der Helvetischen Republik im Jahre 1798 erfüllte die deutschen Jakobiner mit neuen Hoffnungen. Ihre Aufrufe zur Volkserhebung in Süddeutschland steigerten sich im März 1799 zu einem weitausgreifenden Programm, dem *Entwurf einer republikanischen Verfassungsurkunde, wie sie in Deutschland taugen möchte*. Dieses Dokument, das erst kürzlich wiederaufgefunden und publiziert wurde [36], beweist, daß der deutsche Jakobinismus in der Endphase der französischen Republik einen außerordentlich hohen Reifegrad erreichte. Der sorgfältig ausgearbeitete Entwurf bildete nicht nur eine bloß theoretische Ausarbeitung einer Konstitution für ein einiges republikanisches Deutschland, sondern enthielt auch Anweisungen zum unmittelbaren Handeln. Der anonyme Verfasser nahm die französische Direktorialverfassung zur Grundlage, war aber in vielem demokratischer als sein Vorbild. Er sah politische Gleichheit und Repräsentation aller Staatsbürger in einem aus freien Wahlen hervorgehenden, aus zwei Kammern bestehenden Parlament vor. Zahlreiche Bestimmungen, die materielle Vorteile zugunsten der Unterklassen auf Kosten des entschädigungslos zu beschlagnahmenden Feudalbesitzes vorsahen, gaben dem Dokument einen ausgesprochen sozialrevolutionären Charakter.

Infolge des zunehmenden Moderantismus der französischen Regierung mußten alle Appelle der deutschen Jakobiner auf die Beseitigung der alten Machtstrukturen diesseits des Rheins auf taube Ohren stoßen. Den Schlußstrich unter die Entwicklung setzte Bonaparte, der Ende 1799 die republikanische Verfassung Frankreichs de facto liquidierte und die Re-

[35] Über die Einstellung der rheinischen Bevölkerung zur französischen Eroberung finden sich zahlreiche dokumentarische Belege und Erläuterungen bei *Joseph Hansen* (Hrsg.), Quellen zur Geschichte des Rheinlandes im Zeitalter der französischen Revolution 1780–1801 (= Publikationen der Gesellschaft für Rheinische Geschichtskunde, 42), Bd. 1–4 (Bonn 1931–38). Aus der Literatur über die linksrheinische Republik seien erwähnt: *K. Th. Perthes*, Politische Zustände und Personen in Deutschland zur Zeit der französischen Herrschaft (Gotha 1862), *J. Venedey*, Die deutschen Republikaner unter der französischen Republik (Leipzig 1870), *J. Droz*, La pensée politique des Cisrhénans (Paris 1940). – Über den Plan zur Sprengung des Rastatter Kongresses vgl. *H. Scheel*, Süddeutsche Jakobiner (Anm. 8), S. 385 ff.

[36] Der Verfassungsentwurf ist bei *Heinrich Scheel* (Hrsg.), Jakobinische Flugschriften aus dem deutschen Süden (Anm. 8), S. 130 ff., abgedruckt. Vgl. auch den Kommentar *Scheels* in: Süddeutsche Jakobiner (Anm. 8), S. 486 ff.

volution für beendet erklärte. Seine Usurpation bedeutete die endgültige Vernichtung der jakobinischen Hoffnungen. Die deutschen Demokraten fühlten sich in ihren Erwartungen auf französische Hilfe bei der Errichtung eines bürgerlich-demokratischen Staatswesens zu Recht getäuscht und betrogen und verzweifelten an der Mission Frankreichs, das seine Republik im Cäsarismus umkommen ließ. Die jakobinische Publizistik verstummte resigniert am Anfang des neuen Jahrhunderts.

Im Gegensatz zu den französischen Jakobinern hinterließen die deutschen Demokraten der Revolutionsepoche weder in geistesgeschichtlicher noch in politischer Hinsicht tiefe Spuren im Leben der Nation. Ihre deutschfranzösische Freundschaftsidee wurde durch den deutschtümelnden Franzosenhaß der Romantik überwuchert. An die Stelle der zukunftsfreudigen und von Humanitätsidealen erfüllten Aufklärung trat, zum Schaden für die spätere deutsche Geschichte, die Ideologie der Verherrlicher mittelalterlicher Herrschaftsformen.

Es ist eine wichtige Aufgabe der Geschichtsforschung, die längstentschwundenen Streiter um eine volksverbundene und völkerverbindende Erneuerung Deutschlands der unverdienten Vergessenheit zu entreißen und ihren Bestrebungen zur Befreiung ihres Vaterlandes von den Fesseln einer überlebten Gesellschaftsordnung Gerechtigkeit widerfahren zu lassen.

Um eine bessere Kenntnis der fortschrittlichen Strömungen Deutschlands zu gewinnen, ist es notwendig, die in zahlreichen Archiven verstreuten und zum Teil schwer zugänglichen Quellen über die republikanische demokratische Bewegung zu Ende des 18. Jahrhunderts zu erschließen und der Öffentlichkeit zugänglich zu machen. Dazu möchte die vorliegende Edition einen Beitrag leisten. Die Auswahl von Schriften deutscher Jakobiner soll Traditionen aufzeigen, die bisher achtlos beseitegeschoben wurden, zu ihrem vertieften Studium anregen und einer zeitgemäßen Geschichtsschreibung neue Impulse verleihen.

WALTER GRAB

Ganze Literaturen
In erlesenen Ausdrücken verfaßt
Werden durchsucht nach Anzeichen
Daß da auch Aufrührer gelebt haben, wo Unterdrückung war.
Flehentliche Anrufe überirdischer Wesen
Werden beweisen, daß da Irdische über Irdischen gesessen sind.
Köstliche Musik der Worte wird nur berichten
Daß da für viele kein Essen war.

BERTOLT BRECHT

I Vorrevolutionäre Sturmzeichen

Eine deutsche Freiheitsdichtung, die das Elend der Bauern beschrieb und die Willkür der absolutistischen Fürsten geißelte, bestimmte seit den siebziger Jahren des 18. Jahrhunderts zunehmend die Themen der Lyrik. Als die Französische Revolution ausbrach, gewann diese Lyrik eine neue Aktualität. Die Revolutionsfreunde wiesen mit Stolz auf die deutsche Freiheitslyrik hin.

1 GOTTFRIED AUGUST BÜRGER

Der Bauer
An seinen Durchlauchtigen Tyrannen

Wer bist du, Fürst, daß ohne Scheu
Zerrollen mich dein Wagenrad,
Zerschlagen darf dein Roß?

Wer bist du, Fürst, daß in mein Fleisch
Dein Freund, dein Jagdhund, ungebleut
Darf Klau und Rachen haun?

Wer bist du, daß, durch Saat und Forst,
Das Hurra deiner Jagd mich treibt,
Entatmet, wie das Wild? —

Die Saat, so deine Jagd zertritt,
Was Roß, und Hund, und du verschlingst,
Das Brot, du Fürst, ist mein.

Du Fürst hast nicht, bei Egg und Pflug,
Hast nicht den Erntetag durchschwitzt.
Mein, mein ist Fleiß und Brot! —

Ha! du wärst Obrigkeit von Gott?
Gott spendet Segen aus; du raubst!
Du nicht von Gott, Tyrann!

Lied für Freie

Mit Eichenlaub den Hut bekränzt,
　　Wohlauf, und trinkt den Wein,
Der duftend uns entgegen glänzt —
　　Ihn sendet Vater Rhein.

Ist einem noch die Knechtschaft wert,
　　Und zittert ihm die Hand,
Zu heben Kolben, Lanz und Schwert,
　　Wenn's gilt für's Vaterland?

Weg mit dem Schurken, weg von hier!
　　Er kriech' um Schranzenbrot,
Und sauf' um Fürsten sich zum Tier,
　　Und bub' und lästre Gott.

Er putze seinem Herrn die Schuh',
　　Und führe seinem Herrn
Sein Weib und seine Tochter zu,
　　Und trage Band und Stern.

Für uns, für uns ist diese Nacht,
　　Für uns der edle Trank;
Man keltert' ihn, als Östreichs Macht
　　In Lüttichs Feldern sank.

Uns weckte längst bei stiller Nacht
　　Der Witwe Klageton;
Der Raubsucht und des Haders Schlacht
　　Erschlug ihr Mann und Sohn.

Es ächzte nach dem Hungertod
　　Der Waisen bleicher Mund
Man nahm ihr letztes, hartes Brot
　　Und gab's des Fürsten Hund.

Uns weckte längst der Bräutigam
　　Mit wildem Jammerlaut —
Des Fürsten frecher Kuppler nahm
　　Ihm seine junge Braut.

Zur Rach' erwach', zur Rach' erwach'
　　Der edle, freie Mann!
Trompeten, Pauken, ruft zur Schlacht!
　　Weht, Fahnen, weht voran!

Ob uns ein Meer entgegen rollt,
    Hinein, sie sind entmannt.
Die Sklaven streiten nur für Sold
    Und nicht für's Vaterland.

Der Engel Gottes schwebt einher,
    Aus Wolken Pulverdampf,
Schaut zornig in der Feinde Heer
    Und schreckt sie aus dem Kampf.

Sie flieh'n! Der Fluch der Länder fährt
    Mit Schrecken ihnen nach,
Und ihren Rücken kerbt das Schwert
    Mit Feiger Wunden Schmach.

Auf roten Wogen wälzt der Rhein
    Die Sklaven-Äser fort;
Er speit sie aus, er schluckt sie ein,
    Und jauchzt am Ufer fort.

Der Rebenberg am Leichental
    Tränkt seinen Most mit Blut;
Dann trinken wir beim Freudenmahl —
    Triumph! Tyrannenblut.

3 ERSNT THEODOR JOHANN BRÜCKNER

Sauflied

Sr. Hochwohlgeb. des wohlseligen Herrn
Landrats Kasimir Gans von Schmurlach

Auf, Ritter, laßt die Gläser klingen!
    Seht, hundert Louisdor geborgt!
Die sollen standesmäßig springen.
    Was hilft es, daß man mault und sorgt?
Laßt leben unsre Menschen alle!
Löst die Kanonen auf dem Walle!
    Und werft Raketen in die Luft!
    Und sauft Burgunder, daß es pufft!

Laßt sterben Juden, Krämer, Pächter,
　　Die Bürger- und die Bauernwelt!
Sie sind das Mastvieh, wir die Schlächter!
　　Was will die Bestie mit Geld?
Wie tölpisch werfen sie den Rüssel,
So gar im feinsten Putz von Brüssel!
　　Ja selbst ihr Saufen geht mir recht,
　　Als wenn ein Esel Lauten schlägt!

Doch tut das Vieh infam verwegen;
　　Es brüllt und brummt und grinzt und grunzt!
Wie hat uns seiner Batzen wegen
　　So mancher Hund schon ausgehunzt!
Habt ihr nicht Gut, Ehr' und Gewissen,
Mehr als ihr habt, verpfänden müssen?
　　Und heute schor mich, welch ein Trotz!
　　Mit meinen Kutschen der Mazfoz.

Nun soll der Narr auch wieder zappeln!
　　Die lieben Füchse sind kaputt!
Nun laßt ihn winseln oder rappeln!
　　Die lieben Füchse sind kaputt!
Und will er neue Füchse wagen,
Und mich beim Hofgericht verklagen;
　　Das wird ihm kräftig helfen, ha!
　　Dann heißt es: Der Konkurs ist da!

Dann wird von Kuppeln Advokaten
　　Zehn Jahre lang des Gut zerzaust;
Bei Akten und bei Schweinebraten
　　Teils konferiert und teils geschmaust.
Dann kratzt das Volk die Eselsohren
Sie schrein? Der war hochwohlgeboren!
　　Wie der wohl in der Hölle brennt! —
　　Und brummen weg mit drei Prozent.

Auf, Ritter! klingt mit vollen Gläsern,
　　Weil uns kein Exekutor stört!
Der Tod macht uns ja doch zu Äsern;
　　Ein Schelm, der eher sich bekehrt!
Bekehrt? Mich soll der Teufel holen!
Ich lade mutig die Pistolen,
　　Empfehle mich der schnöden Welt,
　　Und fahr zur Höllen, als ein Held.

Jost

Von seinem milden Landesvater
Durch Fronen abgezehrt, lag Jost
Auf faulem Moos. Ein frommer Pater
Gab in dem letzten Kampf ihm Trost:
Bald, sprach er, wird euch Gott entbinden
Vom Joch, das euch so hart gedrückt:
Die Ruhe, die euch nie beglückt,
Freund, werdet ihr im Himmel finden.
Ach, Herr! rief Jost so dumpf und hohl
Wie aus dem Grab, wer kann das wissen?
Wir armen Bauern werden wohl
Im Himmel fronweis donnern müssen.

5   ANONYM

Parodie
Lied eines Leibeigenen

O Jammer! welch ein Sklavenleben!
Viel Arbeit und kein Brot!
Schon hab' ich alles aufgegeben,
Fast das Vertraun auf Gott!
Sechs Taler hat mir der Tyrann
Schon wieder abgezogen,
Hat, wie ich zehnmal schwören kann,
Mich als ein Schelm betrogen!

Arbeiten? Ja, daß man krepieret
In diesem Hungerloch!
Wer Teufel hat mich hergeführet
In dies verwünschte Joch!
Uns kostets unsern sauren Schweiß,
Womit sein Wanst sich pfleget,
Was solch hochadliges Geschmeiß
Durch seine Gurgel jäget!

Liest Eins vor Tags den Morgensegen,
Und bittet Gott um Brot:

So flucht der Schreiber* schon dagegen
Viel tausend Schwerenot.
Den will ich sehn, der beten kann
Hier ohne Zorn und Zweifel!
Denn einen hat der Edelmann,
Der Schreiber sieben Teufel!

Mir graut, wenn ich nach Hause keiche,
Zu sehn die Hungersnot.
Da sitzt mein Weib, wie eine Leiche;
Da weint das Kind um Brot!
Verlassen, dünkt michs, Gott, von dir,
Werf' ich aufs Stroh mich nieder;
Kömmt ja ein Schlaf ins Auge mir,
Bald weckt mich Hunger wieder.

Wir habens wohl sehr schwer verbrochen,
Daß Gott so hart uns straft.
Hat er nicht gleich die ersten Wochen
Die Freischul' abgeschafft?
Da soll mein Jung zur Schule gehn!
Wie kann ich Schulgeld geben?
Da schimpft der Küster: Kann ich denn
Von euren Tränen leben?

Ein Bettler: Ha, ich kann nichts geben.
Gott helf' euch, guter Klas!
Ich habe selber nichts zu leben;
Mir gibt kein Mensch nicht was.
Ja, Flüche werden auf mein Grab,
Daß ich mich Schulden wegen
Dem Räuber untertänig gab,
Einst meine Kinder legen.

Nichts hört man hier von Fried' und Freundschaft:
Der Pfaffe selbst lebt stets
Mit unserm Edelmann in Feindschaft!
Gott seis geklagt! So gehts,
Wenn man mit Geld die Pfarr' erkauft!
Er stinkt von Geiz und Stolze!
Wir lachen, wenn er steht und schnauft,
Und poltert auf dem Holze.

* Schreiber, anderswo Meier, Verwalter usf.

Der Heuchler zieht so viel Geschenke,
Und klagt doch immerfort,
Und mischt oft seine Hausgezänke
Ins liebe Gotteswort.
Was tuts, wie grob der Müller stiehlt?
Der schickt ihm Grütz' und Kuchen!
Wer sonntags einfährt, tanzt und spielt,
Mit dem gehts ans Verfluchen!

Den Pfaffen und Baron wird quälen
All unsre Sünd' und Not!
Wir müssen rauben, müssen stehlen;
Sonst haben wir kein Brot!
Tu ihm, wie Er an uns getan,
O Gott, du Allgerechter!
Verflucht, verflucht sei der Tyrann,
Und seine Söhn' und Töchter!

II Ausbruch der Revolution

Der Ausbruch der Französischen Revolution fand bei der Mehrzahl der deutschen Dichter begeisterte Zustimmung. Der Sturm auf die Bastille am 14. Juli 1789 und die Wiederkehr dieses Tages wurden auch in Deutschland besungen und gefeiert. Die französische Verfassung von 1791 begrüßten die deutschen Freiheitsfreunde mit Enthusiasmus. Der Sturz des Königtums und die Errichtung der Republik in Frankreich im Spätsommer und Herbst des Jahres 1792 führten in Deutschland zur Spaltung der liberalen und jakobinischen Anhänger der Revolution, da auch in Frankreich die Machtkämpfe zwischen Gironde und Montagne einem Höhepunkt zutrieben.

6 EULOGIUS SCHNEIDER

Auf die Zerstörung der Bastille

Dort lieget sie im Schutte, die Bastille,
　　Der Schrecken einer Nation!
Dort lieget sie! Die fürchterliche Stille
　　Durchbricht nicht mehr des Jammers Ton.

Hier schickt nicht mehr die vorgezogne Dirne
　　Die Opfer ihrer Rache her:
An diese Felsen spritzet kein Gehirne
　　Des Fremdlings, und des Bürgers mehr.

Nicht fürder wird ein Vater hier vermodern,
　　Weil er sein Kind nicht schänden ließ;
Sein Erbe darf nun laut der Waise fordern,
　　Den einst der Bassa schweigen hieß.

Nicht ferner wird lebendig hier begraben
　　Der Weise, der die Wahrheit schrieb,
Der unbestochen von des Fürsten Gaben,
　　Und taub bei seiner Drohung blieb,

Ein R. . . . darf sich nun betören lassen,
　　Es kostet ihn die Freiheit nicht.
Kein Denker findet, weil ihn Bonzen hassen,
　　In diesen Klüften sein Gericht.

Gefallen ist des Despotismus Kette,
　　Beglücktes Volk! von Deiner Hand:
Des Fürsten Thron ward Dir zur Freiheitsstätte,
　　Das Königreich zum Vaterland.

Kein Federzug, kein: Dies ist unser Wille,
    Entscheidet mehr des Bürgers Los.
Dort lieget sie im Schutte, die Bastille,
    Ein freier Mann ist der Franzos!

7   GOTTLIEB KONRAD PFEFFEL

Die drei Stände

Die Freiheit kam aus Penn's gelobtem Lande,
Das alte Reich der Franken zu bereisen.
Hier fand sie einen Mann in Lumpen und in Eisen,
Der auf den Knien lag; zu seiner Rechten stand
Ein fetter Erzbischof im purpurnen Gewand.
Ein Ritter zeigte sich mit trotzigem Gesichte,
Im Schmucke des Turniers, zu seiner linken Hand.
Sie lehnten beide sich mit lästigem Gewichte
Auf ihren Märtyrer. Stumm sah die Göttin zu,
Sah seinen Schweiß und seine Tränen fließen,
Und ruft zuletzt: Wie lange liegest du
Als Knecht zu deiner Brüder Füßen?
Auf! strecke das gekrümmte Knie,
Zerbrich die Fesseln deiner Glieder! —
Der Sklave tat's; trat neben seine Brüder,
Und ward so groß — und größer noch als sie.

8   GEORG HEINRICH SIEVEKING

(Ohne Titel)

Freie Deutsche, singt die Stunde,
Die der Knechtschaft Ketten brach,
Schwöret Treu dem großen Bunde,
Unsrer Schwester Frankreich nach!
Eure Herzen sei'n Altäre
Zu der hohen Freiheit Ehre!
    Chor:
Laßt uns großer Tat uns freun,
Frei, frei, frei und reines Herzens sein!

9

Fünfundzwanzig Millionen
Feiern heut das Bundesfest,
Das nur der Despoten Thronen
Und die Sklaven zittern läßt.
Gute Bürger, gute Fürsten
Läßt's nach höh'rer Tugend dürsten!
   Chor:
Laßt uns usw.

Kämpfer für der Menschheit Rechte,
Euch singt unser Lobgesang;
Eurem Mut, den keiner schwächte,
Eurer Weisheit unsern Dank!
Bessern Dank im Glück der Vielen
Und in Eures Werts Gefühlen!
   Chor:
Laßt uns usw.

Zwar auch Blut und Tränen flossen
In der Freiheit hohem Streit,
Aber Blut, für sie vergossen,
Lohnet mit Unsterblichkeit,
Und die Tränen sind die Saaten
Hoher Freuden, großer Taten!
   Chor:
Laßt uns usw.

Hebt den Blick! der ganzen Erde
Galt der Kampf und floß das Blut,
Daß sie frei und glücklich werde,
Aufgeklärt und weis' und gut!
Gnädig sah Gott auf uns nieder,
Dankt ihm, dankt ihm freie Brüder!
   Chor:
Laßt uns usw.

Danket Gott durch gute Werke,
Tugend gibt der Freiheit Wert,
Freiheit gibt zur Tugend Stärke,
Nicht Geburt, Verdienst nur ehrt!
Ohne wahre Seelenwürde
Tragt ihr noch der Knechtschaft Bürde.
   Chor:
Laßt uns großer Tat uns freun,
Frei, frei, frei und reines Herzens sein!

Bei Frankreichs Feier
Den 14ten Juli 1790

Genius der Freiheit! du, der glühend
Sich ins's Herz der Nationen taucht,
Wo ein Strahl von Menschenwürde schlummert,
Schnell den Strahl in lohe Flammen haucht.

Wo, an welchem Himmelsfeuer zündest
Du die Fackel? — Welche Sonne leiht
Ihren Strahl dir, daß, von ihm erwärmet,
Jede Zone dir Altäre weiht? —

Mächtig zwar rührt auch der Liebe Zauber
Menschenseelen, adelt Herz und Mut,
Aber selbst der Flammenhauch der Liebe
Wird verschlungen von der Freiheit Glut.

Wo dein hoher, kühner Flügel rauschet,
Stehn entschlossen Nationen auf,
Fühlen ihre Kräfte, richten mutig
Zu des Ruhmes Tempel ihren Lauf.

Wo du fern bist, ach! da sinken nieder
Zu der Knechtschaft tötendem Gefühl
Alle Tugenden, der Künste Adel
Wird erniedrigt zu des Schwelgers Spiel.

Gallien, von Dankgefühl durchglühet,
Bringt dir heut' der Huldigungen viel —
Dir, o Geist der Freiheit, ihrem Schöpfer,
Rührt die Freude dort ihr goldnes Spiel.

Dort, wo unter dem verhaßten Drucke
Weniger Tyrannen, denen nie
Menschlichkeit im Busen schlug, vergebens
Nach Gerechtigkeit die Unschuld schrie;

Dort hebt endlich — so bewegt des Meeres
Stillen Spiegel zürnend der Orkan —
Die verstummte Menschheit ihre Stimme,
Hält der Willkür stolzen Zügel an.

11

»Freiheit adelt, und nach ihr zu ringen
Ist der Kräfte jedes Edlen wert,
Ist gleich jedem nicht die Siegespalme
Von des Schicksals hoher Hand beschert.

Sinken wir von dem erstiegnen Gipfel
In der Knechtschaft fürchterlichen Schoß,
Jeder Edle wird uns Tränen weihen!
— Doch auch dann bleibt, was wir taten, groß!«

Doch hinweg die Trauer-Stimmung heute,
Wo der Freude süße Träne rinnt,
Wo vom hohen Selbstgenusse trunken
Dreimal glücklich Frankreichs Bürger sind.

Unbekümmert, ob die Sein', der Ganges,
Ob der Nil durch seine Länder fließt,
Nehm' ich teil an jedes Volkes Freude,
Das der Freiheit goldnes Glück genießt.

10   August Lamey

Rheinisches Bauernlied

Es geht! es geht! so muß es gehn!
　　Wir wollen heißa! singen.
Jetzt soll uns alles lustig sehn,
　　Denn wir sind guter Dingen.

Nur nicht verzagt! es gibt sich bald!
　　Die gute Sach muß siegen.
Ja, guckt nur aus dem Hinterhalt!
　　Ihr werdet uns nicht kriegen.

Nun gehts aus einem andern Ton!
　　Darauf könnt ihr euch steifen.
Dem Käfig sind wir wohl entfloh'n,
　　Da könnt ihr lang uns pfeifen!

Ihr meint, ihr lockt uns wieder 'nein?
　　Haha, ihr möget lauern.
Sand wollet ihr ins Aug uns streu'n?
　　So dumm sind nicht die Bauern.

Wohl wird uns immer hier und da
   Ein Schriftchen zugestecket,
Da wird bald dies, bald das gar nah
   Uns an das Herz geleget.

Wir merken, wo es will hinaus!
   Wir aber sind gescheiter.
Ihr Herren, es wird nichts daraus!
   Führt euer Stäbchen weiter.

Ei, unsereiner läßt sich nicht
   Am Puppendrähtlein lenken!
Wir haben auch ein gut Gesicht,
   Und einen Kopf zum Denken.

Gebt acht! nicht heißen soll es mehr,
   Daß uns als armen Tropfen,
Die Nebel von dem Rheine her
   Noch das Gehirn verstopfen.

Itzt kommt die gold'ne Zeit herbei!
   Das werden wir bald finden.
Wir werden glücklich, werden frei,
   Und sollten's nicht empfinden?

Wir wären unsers Glücks nicht wert,
   Wenn wir es nicht erkennten,
Und wenn wir nicht mit Rohr und Schwert
   Es zu verfechten brennten.

Nun gehn wir froh an unserm Pflug,
   Und haben keine Sorgen.
Und singen bei dem vollen Krug,
   Am Abend und am Morgen.

Gar trefflich stehts nun um den Staat,
   Nun läßt sich's herrlich leben!
Ist unser Gott ein Demokrat,
   Wer mag uns widerstreben?

Glücklicher Fortgang der Revolution

Heil Franken! Ihr mögt sie erringen,
    Die Freiheit, die das Herz erhebt:
Nicht mehr Despoten Euch bezwingen,
    Daß Ihr vor ihrem Machtspruch bebt.

Ja, Freiheit — sie müss' Euch gedeihen,
    Die Geist und Herz und Leben schützt;
Da Ihr Euch wollt der Wohlfahrt weihen,
    Wo Frohsinn sich auf Jugend stützt:

Wo man die Wahrheit darf ergründen,
    Und sagen das, was wirklich ist:
Und wo man, aus geprüften Gründen,
    Bemerken darf, was Trug und List:

Bemerken darf — daß Dunkelheiten
    Man vor das helle Licht uns setzt,
Und daß man Irrtum will verbreiten,
    Weil man nach ihm die Taxe schätzt.

O wie viel sind da Tyranneien,
    Im Priester- und im Fürsten-Stand!
Sie sind's, die laut zum Himmel schreien,
    Sie, die noch drücken manches Land!

Nun Franken! seid mir hoch gepriesen,
    Daß Ihr so schnell Euch aufgehellt;
Und Euch so tapfer da erwiesen,
    Wo sich Verderben dargestellt!

Ja edle Franken, große Männer!
    Die Ihr des Volkes Vormund seid,
O weise Menschen-Wohlstands Kenner,
    Wie euer Müh'n zum Heil gedeiht!

Nichts müsse die Verfassung stören,
    Die Ihr so weislich ausgedacht!
Sie daur' und müsse Enkel lehren,
    Wie Ihr sie glücklich habt gemacht!

Daß Freiheit ihnen Ihr erworben,
    Für Denken, Tugend und für Mut:
Und daß so Manches, das verdorben,
    Ihr klug und weislich machet gut.

Empörer-Klagen da verstummen,
  Von Rach' der Frevler aufgebracht,
Die sich, wie Volkes-Freund', vermummen,
  Da Herrschsucht nur sie toben macht.

O Franken! mög Euch fest verbinden
  Der Pflichten und der Freundschaft Band!
Dann wird sich Freiheit bei Euch finden,
  Und Wohlstand blühn im ganzen Land.

Seid Beispiel dann den Nationen,
  Die Laster noch und Zepter drückt,
Daß sie nur machen Väter thronen,
  Und Tugend, die ein Volk beglückt!

12   CARL PHILIPP CONZ

Die Nymphe der Seine
Im September 1792

In meine Urne rinnt der Wehmut Träne.
Herab, o Kranz, der froh die Stirn umlaubt!
Tief in der Grotte Schauer berg' ich mich und lehne
Auf matten Arm das Haupt.

Hier einsam tön' aus öder Muschelhalle
Durch schroffe Klippengänge mein Gesang!
Ich duld' es nicht, zu stehn bei meines Volkes Falle
Und seinem Untergang!

Der Götter reines Auge wird durch Leichen
Befleckt und schwarzes Blut, weit kreisend schwillt
Der Todesdunst; des Heiles Genien entweichen,
In hehre Nacht gehüllt.

Als jüngst nach lang' entbehrter Freiheit wieder
Aufstrebend aus verjährter Willkür Drang,
Empor mein Volk mit raschem Arm sich hub, und nieder
Das Ungeheuer zwang;

Als morsch umher der Dränger Ketten sprangen;
Als Recht und Menschheit eure Waag' entschied,
Und tausendstimmig Höh'n und Tale widerklangen
Der Rettung Wonnelied.

Wie jauchzt' ich mit den jauchzenden Genossen
Der Ströme rings! Wie sah mein heller Blick
Weithin gestreut die Saat, und reiche Ernten sprossen
Der freien Völker Glück!

Wehklag' ist nun mein Jubelton geworden,
Der Herrscher und der Herrscherlinge Neid
Hat sonder Zahl aus Nord und Ost gedungne Horden
Um mich ins Feld gereiht.

Und selbst mein Volk, am Rande der Gefahren,
Tobt wider sich, und stößt in toller Lust
Den Mordstahl mit dem Siegsgeschreie der Barbaren
In brüderliche Brust.

Des scheuen Mißtrauns aufgeblasne Funken
Entloderten in wilde Feuerbrunst;
Ein weiter Würgaltar ist meine Stadt; gesunken
Sind Fleiß und jede Kunst.

Mit Schädeln spielt ein Knabenschwarm; auf Leichen
Wälzt dort hohnjauchzend sich das Weib im Sand,
Und Männer über umgestürzten Malen reichen
Zum Morde sich die Hand.

Wie üppig trieben meiner Hoffnung Keime!
Und sterben soll ich ihre Blüten sehn,
Eh sie der Lenz gezeitigt? Meine schönsten Träume
Soll jäher Sturm verwehn?

Soll denn, der göttlichen Vernunft zum Hohne,
Die Menschheit stets als Sklavin frönen? Nicht
Aufsprossen, ihr zum Heil, der Freiheit Palmenkrone
Im großen Sonnenlicht?

Wenn, welkend, nie der edle Sproß sich hebet,
Der hoffnungsvoll aus schwangrer Knospe brach;
Dann trau'r ich einsam hier, und meine Klagen bebet
Die dumpfe Woge nach.

Dann soll es zürnend vom Gestade tönen,
Wie Geisterlaut um Mitternacht: »Hier stand,
Den Ätherhöhn entschwebt, die Freiheit einst, zu krönen
Ihr trautes Erstlingsland.

Sie floh geschreckt empor in trüber Wolke;
Denn, ach! dies Land, noch nicht der Göttin wert,
Muß dulden, lang' und viel, bis zum gereiften Volke
Die ausgesöhnte kehrt.«

III Ungerechter Krieg

Preußen und Österreich rüsteten zum »Kreuzzug« gegen die Revolution. Die Regierung der Girondisten erklärte Österreich am 20. April 1792 den Krieg, dem sich Preußen anschloß. Das skrupellose Treiben der französischen Emigranten wurde von vielen Publizisten angeprangert. Poeten und Schriftsteller verurteilten den »ungerechten Krieg«. Als sich die alliierten Truppen nach der Schlappe bei Valmy nach Deutschland zurückzogen, sangen die Soldaten Spottlieder auf das schmähliche Scheitern der Invasion. Anfang 1793 traten England, das Reich, Spanien und andere europäische Mächte in den Krieg gegen Frankreich ein.

13   GOTTFRIED AUGUST BÜRGER

(Für wen, du gutes deutsches Volk ...)
Fragment

Für wen, du gutes deutsches Volk
Behängt man dich mit Waffen?
Für wen läßt du von Weib und Kind
Und Herd hinweg dich raffen?
Für Fürsten — und für Adelsbrut,
Und fürs Geschmeiß der Pfaffen.

War's nicht genug, ihr Sklavenjoch
Mit stillem Sinn zu tragen?
Für sie im Schweiß des Angesichts
Mit Fronen dich zu plagen?
Für ihre Geißel sollst du nun
Auch Blut und Leben wagen?

Sie nennen's Streit fürs Vaterland,
In welchen sie dich treiben.
O Volk, wie lange wirst du blind
Beim Spiel der Gaukler bleiben?
Sie selber sind das Vaterland,
Und wollen gern bekleiben.

Was ging uns Frankreichs Wesen an,
Die wir in Deutschland wohnen?
Es mochte dort nun ein Bourbon,
Ein Ohnehose thronen.

Volkslied

Der Deutsche ist ein braver Mann,
Der Frankreichs Helden schlagen kann,
Er hat das oft gezeigt. *(bis)*
Doch wenn er als ein Sklave ficht,
Und sieht der Freiheit ins Gesicht,
Dann ist sein Mut gebeugt. *(bis)*

Der Deutsche ist ein braver Mann,
Der siegen, — fechtend sterben kann,
Für's Vaterlandes Glück; *(bis)*
Doch, wenn er Brüder morden soll,
Und bloß für eitler Fürsten Groll,
Dann flucht er dem Geschick. *(bis)*

Der Deutsche ist ein braver Mann,
Der schnell sich nicht entschließen kann,
Die Freiheit ist ihm neu; *(bis)*
Doch Wahrheit, *Frank* ihm dargestellt,
Ergreift er keck vor aller Welt,
Bekennt sie ohne Scheu. *(bis)*

Der Deutsche ist ein braver Mann,
Der lange schweigend dulden kann,
Doch, wenn sein Zorn erwacht, *(bis)*
Dann ist der deutsche Mann sich gleich,
Es führt sein Arm den Rächerstreich,
Ihr Fürsten, habt des Acht!! *(bis)*

Der Deutsche ist ein braver Mann,
Der gute Fürsten ehren kann,
Auch schwache schonet er; *(bis)*
Doch gegen der Tyrannen Wut
Empört sich sein gereizter Mut,
Und fähret jach daher. *(bis)*

Der Deutsche ist ein braver Mann,
Den auch ein Fürst wohl ehren kann,
Nach Menschenwert und Recht!! (bis)
Teilt mit uns, Fürsten, Freud und Leid!
Seid Menschen, eh' ihr Fürsten seid!
Seid freundlich und gerecht! *(bis)*

Hinab mit dir, Satrapenschwarm!
Es müss' erlahmen jeder Arm,
Den nur die Laune lenkt! *(bis)*
Es höhn' hinfort kein Fürstenknecht *(bis)*
Des Deutschen Mannes heilig's Recht,
Der schreibe, was er denkt! *(bis)*

Schau, Herr, auf unser Vaterland!
Schütz es durch weiser Freiheit Band!
Lehr Herrscher ihre Pflicht! *(bis)*
Nur du! bist groß und gut, allein;
Die sich erheben, mache klein!
Sprich, Herr! es werde Licht! *(bis)*

15 FRIEDRICH AUGUST VON BRÖMBSEN

An den regierenden Herrn Herzog
von Braunschweig

Held! edler deutscher Krieger!
Fürst! Patriot! Besieger
Der Franken ältrer Zeit!
Was führt dich in Gefechte?
Und ach! mit welchem Rechte
Entscheidet man den fremden Streit?
Laß ab vom fremden Streite!
Der Tugenden Geleite
War immer um dich her.
O lieber großer Krieger!
Held! Patriot! und Sieger!
Wirf hin das Schwert, führ heim das Heer!
Laß wilden Unsinn toben,
Der Weltenherrscher droben,
Gebeut, wo's enden soll;
Durch blutige Gefechte
Gewinnen Menschenrechte
Bei Gott nicht einen halben Zoll.

Bußgesang
(In der mißlichen Lage bei Chalons sur Marne gesungen)

Ach! wir haben mißgewandelt
Statt auf Rußland loszugehn,
Haben wir verkehrt gehandelt
Frankreichs Feinden beizustehn,
Darum müssen wir voll Schrecken
Uns vor'n Franzmann jetzt verstecken.

Lieber Himmel, ach erbarme
Dich doch unsrer großen Not,
Denn es ist Chalons sur Marne
Sicher unser aller Tod,
Jetzt darf uns kein Feind mehr plagen,
Wir sind schon genug geschlagen.

Ach! wir stehen unaufhörlich
Rett' uns, wenn es möglich doch,
Denn wir sind hier ganz gefährlich
Ausgehungert — gib uns noch
Einmal uns recht satt zu essen
Wir woll'n gern Paris vergessen.

Hier will kein Franzose laufen,
Wie bei Roßbach, wo man sich
Konnte Sieg und Geld erkaufen,
Wo der Feind so eilig wich,
Wo die Feldherrn der Mätressen,
Hatten Ehr und Ruhm vergessen.

Hier sind wahrlich andre Krieger,
Dumouriez und Kellermann,
Montesquiou, Custine — die Sieger
Sehen kein Geschenke an,
Drum hilft uns nichts vom Verderben
Als wir laufen oder sterben.

Wer will uns beim Rückzug laben?
Bauern sind ja außerstand,
Weil wir bei dem Einzug haben,
Alle Dörfer abgebrannt,
Darum kommen jetzt die Plagen,
Selbst auf uns und unsern Magen.

Ach! wir tun es selbst bekennen
Was wir haben mißgetan,
Daß wir taten sengen, brennen
Und verderben jedermann,
Ohne daß wir selbst es wissen
Warum wir so handeln müssen.

Emigranten, manche Großen
Haben schrecklich uns betört,
Brüder! sagt: Sind die Franzosen
Darum solcher Handlung wert
Weil sie mit Monarchenknechten
Sprechen von den Menschenrechten?

Himmel! höre unser Flehen
Und erleuchte den Verstand
Unsrer Herren, daß wir gehen
Bald in unser Vaterland,
Denn sonst gehn wir allzusammen
Zum Franzosen über! Amen!

17 ANONYM

Rückzug aus der Champagne

Ach Brüder, wie es uns geht,
Erbärmlich um uns steht!
Wie sind wir straplezieret,
Wie sind wir ausmarschieret!
Das hält kein Mensch mehr aus;
Ach, wären wir zu Haus!

Bis Koblenz an dem Rhein
Kann's noch so ziemlich sein;
Doch was uns da begegnet,
Wie's Tag und Nacht geregnet,
Dabei verschimmelt Brot,
Das weiß der liebe Gott!

Kein Berg für uns zu hoch,
Zu tief kein Morastloch,
Wir müssen es passieren;
Oft hungrig ausmarschieren,
Und ziehen spat und früh
Noch ärger wie das Vieh.

Da hieß es: Habt brav Mut!
Frankreich macht alles gut;
Da habt ihr euren Willen,
Könnt eure Beutel füllen
Und baden euch in Wein —
Doch beides darf nicht sein.

Frankreich, du edles Land,
Nun bist du uns bekannt!
Wir woll'n, da wir dich kennen,
Das wahre Elend nennen,
Und jeder stimmt mit ein:
Das muß die Wahrheit sein!

Bis Longwy und Verdun
Ging's noch so ziemlich hin;
Da, bei der Kanonade
Und nach der Retirade,
Da ging für jedermann
Das wahre Elend an.

Tobak und Branntewein,
Konnt's wohl noch teurer sein?
Auch hatten wir arme Leute
Wasser wie die Kreide;
Sechs Tage gab's kein Brot;
War dies nicht große Not?

Hier konnte man nun sehen,
Wie die Zigeuner gehen;
Halb barfuß und zerrissen,
Den Kühfuß weggeschmissen,
Die Wägen auch verbrannt:
So zogen wir durch's Land.

Der Weg war allzumal
Voll Toter ohne Zahl;
Von Kaiser, Preußen, Hessen
War's keiner nicht vergessen;
Hier lag, betrauernswert,
Der Knecht und auch sein Pferd.

Nun, so gelangen wir
Bei Koblenz ins Quartier,
Zum Trost uns zu erquicken;

Doch wollt es uns nicht glücken;
Hier ging's erst kohlig zu,
Man ließ uns keine Ruh.

Auf Ehrenbreitstein
Muß man auf Arbeit sein;
Patronen zu ballieren,
Die Rüstung reparieren
Und Kugelgießen in der Nacht,
Daß ein' der Buckel kracht.

Beim Bauer haben wir
Ein herrliches Quartier:
Kein Holz, kein Salz, kein Feuer,
Das Zugemüs ist teuer;
Wenn Gott kein Wunder tut,
So gehn wir all kaputt!

18 ANONYM

Trinklied für Brüder der Franken

1

Nun jubelt, ihr Brüder, Vernunft hat gesiegt,
Seht wie Despotismus in Stäubgen zerfliegt!
Eh Frankreich uns gab die vortrefflichen Lehren
Daß Menschen nicht Sklaven von Königen wären,
    Da drückten die Fesseln der Knechtschaft so sehr,
    Nun sind sie *(bis)* nicht mehr.

2

Dort saßen sie weiland auf goldenem Throne
Und spielten zum Spaße mit Zepter und Krone,
Verschenkten Millionen an gier'ge Mätressen,
Und Adel und Pfaffen zerfleischten indessen
    Die Rücken der Bürger und Bauern gar sehr
    Doch das ist *(bis)* nicht mehr.

3

Denn mutig und kraftvoll, des Spaßes nun satt
Erhob sich der Franke zur edelsten Tat;
Von keinem der adligen Herren geleitet

Von keinem einsegnenden Priester begleitet
Gings über die Greus Bastille nun her
Und siehe, *(bis)* da war sie nicht mehr.

4

Das hörten Despoten von nah und von fern
Sie hätten die Freiheit gefesselt so gern
Sie kamen zur Pillnitzer Ligue zusammen
Und wollten die Freiheit vom Erdball verbannen
Allein es geschah nicht, die Drohung blieb leer
Wenns immer *(bis)* so wär.

5

Der Ritter von B*** mit Roß und mit Mann
Der rückte zum Umsturz der Freiheit heran,
Er drohte, er tobte, wollt alles verschlingen
Und durch Manifeste den Franzmann bezwingen,
Doch dieser stellt lächelnd und kalt sich zur Wehr
Da ging es *(bis)* nicht mehr.

6

Drum lebe der Franzmann, ihr Brüder trinkt aus
Und opfert ein Gläschen zum festlichen Schmaus
Der himmlischen Göttin, die Frankreich befreiet
Und hohes Gefühl unsers Werts uns verleihet
Und wünschet im stillen, wenns Gläschen ist leer
Wenns hier auch *(bis)* so wär.

19 ANONYM

Die Konterrevolution
in einem scherzhaften Scherzgedichte in extrafeinen
Knittelversen gesungen von M. Jodocus Agreabilis
P. L. und p. t. Schulmeister zu Freihausen

Es war einmal ein herrlichs Land,
Das man der Franken Reich genannt,
Ein wahres Porträt von Eden,
Ein veritables Freienland,
Wo Überfluß herrschte, wie bekannt,
An Bonbons und Pasteten.

Ein veritables Zauberreich,
Für Hoch- und Wohlgeborne Bäuch',
Für Exzellenzen und Gnaden. —
Da floß das köstliche Rebenblut,
Zu stärken den hochadeligen Mut
Und die hochadeligen Waden.

Da blinkte der süßeste Nektar so hell
Gezapft aus sprudelndem Tränenquell
Der dürstenden Untertanen.
Da schmeckte der Wildbretbraten so gut
In Saucen von armer Bauern Blut
Der Lais und ihren Galanen.

Da wälzten sich Berge von Zuckerkonfekt
Vom Schweiße der Laien zusammengeleckt
Auf Tafeln von Nonnen und Pfaffen —
Da ward geschwelget und gepraßt,
Da gingen die Domherren in die Mast
Bei Meerkatzen und bei Affen!

Da flimmert' und flammerte strahlendes Gold
Als sauererworbener schuldiger Sold
Für Dienste in — Boudoirs und Betten.
Da deckten Sterne die hohe Brust,
Hochklopfend des Wertes sich wohl bewußt
Von ihren — Bändern und Ketten!

Da strömten und rauschten die Bäche von Gold,
Als Günstlings- und Mätressensold
In bodenlose Schlünde! —
Da glänzten Pretiosen und Edelgestein
Kostbare Joujous und Tändelei'n
Am Halse dem adeligen Kinde.

Da prunkten und strotzten die Kleider einher —
Denn gar nicht selten war sie leer
Von einem Menschengeschöpfe! —
Und, Platz! hieß es da, dem Verdienste von Taft,
Platz ihm und seiner allmächtigen Kraft,
Ihr unbedeckten Köpfe! —

Ach, das war ein Leben, das war ein Genuß,
Nur selten getrübet von bitterm Verdruß
Durch der Unterdrückten Schreien!

Man stopft sich die Ohren mit Baumwoll und Wachs
Und schläft dann auf Polstern, so fest, wie ein Dachs
Und läßt die Kanaille schreien!

Doch, schreit sie nun einmal ein wenig zu laut,
Flugs zieht man ihr über die Ohren die Haut,
Legt ihr den Kopf zu den Füßen.
Und geht dies nicht, so gibt's Kerker und Türm,
Da mag dann der Frevler im Modergewürm
Den tollen Kitzel büßen.

So lebten einst glücklich in Francia
Und sangen gar lieblich ihr Wauwau, Y ah,
Ein Heer von fressenden Tieren. —
So zechten und tranken sie wohlgemut
Den Schweiß des Bürgers, des Bauern Blut
Und nannten dies: regieren!

So herrschten nun viele klein und groß
In Franciens Paradieses Schoß
Und blähten sich die Bäuche. —
Und schlemmten und dämmten wohl Tag und Nacht
Und waren vom Taumel noch nie erwacht
In ihrem Schlaraffenreiche.

Hingegen der Bürger und Bauersmann,
Aus dessen Schweiß der Goldquell rann,
Mußt' arbeiten, hungern und dürsten!
»Was will das zum Sklaven geborne Vieh?
Mit Nesseln und Disteln füttre man sie!«
So sprachen Lakaien und Fürsten.

Lakaien und Fürsten wendeten dann
Vom fleh'nden Bürger und Bauersmann
Die ausgeschämten Gesichter.
Und schwelgten aufs neue mit ihrem Troß
Und glaubten, sie schwelgten und schlemmten sich groß,
Das Hochgeborne Gelichter.

Das Edelgesindel, das schwelgte noch baß
Und nährte, von Pfaffen geleitet, den Haß
Der armen Unterdrückten.
Sie sogen noch fort mit satanischer Lust
Sich Lebenskraft aus der laut röchelnden Brust
Des von dem Kummer Erstickten.

Sie wieherten jubelnd den Himmel hinan,
Wenn ihrem gefräßigen Drachenzahn
Ein Schlangenbiß gelungen.
Sie peinigten, marterten andere gern,
Und dafür wurden die hohen Herrn
Von Dichterlingen besungen.

Der Schmeichelton sauste wohl um ihr Ohr,
Der Weihrauch dampfte hoch empor,
Umhüllt' ihre Augen und Nasen.
Verloren war längst in Wollust und Spiel
Ihr letztes Restchen von Menschengefühl;
Die Herren konnten nur — rasen!

Drum hörte und sah auch das Otterngezücht
Das Winseln und Krümmen des Untertans nicht,
Hört' nicht den Unwillen brausen;
Und tät, wie vor, in frohem Mut,
Mit armer Bürger und Bauern Gut
Hübsch kannibalisch hausen. —

So schwelgte und schmauste die vornehme Brut
Von Untertans Mark und von Untertans Blut
Ganz sicher in Franciens Schoße.
Und lachte der Furchtsamkeit ganz und gar —
Wenn Einem noch träumte von naher Gefahr —
Verdoppelnd des Opiums Dose!

Doch plötzlich, horch, horch! aus tiefer Gruft
Schallt Totengeheul durch verpestete Luft
In Hochgeborne Ohren:
Halloh, halloh, ihr Herren, zum Tanz,
Geflochten ist der Hochzeitskranz,
Der Wein ist schon vergoren!

Halloh, ihr Herren von Wohlgemut
Laßt sehen, wie sprudelt hochadliges Blut
Wie tanzen hochadlige Schädel?
Horcht, horcht, Euch gurgelt das Totenlied,
Des Druck's der Tyrannen sind alle nun müd'
Wer gut ist, der ist edel!

Halloh, ihr Herren voll Allmachtskraft,
Heran, heran zur Rechenschaft
Ihr Mietlinge und Knechte!

Der Wahn ist zerstoben in Nacht und Graus,
Despotenhudelei ist aus,
Respekt für Menschheitsrechte! —

Huhu, wie gräßlich tönt der Schrei,
Wie gurgelt die Sündenlitanei,
All Schlemmen ist zu Ende!
Wie gräßlich erschallt den Wichten der Ton:
Hoch lebe die Freiheit der Nation! —
Sie ringen verzweifelnd die Hände.

Und aufgestört springt nun aus sicherm Schlaf
Prinz, Herzog, Baron und Marquis und Graf
Und Bischof, Domherr und Priester.
Vom Vorwurf des wachen Gewissens zernagt,
Von Furcht und Schrecken umhergejagt,
Entfliehen die Landesverwüster! —

Doch manchem vornehmen Bösewicht
Gelang jetzt das Entfliehen nicht —
So leicht er auch auf den Füßen —
Auf ihn fällt nun mit Ungestüm
Des lange gequälten Volkes Grimm;
Er muß die Sünden büßen!

Platz, Platz für diesen feinen Herrn;
Sein hohler Schädel mag wohl als Latern'
Vielleicht noch etwas nützen! —
Ha ihr, die ihr euch mit der Allmacht gebläht,
Ihr Wütriche, Volkstyrannen seht
Das Schwert der Rache blitzen!

Doch bald legt sich wieder der Rächer Grimm;
Statt tobenden Lärmens Ungestüm
Kehrt Ruh' und Ordnung wieder!
Des Volkes Mut und Kraft schwillt an,
Das große Meisterwerk ist getan,
Umarmet Euch, ihr Brüder!

Die Freiheit und Gleichheit schlingen das Band
Der Brüderschaft um das Vaterland
Und seine Freiheitsgenossen.
Sie drängen sich alle zum Hochaltar
Und bringen sich selbst zum Opfer dar,
Ihr heiliger Bund ist geschlossen.

So fei'rten voll Frohsinn die Freien den Bund
Der Freiheit und schwuren mit Herzen und Mund:
Zu leben und sterben als Brüder.
Da stieg nun im Abendsonnenglanz,
Bekränzet mit dem Bürgerkranz,
Die Freiheit selbst hernieder.

»Heil, Brüder und Freunde, ihr Helden, Heil Euch
Heil Eurem entfesselten Frankenreich.
Heil Eurem großen Beginnen!
Bei Euch müsse immer die Einigkeit blüh'n
Und dieser Mut Eure Herzen durchglüh'n
Bis Zeiten und Welten zerrinnen!«

Drauf schwang sie den Degen mit nervichtem Arm
Und blickte mit Augen voll Mitleid und Harm
Wohl über den Rheinstrom hinüber!
Da flogen die Aristokraten davon,
Und Furcht und Schrecken war ihr Lohn,
Die rüttelten sie, wie das Fieber. —

Nun deckte die Göttin, so süß und so mild,
Den blitzenden, blendenden, demantnen Schild
Auf Frankreichs glückliche Staaten.
»Solang' Ihr die Ordnung und Einigkeit nährt,
Solange beschützt Euch mein Schild und mein Schwert
Vor Pfaffen und Aristokraten.« —

So sprach sie, die Göttin der Freiheit, und schwand;
Doch thront sie noch sichtbar in unserm Land
Und schützt uns vor — Aristokraten.
Sie hörten, die Feinde, den göttlichen Spruch,
Und flohen, wie Satan, mit Höllengeruch,
In nahegelegene Staaten.

Hier schmausten und schwelgten nach altem Gebrauch
Die Herren zusammen und hudelten auch
Die armen Bürger und Bauern.
Doch Eins nur hilft schwelgen in dieser Welt;
Dies eine ist blankes und klingendes Geld,
Das konnte nicht ewiglich dauern!

Drum sehnten die Herren sich alle gar sehr —
Denn Beutel und Kisten, ach! waren bald leer —
Nach Frankreichs gesegneten Staaten.

Verpraßt war der Raub und verschwelget das Gut,
Das sie noch gepreßt einst aus fränkischem Blut,
Und schlotternd wurden die Waden!

Bald irrten die Ritter der Trauergestalt
Durch Felsen und Täler, durch Busch und durch Wald
Und suchten den Retter zu finden,
Der ihnen verhilft zur Blutegelschaft,
Gesunden Körpern und Saugekraft;
Ach, der war nicht mehr zu finden!

Sie irrten mit Magen, Kopf, Börse gleich leer
Ohrhängend durch Deutschland und Norden umher
Und wußten recht rührend zu winseln.
Sie klagten ihr Unglück vor groß und klein,
Den Blutegeln und Blutegelein,
Und wußten gar lieblich zu pinseln.

Ach, aber bei löblicher Blutegelzunft,
Da fehlt' es an Kräften, sowie an Vernunft,
Die armen Schlucker zu retten.
Denn, ach, ihr Plänchen war zu fein,
Sie wollten die Franken nur allein
Schmieden auf's neue in Ketten.

Sie ritten daher und ritten dahin
Und trugen im Köpflein viel Blutegelsinn
Und nirgends wollt' es behagen!
Ach, ach, wenn wir doch nur die schlappen Bäuch'
Füllen könnten im Frankenreich,
Dann bellte nicht mehr der Magen!

So seufzten die Leutlein und irrten umher,
Wohl über Berg und Tal und Meer
Und klagten die Not den vier Winden.
Zwar sammelt sich um sie manch lockerer Knecht,
Ein Häuflein Halunken vom Vampirsgeschlecht,
Doch Retter war keiner zu finden.

Sie zogen dahin, sie zogen daher
Durch ganz Europa die Kreuz und die Quer'
Ach, um den Retter zu finden.
Da kamen sie dann auch zum schlauen Unhold
Der schenkte ihnen ein Klümpchen Gold
Und Hoffnung — zum Erblinden.

Sie zogen noch weiter zur mächtigen Fey
Der großen Patronin der Sklaverei
Und fanden viel Trost bei der Milden.
Sie teilt' auch ihnen ein Almosen mit
Soviel es ihr leerer Beutel litt
Und schickt sie zu Vastug, dem Wilden.

Sie zogen dahin wohl über das Meer
Und fanden dort Köpfe und Börsen noch leer,
So leer, als die ihrigen waren.
Doch er, der große Erdengott,
Man nennt ihn sonst nur den Donquischott
Er trotzte kühn allen Gefahren.

»Ich helf' Euch, so wahr ich ein Tollkopf bin«
— so schrie er; »nehmt hier meinen Ritterschlag hin,
Ich will die Hunde was lehren!
Wie, nicht mehr sich saugen lassen sie?
Und — himmelschreiend! — das dumme Vieh
Sich gegen Euch noch wehren?

Gefressen müssen sie alle sein!
So will ichs, und ich freß sie allein,
Wenn andere die Eßlust verloren!«
Drob waren die irrenden Ritter erfreut,
Und schworen einen treuen Eid,
Der Held sei in Gaskogne geboren.

Dann zogen sie weiter durch Wies' und Sand
Und kündeten laut dem Vaterland
Die nun erklärte Fehde.
Sie jubelten hoch auf und schlürften schon
In Gedanken das Blut der Nation
Das einst ihre Schlappbäuche blähte.

Sie machten schon Schulden auf ihren Sieg
Und rüsteten sich zum blutigen Krieg
Und ließen Trompeten erschallen.
Papierne Trompeten versteht sich; dabei
Kanonen von Pappe, Soldaten von Blei
Und lange gierige Krallen.

Das war ihre Rüstung, das war Munition,
Zu kriegen gegen die freie Nation
Und Freie zu Sklaven zu machen.

Ihr Heer von zwölfmal ... hundert Stück
Halunken, tat gar mächtig dick,
Man mußte wahrlich lachen!

Mit diesem Heer zog Mirabeau-Faß
Den Frankenbrüdern zum lustigsten Spaß
Durch Schwaben hin nach Franken.
Zu Fuß, zu Roß, oft ohne Schuh'
Und auch wohl ohne Geld dazu
Sah man die Helden hinschwanken.

Und dabei waren sie alle zumal
So schrecklich verwegen, so schrecklich brutal,
Daß sie ... vor Schatten schon liefen
Und bei dem Namen: Nationalgardist,
Der ihnen so furchtbar und schreckend ist,
Schon ängstlich um Hilf riefen.

Und schnellfüßig sind sie, das ist wahr,
Besitzen Courage für jede Gefahr ...
In ihren geübten Beinen;
Und können wahrhaftig im Haus, wie im Feld
Saufen, huren, schimpfen fürs Geld
Und wie die Kinder greinen.

Mit solchen Helden ist's Erobern gar leicht,
Versteht sich, wenn gutwillig der Feind schon weicht
Und nicht die Zähne weiset. —
Sie bleiben wie eingewurzelt stehn,
Wenn sie nur keine Gewaffnete seh'n
Und wenn kein Insekt sie beißet.

Sie fürchten, im Sichern, nie Hieb, noch Stoß
Und stürmen beherzt auf ... Mädchen los,
Die sich nicht mit Stecknadeln wehren,
Sie wissen den Feinden — ihr Wunsch ist nur Gold,
Drum sind sie dem Eisen und Stahl nicht hold —
Verächtlich den Rücken zu kehren.

Auch haben sie viele tapfre Offizier',
Auf jeden Gemeinen zum wenigsten vier',
Und jeder hat zwei Beine,
Die sind zum Springen gewiß so behend'
Als zu dem Mausen ihre Händ'
Und ihre Kehlen zum Weine. —

Weh' dir, du freie Francia!
Sie kommen daher mit lautem Y ah
Die Konterrevoluzzers-Helden.
Und wenn du noch ungefressen lebst,
Und wenn du vor ihrem Grimme nicht bebst,
So zittere doch vor ihrem Schelten.

Doch willst du abwenden die Schreckens-Gefahr,
Ach Francia! gib dann der hungrigen Schar
Ein Rindchen Brot zum Nagen!
Denn wisse, die Riesen, die dich itzt bedroh'n
Die Feinde deiner Konstitution
Haben einen Defekt im Magen.

Auch sind sie sehr lüstern nach blankem Geld,
Sie wissen, daß in aller Welt
Mit diesem sich läßt schlampampen.
Nach Silber, Geschmeide und barem Gewinn
Steht einzig ihr hoher Heldensinn;
Dies nährt ihre Geisteslampen.

Doch Francia, trotzt du der nahen Gefahr —
Ach weh' dir, ach weh' dir, denn siehe, fürwahr
Es ist um dich schon geschehen.
Die zwölfmalhundert Stück Lumpengepack
Die schieben dir alles in den Sack,
Du wirst's mit Schmerzen sehen.

Sie glühen vor Eifer, denn nordisches Gold
Und liebliche Hoffnung vom schlauen Unhold
Belebt auf's neu ihre Seelen.
Zwar nährt sie nur itzt noch italischer Wind
Doch dies ist genug für das lüft'ge Gesind
Vertrocknen nur nicht ihre Kehlen!

Aus Lissabon, Rom, Madrid und Turin
Sieht man die schönsten Transporte ziehn
Mit dieser leichten Ware!
Gelingts nun dem Künstler Calonne, den Wind
Zu wandeln in Geld, Hokuspokus geschwind,
So brennt's uns auf die Haare.

Und dann Fey Messalina dazu
Und ihr Confrater, der nordsche Uhu,
Die werden es wahrlich vollenden.

Vollbracht wird die Konterrevolution
Gestürzt dahin die Konstitution
Von aristokratischen Händen.

Hu zittert, sie kommen die Mächtigen all',
Getrieben, wie ein Federball,
Gegen den marmornen Felsen.
Sie sind, o Himmel steh' uns bei!
Gräßliche Riesen mit Herzen von Brei,
Sie gehen daher auf Stelzen.

Und zahlreich, zahllos ist ihr Heer,
Gleichwie der Sand am Schilkemer Meer,
Es ist ein schrecklicher Haufen!
Vor ihnen her zieht Mangel und Not
Und allem — Geflügel drohender Tod,
Sie werden den Rhein aussaufen.

Ach aber wir, was nützt uns all
Der Krieger und der Waffen Schwall
Im Kampf mit solchen Leuten?
Der Papst hat sie mit Kraft verseh'n,
Barfuß zu Gottes Ehr' zu geh'n
Und mit dem Maul zu streiten.

Ein geweihter Wüstling hat ihr Heer
Samt Sattel, Zaum, Knopf und Gewehr
Zur Heiligkeit erhoben.
Sie fechten mit dem Skapulier,
Ein Eselsohr ist ihr Panier
Auf einem Meisenkloben.

So zogen itzt stattlich mit Heereskraft
Von Jungens und Mädels gar mächtig begafft
Umher die Aristokraten;
Rumorten in Länderchen ohne Wehr'
Und bramarbasiereten gar sehr
In Deutschlands kleinwinzigen Staaten.

Nun setzte Herr Weinfaß, der General,
Das Glas von dem Munde, um endlich einmal
Das Vorwärts zu kommandieren. —
Schon zitterten die Helden wie Espenlaub
Und waren vor Schrecken blind, stumm und taub
Denn ach, sie sollten marschieren!

Da sprengten Kuriere die Kreuz und die Quer'
Und brachten den Tröpfen gar liebliche Mär,
Aus Osten und Westen und Norden.
Da jauchzten sie fröhlich und schwuren im Zorn
Bei ihrem Säbel und ihrem Sporn,
In Frankreich alles zu morden.

Bald hieß es: aus Osten ziehe ein Heer
Von zwanzigtausend daher
Um Frankreichs Stolz zu zerschlagen.
Bald log sie die Sage von Westen an,
Aus Spanien zögen viel tausend Mann
In nächsten Frühlingstagen.

Bald donnerte wieder die Sage daher:
Die Franken kommen mit mächtigem Heer
Die Frevel der Buben zu rächen!
Da krochen die Helden in Stroh und in Heu
Und schrien gen Himmel im Zetergeschrei:
Hilf, Herr! sie wollen uns stechen.

Bald schwoll ihr Mütlein hoch wieder an,
Wenn ihnen ein Bote die Meldung getan,
In Frankreich siegen die Pfaffen! —
Da taumelten alle aus Winkeln hervor,
Und reckten hoch auf das langzipflichte Ohr
Und griffen sogleich nach den Waffen.

Geduld, meine Kinder, übereilet euch nicht —
So schnarrt ihnen zu der dickbäuchichte Wicht —
Wir müssen Nachricht erwarten!
Aus Osten und Norden kömmt Hilfe herbei
Die führt uns, ihr wißt es, bei meiner Treu
In Frankreichs himmlischen Garten.

Da rannte dann endlich ein Bote daher,
Sag, bringst du uns allen die fröhliche Mär'
Bringst du die erwünschte Kunde?
Sie drängten sich zu ihm und reckten das Ohr,
Wie lauschende Hasen, gar mächtig empor
Mit weit geöffnetem Munde.

Huhu, da schallte aus tiefer Gruft
Ein Totengeheul durch verpestete Luft,
— Die ließ' nichts Gutes ahnden —

Gefallen vom Arm des Rächers sind
Die Feinde, die dem holden Kind
Einst nach dem Leben standen!

Gefallen sind sie von allmächtiger Hand,
— So röchelt die Kunde durch alles Land —
Die Feinde der Menschheitsrechte!
Gefallen als Opfer der Tyrannei
Zum Schrecken der Despoterei
Und aller Despotenknechte.

Da heulten und winselten alle zumal
Vom Troßjungen bis zum dicken General
Und weinten blutige Zähren!
Ach, ach, es ist um uns gescheh'n,
Wir werden das schöne Land nicht seh'n,
Das wir itzt wollten verheeren!

Geduld, es kömmt des Unglücks noch mehr,
Heran zieht schon ein Frankenheer!
Zu zücht'gen die Aristokraten.
Für Euch, Blutegel ist alles dahin,
Die Eintracht, des Glückes Beförderin
Blüht itzt in Frankreichs Staaten.

Erstarkt ist die Konstitution,
Ein Wunsch, ein Herz ist die Nation,
Patrioten sind Minister.
Der Friede grünt; die Freiheit siegt
Auf ihren Altar opfern vergnügt
Die Laien und die Priester.

Entlarvt flieh'n die Feinde all'
Hoch tönen in lautem Posaunenschall
Der Freien Jubellieder:
Es lebe jeder Patriot,
Verderben jeglichem Despot,
Die Freiheit lebe, Brüder!

Ach, ach, sie hören's und fliehen davon
Die Feinde der Konstitution,
Sie zittern für ihr Leben;
Doch sieh, da kommt noch ein Präsent
In gier'ge Aristokratenhänd'
Sie öffnen es mit Beben.

Ei, ei, was hat der Himmel beschert?
Laßt sehen, ist's auch das Porto wert
Für diese schwere Kiste?
Es ist — die Konterrevolution,
Den Patrioten allen zum Hohn,
Gepackt in eine Kiste.

Ei seht, da hebt sich ein Hasenohr
Gar lieblich aus der Schachtel hervor
Und drauf ein Bündel Reiser,
Ein Strick, ein Stab, ein Bettelsack
Und all dergleichen Schnick und Schnack
Für diese Herrn Kalmäuser.

Noch allerlei Hübsches ist dabei,
Eine Kron' von Eisen, ein Zepter von Blei
Und die Donquischottiade
Gebunden in Leder von einem Has'
Und drüber eine wächserne Nas'
Und köstliche Pomade.

Auch lag ein kleiner Zettel darin,
Drauf standen die Worte von folgendem Sinn,
Geschrieben mit großen Zügen:
Eh' geht ein Schiffseil durch's Nadelöhr
Als aller Despoten vereintes Heer
Die Freiheit wird besiegen!

Ihr Herren, seid ihr nicht verrückt,
So seht, das Rachschwert ist gezückt,
Flieht vor den Freiheitssöhnen,
Und lernt, daß es unmöglich sei,
Die Freigewordenen zur Sklaverei
Auf's neue zu gewöhnen!

Da liefen sie alle in großer Hast
Und fanden weder Ruh noch Rast
Und sahen nicht zurücke;
Sie wallten an dem Bettelstab
Mit schwerem Herzen zu Donquischotts Grab
Und klagten des Schicksals Tücke.

Und nun stieg zu der Franken-Schar,
Herab auf ihren Hochaltar
Die Göttin Freiheit wieder:

Vollendet ist nun Euer Glück
Die Feinde kehren nicht zurück,
Stimmt an die Siegeslieder!

Sie sprachs und goß mit milder Hand
Herab auf's freie Vaterland
Das Füllhorn aller Freuden.
Gesegnet sei'st du, Frankenreich
Dir ist an Glück kein Erdstrich gleich,
Dich muß die Welt beneiden.

Entfesselt bist du, bleib' es nun,
Laß Schwert und Harnisch ewig ruh'n
Und Eintracht bei dir wohnen!
Euch Helden wird am Rand der Zeit
Die Nachwelt mit Unsterblichkeit
Voll Dankgefühl belohnen! —

20   ANONYM

Lied für Geweihte
Verfaßt als die koalisierten Heere aus der Champagne flohen
Von einem österreichischen Offizier
Melodie: Bekränzt mit Laub

Triumph, Triumph! noch siegt die gute Sache,
die Fürstenknechte fliehn. *(bis)*
Laut tönt der Donner der gerechten Rache
Nach W — und nach B —

Vergebens, daß Sardanapale selber
der Heere Führer sind; *(bis)*
die Freiheit kämpft, und all' die goldnen Kälber
sind vor ihr Spreu im Wind.

Vergebens, daß auf schützenden Gebirgen
die Sklavenrotten stehn, *(bis)*
daß mördrisch ihre Feuerschlünde würgen,
stolz ihre Fahnen wehn.

Noch schneller fast, als Fittich der Gedanken,
als Strahl des Lichtes fliegt, *(bis)*
stürzt über sie das tapfre Heer der Franken,
es kömmt, es ficht, es siegt.

Umsonst verhüllt dann in Bramarbas Siege
der Feige seine Schmach; *(bis)*
zwei Tage währts; dann tönt der schönen Lüge
ein traurig Echo nach.

Es töne fort in Osten und in Westen
durch jedes Fürstentor *(bis)*
und dringe selbst in — — Palästen
zur — — — — Ohr.*

Damit des Nachts von ihren goldnen Betten
der süße Schlummer flieht *(bis)*
und sie prophetisch schon den Fuß in Ketten,
das Haupt am Blocke sieht.

Drum ihr, die ihr euch in geweihter Stunde
so schön gefunden habt *(bis)*
und euch zur Freundschaft hohem Götterbunde
den trauten Handschlag gabt.

Ergreift — ergreift den vollgefüllten Becher,
hebt ihn und stoßet an! *(bis)*
Es lebe, wer, gedrückter Menschheit Rächer,
den edlen Kampf begann.

Es lebe, wer im tötenden Gefechte
Tyrannenblut vergeußt; *(bis)*
Es lebe, wer mit männlich starkem Rechte
des Frevels Joch zerreißt!

Zwar auch um uns erklirren noch die Bande
von Druck und Tyrannei *(bis)*
und wenig sind im deutschen Vaterlande
von Wahn und Knechtschaft frei.

Doch weiter strahlt allmählich schon die Helle
vom Freiheits-Hochaltar, *(bis)*
und mächtig drängt sich zu der Weisheit Quelle
die sonst verirrte Schar.

Nicht lange mehr — so wird der kleine Funken
zur Sonne sich erhöhn; *(bis)*
dann werden wir, von Götterwonne trunken,
die Bahn der Franken gehn.

* Der geneigte Leser beliebe die fehlenden Worte zu supplieren.

Politische Klagen aller Kriegsführenden Mächte
Straßburg im 6ten Jahre der Freiheit

Papst.

Ich als Haupt der wahren Kirche
    Nehme jetzt mein Wort zurück;
Ich bin Euch nicht länger Bürge
    Fürsten! für das Waffenglück.
Denn es ist ja außer Zweifel,
    Für die Franken kämpft der Teufel
Und das ganze Höllenreich
    Darum Frieden sei mit Euch!

Kaiser.

Vater! Ja ich wünsch' mit Freuden
    Einen Frieden bald zu sehn
Muß ich gleich betrübt mich scheiden
    Von dem schönen Belgien,
Will ich doch um Frieden bitten.
    Frankreich hat mich sehr beschnitten
Und zerstöret meine Macht
    Ach! Wer hätte das gedacht!

König von England.

Bruder! Du mußt nicht verzagen
    Unser Bund muß fest bestehn,
Mußt noch einen Feldzug wagen
    Bis die Franken untergehn.
Hast du doch noch Untertanen
    Hast Kroaten und Ulanen
Hast noch eine Reichsarmee
    Und ich, ich habe Sterlinge.

König von Spanien.

Nein, mein Freund und lieber Gorge
    Ich entsage diesem Bunde
Frankreich macht mir Angst und Sorge
    Richtet meine Macht zu Grunde.
Meine schönen Silberflotten

Sind ein Raub der Sansculotten
Und die Zeiten fürchterlich
Bruder! ich empfehle mich.

Staaten von Holland.

Ach! wie sind wir angeschossen
    Ach, wir sind verloren all'
Rettet doch ihr Bundsgenossen
    Uns aus dieser Mäusefall,
Unser Volk, Dukaten, Stüber
    Wandern schnell nach Frankreich über
Ach, und eh' wirs uns versehn
    Müssen wir selbst flüchtig gehn.

König von Preußen.

Ach! ich kann für euch nicht kämpfen,
    Polen hat mich selbst berennt,
Ich muß diese Glut erst dämpfen,
    Die in meinem Lande brennt.
Und wer weiß, ob mein Westfalen
    Nicht auch muß zur Zeche zahlen,
Denn auch meine Macht am Rhein
    Wird gar bald vernichtet sein.

König von Sardinien.

Ach! wär ich zu Haus geblieben
    Ach! des Unglücks ist zu viel,
Ach! mein Volk ist aufgerieben
    Meine Kron' steht auf dem Spiel.
Hätt' ich mich um nichts bekümmert,
    Wär auch nicht mein Land zertrümmert,
Und ich wäre noch ein Mann
    Ach was hab' ich doch getan!!!

König von Neapel.

Schrecklich ists, ich muß gestehen
    Schrecklich ist der Frankenkrieg!
Laßt uns Frieden ja erstehen
    Denkt nicht mehr an einen Sieg.
Laßt uns doch dies Heil probieren

Eh' wir Hab' und Gut verlieren,
Trügen wir zu unserm Hohn
Gleich ein blaues Aug' davon!

König von Portugal.

Schütze, heilige Mutter Gottes,
Mich für Sansculotten Wut
Ach, ich bin ein Kind des Todes,
Wenn dein Arm nicht Wunder tut.
Steure diesen Diebesrotten,
Die dein und der Priester spotten
Pfaffen und Religion
Schützen nicht vor ihrem Hohn!

Bayern, Mainz, Trier, und die übrigen Reichsfürsten.

Ach! wer hätte das gemeinet,
Ach, wie schlimm wird uns zu Mut
Wir verlieren, wie es scheinet,
Unser Land und Fürstenhut.
Frankreich macht uns tausend Schmerzen
Ach, wie klopften unsre Herzen,
Ach, wir flehn in unsrer Not
Nur um Friede, Geld und Brot.

Kaiserin von Rußland.

Pfui! Ihr wollet Frieden bitten,
Weil das Los nicht glücklich fällt,
Hättet ihr umsonst gestritten,
Höhnte euch die ganze Welt.
Frisch auf! Kraft und Mut zum Streiten!
Endlich ändern sich die Zeiten,
Da ihr euren Feind bezähmt
Und ihm seine Länder nehmt.

Alle Koalisierte Mächte.

Schwester! Ja du hast gut schwatzen
Trug und List hegt deine Brust
Wenn wir hinterm Ohr uns kratzen
Lachst du dort nach Herzenslust.
Du versprachst, mit uns zu schalten
Und hast niemals Wort gehalten,
Hast die Glut mit angeschürt,
Und uns hinters Licht geführt.

Türkischer Kaiser.

Bin ich gleich, wie Ihr so mächtig,
  Reich an Ländern, Glanz und Kron
Laß' ich dennoch wohlbedächtig
  Meine Nase jetzt davon.
Mischt Euch nicht in fremde Sachen
  Ihr wollt Frankeich kleiner machen
Und statt dessen wächst es an
  Wahrlich! Ihr habt schlecht getan!

Prinzen von Frankreich.

Wir von Gottes Gnaden Prinzen
  Müssen leider! betteln gehn
Müssen unsre Erb-Provinzen
  In Rebellen Händen sehn.
Ach, unschätzbar ist der Schaden
  Lernt von uns, Ihr Potentaten,
Daß der Prinz und Bettelkind
  Gleich, wie alle Menschen, sind.

Neutrale Mächte.

Wird uns gleich die Welt beneiden
  Laß sie neiden immerhin!
Wer die Franken will bestreiten
  Hat nur Schaden, statt Gewinn.
Unsre braven Landesbürger
  Wollen keine Menschenwürger
Fremder Fürsten Sklaven, nein!
  Wollen Menschenfreunde sein.

Ihr könnt doch kein Glück erwarten
  Von dem großen Trauerspiel
Wo Gott selbst verteilt die Karten,
  Hilft Geschicklichkeit nicht viel.
Eure Trümpfe nützen wenig:
  Wo der Bauer sticht den König,
Wo die Sechs den Zehner sticht,
  Macht ihr Euer Glück doch nicht.

Repräsentanten der Frankenrepublik.

Brüder! Dank, die Ihr gerechter,
  Die Ihr mit uns einig denkt,
Wir sind jetzo Eure Wächter
  Durch die Kraft, die Gott uns schenkt.
Durch uns wird Er's noch verrichten
  Und die große Sache schlichten,
Welche itzt die ganze Welt
  Staunend in Erwartung hält.

Gott mit uns und unsrer Sache
  Trotzen wir dem Tod und Neid
Schwören den Tyrannen Rache
  Und den Freunden Redlichkeit
Gott mit unsern Losungsworten
  Sprengen wir der Höllen Pforten
Schwert des Herrn und Gideon
  Und der Teufel läuft davon.

IV Mainz

Während des Rückzugs der preußischen Truppen aus der Champagne gelang es einer französischen Revolutionsarmee unter General Custine im Oktober 1792, einen Teil des Rheinlandes zu besetzen. Die Mainzer Jakobiner entfalteten unter dem Schutz der französischen Besetzung eine rege publizistisch-literarische Tätigkeit und begründeten die erste auf dem Prinzip der Volkssouveränität beruhende Republik auf deutschem Boden. Nach einer Belagerung von vier Monaten kapitulierte die Festung Mainz vor den preußischen Truppen am 23. Juli 1793.

22 ANONYM

An Frankreich

Nach den Commandemens de la patrie

Willst du, o edle Frankennation!
  Die Früchte, die der Revolution
Dem Götterwerk, unmittelbar entsprießen,
  Auch künftig froh und ungestört genießen?
So tu, was ganz zu diesem Zwecke zielt,
  Was die Erfahrung und Vernunft befiehlt!

Von deinen sechsundsechzig Königen
  Die nun seit vierzehn, ach! Jahrhunderten
Mit gleichem Trieb, in Fesseln dich zu schlagen,
  Nur zum Verderben dir, die Kron getragen,
Wie wenig, sag's Geschichte! laut und kühn
  Sah man für's Glück des Volkes sich bemühn?

Und wenn nun auch ein zwölfter Ludewig,
  Ein vierter Heinrich, groß und königlich,
Indem sie auf des Volks Beglückung dachten,
  Sich selbst zu glücklichen Regenten machten;
Wie viele andre Herrscher, bös für gut,
  Ha! saugten nicht, Vampyren gleich, sein Blut?

Drum beuge dich, o Frankreich! wie bisher
  Vor keinem allgewalt'gen Herrscher mehr.
Zu lange schon, wie die Geschichte lehret,
  Hat Monarchismus, ach! den Staat verheeret!
Versuch es, ohne König — nur allein
  Groß durch dich selbst, o Nation! zu sein.

45

Und von dem Zwitter zwischen Herrn und Knecht,
Des Despotismus schändlichem Gemächt,
Dem Adel, dieser nimmersatten Hyder,
Die, der Vernunft und Menschlichkeit zuwider,
Sich frech bisher vom Schweiß des Volks genährt,
Wird auch der Name fürder nicht gehört.

Die Geistlichkeit, die seit Jahrhunderten
An Lastern reich und arm an Tugenden,
Daß einen Staat sie in dem Staate machte,
So vieles Unheil über Frankreich brachte,
Sei, was einst Christus schön in sich vereint,
Des Volkes Lehrer, Muster, Arzt und Freund!

Die Mönche und die Nonnen allzumal
Die ach! zu namenloser Qual
In Klosterkerker sklavisch eingezwungen
Vergebens dort mit der Natur gerungen
Befreie schleunig aus den Wüstenei'n,
Um unter Menschen wieder Mensch zu sein.

Was einst in jener trüben Zeiten Nacht
Durch List und Trug und mißgebrauchte Macht
Die Pfaffheit und der Adel unverhohlen
Betrogner Menschheit bübisch abgestohlen,
Und sie zum Dank dafür mit Füßen trat,
Das nütze jetzt mit Wucher unser Staat!

Nie schwelge mehr an Frankreichs Schweiß und Blut
Gleich Egeln, jene schnöde Pächterbrut!
Was künftig, um den Staat emporzuheben,
Die freien Franken frei und willig geben,
Das werde jährlich öffentlich bekannt,
Wozu? Und wie? der Staat es angewandt.

Den Richtern, die, statt Recht und Billigkeit
Mit edler strenger Unparteilichkeit
Gewissenhaft zu fördern, ohn' Erröten
Satanisch die Gesetze nur verdrehten,
Schneid ihre räuberischen Krallen ab,
Und die Schikane stürz' zur Höll' hinab!

Gesetze, die, vereinfacht, einzig nur
Aus jener lautern Quelle — der Natur —
Nicht aus der Willkür der Despoten quillen,
Wird dann der Franke sonder Zwang erfüllen,

Weil höchste Freiheit ihm zu jeder Frist
Die höchste Achtung für Gesetze ist.

Bewährter Tugend und Verdienst allein
Wird dann der Franke seine Achtung weihn;
Nie den entarteten, verworfnen Söhnen
Bloß um der Väter Tugend willen frönen.
Weit mehr als sonst der Reichtum, Rang und Stand,
Ehrt jetzt die Liebe für das Vaterland.

Nur solchen, die mit Seelenadelskraft
Verstand, Geschmack und tiefe Wissenschaft
In edler Harmonie in sich verbinden
Und in dem Glück des Staats ihr eignes finden,
Nur solchen Männern wird das Volk allein
Die höchsten Würden in dem Staat verleihn.

Wo sich Verdienst fürs Wohl des Volkes zeigt,
Wird dankbar ihm der Eichenkranz gereicht;
Doch unerbittlich wird auch das Verbrechen
Der Staat auch selbst an dem Minister rächen.
Kein Stand und nicht Geburt kann fürderhin
Den Schuldigen der Strafe mehr entziehn.

So wird, wenn, immer heller aufgeklärt,
Der Franke alle Mißbräuch' kühn zerstört,
Die einst den Staat so tief herunterbrachten,
Und aus dem Paradiese — Wüsten machten,
So wird durch gleiche Freiheit nur allein
Dies Volk beglückt, und andern Muster sein!

23   GOTTFRIED JAKOB SCHALLER

Triumph der Franken

Es geht! es geht!
Aus ihrem Staub erhöht
Fühlt sich der Franken Nation;
Schnellt ab die schnöden Sklavenfesseln,
Und, wund von des Gewissens Nesseln,
Stürzt zitternd ihr Tyrann vom Thron.

Es geht! es geht!
Unüberwindlich steht
Der kühnen Streiter Heldenheer.
Der Welt die Freiheit zu erfechten
Und mit den Königen zu rechten,
Schwingt ihre Faust der Rache Wehr.

Es geht! es geht!
Vergebens widersteht
Dem Felsenstrom ein Leimenwall.
Er stürzt daher und trotzt den Dämmen!
Sie flügeln seinen Lauf — denn hemmen
Mag nichts des Waldstroms Donnerfall.

Es geht! es geht!
Von Hochmut aufgebläht,
Zürnt uns, die Ketten schon am Arm,
Um freie Männer drein zu zwängen,
Und unters alte Joch zu drängen,
Umsonst der Fürsten Sklavenschwarm!

Es geht! es geht!
Mit ihren Äsern sä't
Der Franken Kraft das Schlachtgefild;
Und Wütriche und ihre Knechte
Und Bonzen stürzen im Gefechte,
Indes die Hölle Beifall brüllt.

Es geht! es geht!
Im letzten Schwindel dreht
Der Wahnsinn die Despoten jetzt.
Sie röcheln, die uns Umsturz drohten,
Und fluchen röchelnd — die Despoten!
Von Eumeniden tot gehetzt.

Es geht! es geht!
Seht, Patrioten! seht
Das Riesenwerk von eurem Mut:
Der Menschheit ewigeig'ne Rechte,
So lang entrückt durch Fürstenknechte,
Sind neuerkauft mit Frankenblut!

Es geht! es geht!
In stolzer Majestät
Türmt sich der Freiheit Tempel auf.
Schon dampfen frommer Opfer Düfte

In Weihrauchwolken durch die Lüfte,
Und Gott vom Himmel lächelt drauf.

Es geht! es geht!
Ha, Vaterland, er steht,
Der Brüdergleichheit Hochaltar.
Kein Irrwischglanz von Ordensbändern,
Kein Flitterprunk von Meßgewändern
Verblendet mehr die Brüderschar.

Es geht! es geht!
Der Freiheit Wimpel weht'
Selbst in des Auslands Gauen schon.
Bald werden alle Nationen
In nahen und in fernen Zonen,
Nur eine Brüdernation.

Es geht! es geht!
Ihr Engel Gottes, seht
Herab aufs neue Paradies.
Wie, Herz an Herz, die biedern Freien
Der Bruderliebe Bund erneuen —!
O Freiheit macht das Leben süß.

Es geht! es geht!
Der Geist der Liebe weht,
So weit die Freiheit Land gewinnt;
Denn Freie lieben, wo sie wohnen,
Die Freien aller Nationen,
Auch Fürsten — wenn sie Menschen sind.

24 FRIEDRICH LEHNE

Lied freier Landleute

Nach der Melodie des Marsches der Marseiller

Wohlan! es geht! es ist gegangen!
Uns segnet Gottes Vater-Blick;
Laßt Sklaven vor Despoten bangen!
Die feige Brut verdient kein Glück.
Laßt uns der Freiheit würdig werden!
Sie ist des Menschen bestes Gut,

Und fließt für sie auch all' sein Blut —
Genießt sein Sohn doch Glück auf Erden.
Wohlan! die Wahl ist leicht!
Nur Freiheit oder Tod!
Weh' dem! Fluch dem!
Der je es wagt und unsrer Freiheit droht!

Wir pflügten willig unsre Äcker,
Viel träge Prasser nährten wir;
Doch seht! sie wurden immer kecker,
Erniedrigt waren wir zum Tier.
Geblendet von dem schnöden Glanze
Den ihnen unser Fleiß verschafft,
War stolz und stark durch unsre Kraft
Manch fetter Pfaff, manch geiler Schranze.
Wohlan! die Wahl ist leicht! usw.

Wann künftig unsre Saaten blühen
Dann ernten wir, nur wir, sie ein;
So werden dann auch unsere Mühen
Belohnt durch Gottes Gaben sein.
Kein Fürstenknecht darf uns mehr kränken,
Nur dem Gesetz gehorchen wir,
Und *dieses* macht uns nicht zum Tier,
Es sichert uns vor bösen Ränken.
Wohlan! die Wahl ist leicht! usw.

Wir *selbst, wir* machen die Gesetze,
Denn wer weiß *besser, was* uns nützt
Dadurch behalten wir die Schätze,
Die dann kein Schwelger mehr besitzt.
Wir wählen uns gerechte Richter,
Die keines Schurken Gold besticht;
Vertrauen wecket ihr Gesicht
Schröckt nie wie jene Amts-Gesichter.
Wohlan! die Wahl ist leicht! usw.

Seht diesen Baum, all' ihr Despoten!
Wir pflanzten unsern Rechten ihn;
Und in des Vaterlandes Boden
Soll er noch unsern Enkeln blüh'n.
Wir wollen ihn mit Mut beschützen,
Bis die Gerechtigkeit gesiegt;
In seinem Schatten dann vergnügt
Am Abend unseres Lebens sitzen.
Wohlan! die Wahl ist leicht! usw.

O Gott! Beschützer alles Guten!
    Schenk' unsrer Freiheit deinen Schild!
Wir wollen gerne für sie bluten,
    Wenn es dein Richter-Wink befiehlt.
Gib unsren Werken deinen Segen!
    Denn *der* nur gründet unser Glück;
    Wir fordern *dein* Geschenk zurück;
Komm' unsrem Mut mit Kraft entgegen!
    Wohlan! wir schwören dir!
    Nur Freiheit oder Tod!
        Weh' dem! Fluch dem!
Der je es wagt und unsrer Freiheit droht.

25   ANONYM

Trinklied der freien Mainzer

In bekannter Melodie, wie das Lied von Claudius

Nun kränzt mit Laub den liebevollen Becher,
    Und trinkt ihn fröhlich leer,
Denn unser Vaterland, ihr lieben Zecher,
    Drückt kein Despote mehr!

Gefallen ist die harte Landesplage,
    Gestürzet von dem Thron,
Er hörte nicht des armen Bürgers Klage —
    Nun hat er seinen Lohn.

Gefallen ist der geistliche Despote,
    Der unsern Schweiß verpraßt,
Gefallen der Tyrann, der uns noch drohte
    Mit tausendfacher Last.

Wir waren ihm nur niedre Sklavenhunde,
    Ihm galt kein Menschenrecht.
Was kümmert' ihn des armen Bürgers Wunde?
    Der war ihm viel zu schlecht.

Triumph nun! Brüder! Seht, er liegt im Staube,
    Der unser Recht verkannt —
Triumph! er liegt! er liegt, der nur gelebt vom Raube!
    Ihn stürzt' der Franken Hand!

Sie gaben uns die edle Freiheit wieder,
  Sie leben lang' und hoch!
Trinkt auf ihr Wohl, ihr biedre deutsche Brüder,
  Sie leben lang und hoch!

Ha! seht den Wein in diesem Becher blinken —
  Nun würzet Freiheit ihn!
Der Bürger leb', Despoten müssen sinken
  Und Menschenrechte blühn.

26 EULOGIUS SCHNEIDER

Freiheitslied
für die lieben Mainzer

Ihr deutschen Patrioten singt
  Für Mainz ein Freiheitslied!
Und schwingt die Freiheitsmützen, schwingt,
Die Fahnen auf — eilt! Custine winkt,
  Vor dem die Knechtschaft flieht. *(bis)*

Der große, jüngste Tag ist nah,
  Ihr Deutschen zum Gericht,
Die Freiheitsretter sind schon da,
Ihr Deutschen singt Viktoria!
  Scheut die Despoten nicht! *(bis)*

Seht Deutschlands erste freie Stadt,
  Ein Mainz wie Thionville,
Das nun auch einen Wimpffen hat,
Der für die Freiheit Wunder tat,
  Und siegen — siegen will! *(bis)*

Zerreißt die Fesseln — sammelt euch!
  Um Wimpffen und Custine,
Er lehrt uns alle, Frei und Gleich,
Zu stürzen das Tyrannen Reich —
  Ihr Mainzer segnet ihn! *(bis)*

Seht, stolze Priester, reif zum Staub
  Seht ihre Sklaven flieh'n,
Sie sind für Menschenrechte taub,
Drum wurden sie der Schande Raub —
  Auf singt! und laßt sie flieh'n! *(bis)*

Bürgerlied der Mainzer

Melodie: Auf! auf ihr Brüder etc.

Auf Brüder! auf! die Freiheit lacht,
Die Ketten sind entzwei,
Uns hat sie Custine losgemacht,
O Bürger, wir sind frei!
Nun drückt uns kein Despote mehr
Und raubt uns unsre Taschen leer,
Der Mainzer ist nun frei!
Der Mainzer ist nun frei!

Auf Bürger! auf zum Jubelsang,
Und preiset dankend Gott!
Nun hört er auf des Bürgers Drang,
Der armen Bauern Not;
Nun ist allein ihr Stand geacht
Und die Despoten sind veracht;
Der Mainzer ist nun frei!
Der Mainzer ist nun frei!

Auf Bürger! schwört den Frankeneid!
Den schönsten auf der Erd',
Die Franken haben euch befreit,
Macht euch der Freiheit wert!
Den Tod verlacht der freie Mann,
Weil Freiheit nur beglücken kann.
Der Mainzer ist nun frei!
Der Mainzer ist nun frei!

O Bürger! welche Seligkeit
Ein freier Mann zu sein!
Dem kein Despote mehr gebeut
Nur das Gesetz allein.
Nun ist es aus, das Adelreich,
Nun sind wir Brüder, alle gleich;
Der Mainzer ist nun frei!
Der Mainzer ist nun frei!

O Bürger sprecht: Wie schön es läßt,
Wenn ihr, vom Zwang befreit,
Wenn beim Gericht, beim Jubelfest

Ihr stets die Ersten seid?
Wenn nicht mehr Stern- und Ordensmann
Euch spotten, euch verhöhnen kann;
Denn Mainzer, ihr seid frei!
Denn Mainzer, ihr seid frei!

Ihr Mainzerinnen freuet euch!
Ihr Schönen jubiliert!
Nun seid ihr Edeldamen gleich,
Die stolz euch sonst regiert,
Nun hat bei Ball, bei Spiel und Sang
Die Bürgerin den ersten Rang;
Der Mainzer ist nun frei!
Der Mainzer ist nun frei!

Das Eisen, das uns sonst gedrückt,
Das unser Recht gekränkt,
O Bürger! Bürger dankt entzückt
Ihm, der es so gelenkt!
Das Eisen, aufgestellt vom Stolz,
Ha, seht doch Bürger, es zerschmolz.
Der Bürger ist nun frei!
Der Bürger ist nun frei!

28 FRIEDRICH LEHNE

Waffenruf an die Bürger des Landes Mainz

Es kämpft für euch des Franken Hand,
  Und *eure* scheut das Schwert?
Scheint euer segenvolles Land
  Euch nicht der Rettung wert?
Bedenkt! wie mancher eitler Mann
  Verschwelgte schon sein Mark,
Und wißt! es macht den Volkstyrann
  Des *Volkes* Kraft nur stark.

Das Land ist Gottes Schätze voll,
  Und *er allein* war reich;
Der eure Habe schützen soll,
  Er selbst beraubte euch.

Das Vaterland braucht nicht so viel,
　　Als ihr dem Schwelger gabt;
Er nahm es für sein Puppenspiel
　　Frug nie: ob ihr noch habt?

Wer gab ihm über euch Gewalt?
　　Ihr gabt sie ihm ja nie;
Sein Name war drei Sekul'n alt —
　　Durch *das* empfing er sie.
Gezeugt in unsrer Mütter Schoß
　　Hieß' er *nicht* mehr als wir,
Doch er gewann ein Fürstenlos —
　　Und sein Gewinn wart *ihr*.

Lang trotzt' er auf den Söldner-Schwarm
　　Den *euer* Schweiß genährt; —
Dem Vater droht des Sohnes Arm,
　　Den sein Despot bewehrt. —
Der Sohn, der deine Stütze sein,
　　Dein Alter pflegen wollt,
War armer Vater! lang nicht *dein*,
　　Und *doch* in *deinem* Sold.

O Brüder! schauet nicht zurück!
　　Vergeßt was euch entehrt!
Gerettet hat euch *nur* das Glück —
　　Macht euch des Glückes wert!
Geduldet habt ihr, wie das Schaf,
　　Das man zur Schere zog,
Geschlummert einen Seelenschlaf,
　　Da man euch keck betrog.

Wacht auf! und hört der Wahrheit Ruf!
　　Seid euren Vätern gleich!
Das Heil, das sich der Franke schuf,
　　Das teilt er nun mit euch.
Wacht auf! wacht auf! der Rettungstag
　　Brach hell und sonnigt an,
Das Laster floh dem Dunkel nach,
　　Der Tugend ward die Bahn.

Und folgt ihr nicht der Tugend *gern*?
　　Liebt ihr das Laster so?
Betrauert ihr, daß es euch fern?
　　Macht euch sein Sieg nur froh?

Ha! dann — gesunken seid ihr tief,
Und reif fürs Rächer-Schwert;
Dann weint die Wahrheit, die euch rief,
»Sie sind nicht meiner wert!«

O! Bürdet diese Schande nicht
Auf euren alten Ruhm!
Höhnt kühn dem Laster ins Gesicht!
Lenkt kühn zur Tugend um!
Zu dieser führt nur Freiheit euch,
Nur Wahrheit macht sie kund;
Durch Freiheit wird der Arme reich,
Der kranke Geist gesund.

Der Sklave nur scheut die Gefahr,
Ihr trotzt der freie Mann;
Wer nie zu wagen willig war,
Sagt, ob der je gewann?
Und waget ihr, da Gottes Hand
So sichtbar euch bedeckt?
Er ist es, der euch Rettung sandt',
Der euch zur Freiheit weckt.

Wenn euch ein Sklaven-Heer sich naht,
Es ist der Furcht nicht wert;
Denn ihr tut jede tapfre Tat
Für euren eignen Herd.
Der Söldner kämpfte nur um Gold
Und ihr ums Vaterland,
Das Leben ist ihm mehr als Gold,
Euch mehr das Vaterland.

Vergeßt nicht eures Sieges Ziel,
Vergeßt des Friedens nicht,
Den *dann*, wenn sein Zerstörer fiel,
Die Freiheit euch verspricht.
Einst waren eure Väter frei;
Und *ihr* wollt es nicht sein?
Sie fluchten stets der Tyrannei;
Und *ihr* wollt euch ihr weih'n?

Ihr seid nicht deutsche Männer mehr,
Des Vaterlands nichts wert,
Trotzt ihr nicht jedem feilen Heer
Das ein Despot bewehrt.

Wacht auf! wacht auf! die Freiheit winkt!
Seid euren Vätern gleich!
Kämpft, bis des Lasters Götze sinkt
Wacht auf! und rettet euch!

29 FRIEDRICH LEHNE

Gesang beim Bombardement der Stadt

Nach der Melodie des Marsches der Marseiller

Ha! sieh uns deiner Flammen spotten,
Du Drache der Despotenwut!
Spott deinen feilen Sklavenrotten!
Mordbrennersucht ist euer Mut.
Was soll uns dieser Kugelregen?
Er *ehret* uns, und *schändet* euch;
Nie wird der Freiheit Krieger feig,
Flammt auch der Abgrund ihm entgegen.
Gerecht ist unser Krieg,
Drum kämpfen wir ihn gern;
Weh euch! der Sieg
Der Menschheit ist, Tyrannen! nicht mehr fern.

Werft ihr auch diese Mauern nieder,
Ihr stürzt doch unsre Freiheit nicht;
Wißt, daß der Bund der freien Brüder
Nur mit des Erdbaus Achse bricht.
Es ist ein Gott, der läßt nicht brechen,
Was seine allgewalt'ge Hand
Mit Vaterhuld und Weisheit band,
Und bricht's die Hölle — wird er's rächen.
Gerecht ist unser Krieg, etc.

Wir werden noch auf deinen Trümmern
O Freiheitsfeste! mutvoll steh'n,
Und bei der Mörderröhre Schimmern
Stolz nach der Freiheit Fahne seh'n,
Noch bei des Lebens letztem Funken,
Noch bei dem letzten Tropfen Blut,
Den *letzten* Fluch der Sklavenbrut!

Und dann — fürs Vaterland gesunken.
Unschätzbar ist der Tod
Den man für dieses stirbt.
Fluch dir! Despot!
Daß *Menschenrecht* mit Blut den Sieg erwirbt.

30   KARL WILHELM FRIEDRICH SCHABER

Der Deutsche Bürger an die Deutschen Fürsten zum Neuen Jahre 1793

Ha! hört ihr noch die Glocke Zwölfe summen
Und hört ihr nicht den innern Richter brummen:
    »Dort schäumt die Well' im Zeitenozean
    Hoch himmelan!

Wovon? vom Wust mißbrauchter Herrscherrechte —
Von Flüchen schwerbelast'ter Thronenknechte —
    Von unterdrückter Unschuld Tränenflut,
    Von Bürgerblut!

Und ihr wollt ferner noch tyrannisieren,
Noch weiter Menschen an der Fessel führen —
    Und glaubt, die Laster deck das Grab der Zeit
    Am Neujahr heut?«

Ha! hört ihr nicht? wann eure Seele schweiget
Und sich nicht selbst zu Gottes Stimme neiget,
    Die im Gewissen Jedem sein Gericht
    Voll Wahrheit spricht —

So höret heut die Stimme deutscher Bürger
An die Despoten, an die Menschenwürger!
    Hör's Gott — und hört's ihr Franken um uns her:
    Kein Tyrann mehr!

Ists bald genug, daß wir zu euern Füßen
Wie Kettenhunde jenen Zepter küssen,
    Der wie die Last der Meereswoge drückt
    Uns tief gebückt? —

Daß unser Schweiß soll eurer Wollust frönen
Und unsre Weiber euch zu Huren dienen?
    Daß ihr den Sohn vom Vaterschoße stellt
    Für fremdes Geld?

Ists bald genug, daß ihr auf Thronen prasset
Und uns in Hungerhütten schmachten lasset?
    Sind Seufzer tief ins Herzblut eingetaucht
    Nicht bald verhaucht?

Soll euer Jagdhund länger auf uns schnauben?
Das Wild uns unser Brot im Keime rauben?
    Ists bald genug, daß ihr uns elend macht
    Und spöttelnd lacht?

Ists bald genug, daß eure Nebenherren
Den giftigen Hyänenschlund aufsperren,
    Ein Heer von Gnädigen mit Henkershand
    Zerfleischt das Land!

Heut sei's genug! dort sitzt der Gott der Götter
Hoch über euch gehüllt im Donnerwetter,
    Und füllet für Tyrannen allzumal
    Die Zornesschal!

Wie furchtbar sie auf eure Lippen sinket —
Und itzt Tyrannen — Wütriche itzt trinket!
    Ha schlürft ihn aus, den Kelch von Rächerhand
    Bis an den Rand! —

Ihr taumeltet schon lang vom Rausch der Freuden!
Itzt trinkt und taumelt hin im Rausch der Leiden!
    Vor euch zu zittern, war lang unser Brauch!
    Itzt zittert auch!

Herbei ihr Franken, werdet unsre Brüder!
Ihr schenket uns der Menschheit Rechte wieder!
    Ha kämpft — wir kämpfen mit! und für uns Gott!
    Es hat keine Not!

Zur Rettung unsrer deutschen Bürgerehre
Was Bürger ist, den Eid der Freiheit schwöre!
    Gott hör's — und hört's ihr Franken um uns her!
    Kein Tyrann mehr!

V Widerstand gegen die Staatsgewalt

Der revolutionäre Aufruhr der Jahre 1792/93 blieb nicht allein auf Mainz beschränkt. Zahlreiche aufrüttelnde Freiheitslieder, deren Verbreitung im ganzen Reichsgebiet von ihrer großen Popularität zeugte, forderten dazu auf, die »Neufranken« nachzuahmen und die traditionellen Ständeschranken einzureißen.

31 ANONYM

Freiheitsgebet eines Jakobiners

Unser aller Nutz' und Frommen,
Göttin Freiheit, sei willkommen!
Holde! deinem Zauberton
Horchen alle Völker schon.

Spende allen, die noch leiden,
Deine Gaben, deine Freuden;
Führ' Elysium uns her,
Keine Bürde drück' uns mehr.

Reine Göttin, ohne Tadel!
Tilg' die Frevler und den Adel,
Der die Despotie ersann;
Tilge jeden stolzen Mann.

Steure jenen deutschen Fürsten,
Die nach Frankreichs Blute dürsten;
Weck' das Volk der Sklaverei,
Mach' die ganze Menschheit frei.

Dulde liebreich die Verführten,
Aber straf die Emigrierten,
Die, des Vaterlands nicht wert,
Es durch Meuterei entehrt.

Um die Brüder, deren Ketten
Dort noch klirren, bald zu retten,
Leit' uns Franken Hand in Hand
An der Eintracht Rosenband,

Daß wir raschen Trittes gehen,
Siegeprangend auszuspähen,

Wo der Aberglaube wohnt,
Pfaffendespotie noch thront.

Denn wir schwören Haß den Pfaffen,
Die, vom Vorurteil erschaffen,
Hier auf Gottes schöner Welt
Nichts als Unheil aufgestellt.

Woll'st, so wie von diesem Bösen,
Brabants Söhne ganz erlösen
Aus dem Joch von Österreich. —
Mach' sie unsern Brüdern gleich!

Einen Freiheitsbaum, den pflanzen
Wir am Rhein. Die Mainzer tanzen
Schon mit *ça ira* um ihn,
Deine Siegeskränze blüh'n.

Alles wird des Joches ledig!
Göttin Freiheit, sei uns gnädig!
Horch von deinen lichten Höh'n
Auf der Jakobiner Fleh'n.

Dann wird bald mit deinen Franken
Dir ein ganzer Weltteil danken. —
Leit' uns zu dir Hand in Hand
An der Eintracht Rosenband.

32 ANONYM

Aufmunterung zur Freiheit
Nach dem Französischen

Melodie: Die Zeiten, Brüder, sind nicht mehr

Die Zeiten, Freunde, sind nicht mehr,
Da Kron' und Zepter galten.
Bald sind die Fürstenthrone leer,
Und ha! im Grab' erkalten
Wird Fürstenmajestät, ha! ha!
ça ira, ça ira, ça ira, ça ira!

Von seiner jähen Höhe fällt
Der Adel zum Entzücken,
Wird in die aufgeklärte Welt
Kein Unheil weiter schicken.
Die Wappenhoheit fällt, ha! ha!
ça ira, ça ira, etc.

Und Kirchenmacht und Königsthron
Und Priesterfurcht und Glaube —
Sie sinken hin — mit Schmach und Hohn
Verscharrt man sie zum Staube;
Da faulen, modern sie, ha! ha!
ça ira, ça ira, etc.

Frei sind die Menschen von Natur,
Tand sind der Fürsten Blitze;
Drum keine Königskrone, nur
Die Jakobinermütze!
Kein Fürst, nur Sansculottes, ha! ha!
ça ira, ça ira, ça ira, ça ira!

33   ANONYM

Aufforderung an die Völker Europens
Von einem Deutschen

Auf, auf ihr Völker! die ihr noch,
Belastet von dem Sklavenjoch
Des schweren Despotismus seid,
Auf! werdet frei! — jetzt ist es Zeit!

Seht doch die kühnen Franken an,
Seht, wie sie stehen Mann für Mann,
Zu fechten für der Freiheit Gut,
Mit echtem deutschen Heldenmut.

Tyrannenmacht und Geistlichkeit
Hat einst vor langer, langer Zeit,
Die Sklaverei hervorgebracht,
Die freie Menschen elend macht.

Den Fürsten dient für hohen Sold,
Ein feiger Diener, und das Gold,
Das oft von seinem Kleide strahlt,
Ist von der Armen Schweiß bezahlt.

Verbannt ist leider! lange schon,
Die Wahrheit von der Fürsten Thron,
Setzt sie in ihre Rechte ein;
Und euer Reich wird glücklich sein.

Gebt euch Gesetze! — Völker hört!
Von jedem werd es dann geehrt;
Auch von dem König! — wenn er gleich
Vorlängst schon ist gesalbt von euch.

Verteilt die Güter, die der Staat
Gemeinschaftlich erworben hat
Nicht unter Müßiggänger, gebt
Es dem, der Landes Wohlfahrt hebt.

Ehrt das Verdienst, in jedem Stand,
Besonders das fürs Vaterland,
Dann, Bürger, seid ihr frei und gleich,
Dann wird das Land an Wohlstand reich.

Zieht nicht in ungerechten Krieg,
Laßt doch der Menschlichkeit den Sieg,
Erlaubt es eurem Fürsten nicht,
Daß er von Landerobern spricht.

Auf Brüder! schwört den großen Schwur
Der echten Patrioten nur:
In Zukunft frei und gleich zu sein,
Die Wahrheit, wird euch Sieg verleihn.

34 Anonym

1.

Die Menschen sind nicht alle gleich,
Adelstolz ist nichts als Narrenstreich.
Der Tugendhafte bloß allein
Verdient geschätzt zu sein.

2.

Wär nur kein Edelmann auf Erden
Dann würd es bald auch besser werden.

3.

Viele werden das Schlucken nicht vergessen
Die die Franken wollen fressen.

4.

Was wird der Deutsche damit gewinnen,
Wenn er die Franken hilft bezwingen,
Er wird nach wie vor ein Sklav halt sein,
Wohl besser war's, er blieb daheim.

5.

Deutsche, was gebt ihr doch euer Geld und Kinder her,
Wollt ihr aus den Franken nur Sklaven machen,
Seht doch auf euren eignen Herd,
Und mischt euch nicht in fremde Sachen.

6.

Wahrlich, Gott im Himmel hat die Franken auferweckt,
Daß des Adels Übermut werd ein Ziel gesteckt.

7.

Es ist und bleibt halt wahr
Bei großen Höfen ist die Tugend rar.

8.

Bei Prinzen und Edelleuten in Franken
War Pracht und Übermut ohne Schranken
Der Bauer war gepreßt, gedrückt, geplagt,
Mit Recht hat er das Äußerste gewagt.

9.

Bauer, warum bist du so mager und so schmal
So dürr, so hager und so rahn?*
Hum, der Herren Opera, Komödie, Ball,
Die sind wahrlich Schuld daran.

10.

Wann ein Monarch auch noch so viel hat,
Wird er dennoch niemal satt,
Stehen Millionen Menschen unter seinem Joch,
So will er doch Millionen haben noch.

11.

Das ist doch eine üble Sache
Daß die Geburt Regenten macht.
Daher kommen Herrschaften und Regenten
Ohne Verstand, Weisheit und Talenten.

* Soviel wie dünn, schlank, schmächtig.

Nicht die Mäuse, auch nicht die Ratten,
Nur die Edelleut und Aristokraten
Machen, daß Gott erbarm,
Land und Leut so arm.

Glücklich, die in freien Ländern wohnen,
Wo nicht Fürsten, Grafen und Baronen.

Daß doch die Könige und Monarchen
Des Menschen Leben so wenig achten,
Und nur Krieg auf Kriege häufen
Und ganze Kriegerscharen in Blut ersäufen.

Ach Gott im Himmel sieh doch auf die Erde,
Schaff, daß des Adels Brut vertilget werde.

35 ANONYM

Ein Deutscher an seine Brüder

Mel. Stimmt an den frohen Rundgesang

Auf, Brüder trinkt der Freiheit Wohl
Im deutschen Vaterland!
Und jedem, der ein freier Mann,
Tyrannenfesseln brechen kann,
Reicht brüderlich die Hand.

Und euer Schwert dem Schändlichen,
Der eure Freiheit raubt.
Reißt dem gekrönten Bösewicht,
Reißt ihm die Larve vom Gesicht,
Die Krone von dem Haupt!

Doch, Brüder, sehet ob ihr auch
Die wahre Freiheit kennt:
Nicht Frevelgeist, nicht Raubeswut

Entstell' den echten deutschen Mut,
Der nur für Wahrheit brennt.

Dem Edlen, der euch Vater ist,
Und der euch Friede gibt,
Dem opfert euer Hab und Gut,
Dem weihet euer Herz und Blut,
Der sei von euch geliebt.

36 ANONYM

Unterhaltung zwischen einem Demokraten und Aristokraten

Demokrat.
Freiheit! Freiheit soll mein Leben,
Freiheit meine Losung sein,
Menschenfreiheit aufzuheben,
Kann Despoten nur erfreun;
Statt der Fesseln lieber Tod,
Jeder brave Patriot
Rufe: Freiheit soll mein Leben,
Freiheit meine Losung sein.

Aristokrat.
Nein, ich rufe nicht wie du,
Sollte ich auch sterben;
Freiheit bringt uns keine Ruh,
Sondern nur Verderben,
Ich bleib meinem König treu,
Und der heil'gen Klerisei,
Nein, ich rufe nicht wie du,
Sollte ich auch sterben!

Demokrat.
Ich will nur der Freiheit schwören,
Denn sie ist mein Menschenrecht,
Kein Despote soll mich stören
Noch das Klerisei-Geschlecht.
Königshuld und Pfaffengunst,
Ist's was mehr als leerer Dunst?
Nur der Freiheit will ich schwören,
Denn sie ist mein Menschenrecht.

Aristokrat.
Freiheit macht das Christentum
Nur zum Raub des Spottes,
Und entehrt der Priester Ruhm
Und die Mutter Gottes;
Wirft den Papst von seinem Stuhl,
Und führt uns zum Höllenpfuhl,
Freiheit macht das Christentum
Nur zum Raub des Spottes.

Demokrat.
Freiheit mit Moral verbunden,
Störet keine Christenpflicht,
Wer hat die Moral erfunden?
Sicher Kannibalen nicht,
Denn im blinden Heidentum
Da ist Despotismus — Ruhm.
Freiheit mit Moral verbunden,
Störet keine Christenpflicht.

Aristokrat.
Freiheit weiß nichts von Moral,
Kennet keine Rechte;
Morden am Laternenpfahl
Herren wie die Knechte;
Und die heil'ge Priesterzunft
Wird verfolgt mit Unvernunft,
Freiheit weiß nichts von Moral,
Kennet keine Rechte.

Demokrat.
Schweige von den falschen Pfaffen,
Die des Unglücks Stifter sind,
Die nur Not und Unruh schaffen
Neben theolog'schem Wind;
Freiheitssinn und Raserei,
Gottesfurcht und Heuchelei,
Aufklärung und Aberglauben
Ist ja alles zweierlei.

Aristokrat.
Freiheit ist für uns kein Glück,
Ist uns nur zur Strafe,
Kehrt zu eurer Pflicht zurück,
Ihr verirrten Schafe!

Wollt ihr Patrioten sein,
Setzt den König wieder ein,
Säumet keinen Augenblick,
Euch erwartet Strafe.

Demokrat.
Seine Knie vor Menschen beugen,
Ist für Freigeborne nicht,
Besser schickt sich für den Feigen
Ein so demutsvoll Gesicht.
Adelstolz und Ordensband,
Heilige und Pfaffenstand,
Kriminal- und Hofkabalen
Sind aus unserm Reich verbannt.

Aristokrat.
O du armes Frankenland!
Eh wir's uns versehen,
Sind die Preußen bei der Hand
Und die Reichsarmeen,
Setzen euch den Kopf zurecht,
Klopfen euch und ach! wie schlecht
Wird die Konstitution,
Euer Stolz bestehen.

Demokrat.
Trotz dem Kaiser! Trotz dem Preußen,
Keiner fürchtet Ferdinand!
Unsre Patrioten weisen
Sie mit Piken aus dem Land,
Kämpfe tapfre Nation
Für die Konstitution,
Lebt und sterbt als freie Leute
Und sprecht euren Feinden Hohn.

Aristokrat.
Hast du wohl die Preußen schon
Bei Roßbach vergessen?
Wo sie unsrer Legion
Schläge zugemessen?
Wie da der Franzose lief
Und Pardon! Pardon! nur rief,
Wo uns Preußen, ach! beinah
Gänzlich aufgefressen.

Demokrat.
Schweig mit deinen Spott-Gedanken,
Dort regierte Pompadour,
Dorten kämpften keine Franken,
Nein, Tyrannen-Sklaven nur,
Keine freie Nation.
Darum liefen sie davon,
Jetzt, da freie Franken fechten,
Siegt die Konstitution!

37 ANONYM

Freiheits-Lied

Nach der Melodie: Bekränzt mit Laub . . .

Umhängt mit Flor den umgestürzten Becher
Und trauert um ihn her;
Auf ganz Europia, ihr Herren Zecher,
Liegt Despotismus schwer.

Er kommt nicht aus der Schule wahrer Weisen,
Noch von den Göttern her.
Ihn mögen wohl die Bonzen heilig preisen!
Wer glaubt den Bonzen mehr?

Das Laster zeugte ihn in seinem Grimme,
Woher sonst seine Wut,
Woher die gleisnerische Pfaffenstimme
Und das Gewand voll Blut?

Die Freiheit trieb er fast aus allen Reichen,
Und wenig Völker, hört,
Sind, die den weiland edlen Griechen gleichen,
Des Menschen-Namens wert.

Der Amstel Ufer, zum Exempel, tragen
Ein Volk; 's sieht aus wie frei,
Ist's aber nicht; es darf's nicht einmal sagen,
Wie's ihm zu Mute sei.

Nach Teutschland will ich wohl noch keinem raten,
Der aus nach Freiheit geht;

Da gibt's nur Durchläucht, Exzellenz' und Gnaden
Und etwas Majestät.

In Spanien tobt der rechte Herr Philister
Und lauft und brüllt umher.
Drum morden auch daselbst die Hohenpriester
Der heil'gen Kirch zu Ehr.

Vom Rhein, vom Rhein, da rufen edle Brüder:
Die Freiheit lebet noch!
Herab den Flor und füllt den Becher wieder:
Sie lebe lang und hoch!

Und trinkt ihn aus, und lasset allerwegen
Der Freiheit Fahne wehn,
Und jauchzt den Franken brüderlich entgegen:
So muß, so wird es gehn!

38 ANONYM

Freie Übersetzung eines französischen Freiheitsliedes

Zerbrich das Joch, zerreiß die Ketten,
Zerreiß sie, Volk in Gallien!
Jetzt ist es Zeit, dich zu erretten,
Ganz aus der Sklaverei zu gehn.
Zur Freiheit hat uns Gott geschaffen,
Die sei auch ewig unser Glück;
Allein, die Fürsten und die Pfaffen
Erzogen uns am Sklavenstrick.

Belegten uns mit schweren Bürden
Und machten glaubend uns dabei,
Daß solches unsern Menschenwürden
Vollkommen angemessen sei.
Jetzt wissen wir: Es ist erlogen,
Sie haben uns tyrannisiert.
Und bei der Nas' herumgezogen,
Und unsre Rechte insultiert.

Auch wissen wir: Der Ordnung wegen,
Um zu erhalten Glück und Ruh,
Muß die Justiz die Rechte pflegen.

Den Satz, den geben wir gern zu;
Doch können wir unmöglich glauben,
Dem Fürsten sei das Recht verliehn,
Uns Kinder, Hab und Gut zu rauben,
Und über's Ohr das Fell zu ziehn.

Denn, wenn wir nach dem Ursprung fragen,
Wodurch die Monarchie entstand?
So wird uns die Vernunft gleich sagen,
Daß sie die Unvernunft erfand.
Der erste König ward vor Zeiten
Vom Volk erwählt aus ihrer Zahl,
Und daraus ist der Schluß zu leiten,
Daß er nur ist ein Volksvasall.

Das Volk sprach nicht: Wir sind nur Knechte,
Und du ein König, unumschränkt;
Nein, sondern: »Unsre Menschenrechte
Sollst du uns lassen ungekränkt,
Wir wollen deine Rechte schützen;
Jedoch, wird unser Recht verletzt,
So kannst du uns nichts weiter nützen
Und du wirst wieder abgesetzt.«

Da hieß der Fürst nicht Majestäten,
Da gab's noch keinen Kavalier,
Noch keinen Fuchs und Hofpoeten,
Und noch kein geistlich Murmeltier,
Allein, seitdem der Königstitel
Stieg bis zum allerhöchsten Ziel,
Stieg Falschheit, Pracht und Lebensmittel,
Und Völkerrecht und Freiheit fiel.

Den Fürsten hat das Volk erkoren,
Das Volk gab ihm die Existenz,
Zur Zeit, da niemand Hochgeboren,
Und niemand noch hieß Exzellenz;
Doch endlich stiegen Glanz und Freude,
Der Fürst nahm Müßiggänger an
Und machte sie zu Edelleute,
Zu Sklaven sie den Untertan.

So nach und nach ist denn entstanden
Die Despotie, der Freiheit Grab;
Der Stolz und die Kabal erfanden

Den Marschall- und den Bettelstab.
Am Hof verschwenden tausend Stutzer
Des Landes Fett, den besten Wein,
Und wollen bis zum Stiefelputzer
Halbgötter, keine Menschen sein.

Da wird die Menschlichkeit vergessen,
Für Tugend ist da kein Gefühl,
Da hält man Hunde und Mätressen
Und übt sich im Kabalenspiel.
Man lebt bei Austern und Fasanen,
Champagnier und Syrakus
Auf Kosten armer Untertanen
Im Schmause und im Überfluß.

Und wenn den Fürsten Habsucht plaget,
Muß Jedermann gleich auf sein Wort,
Weil ihm des Nachbars Land behaget,
Für ihn ins Feld, auf Raub und Mord;
Dann läßt man in den Kirchen bitten
(Die Pfaffen beten hoffnungsvoll),
Sie beten so, wie Räuber bitten,
Daß Gott den Raub doch segnen soll.

O merkt ihr denn, ihr Menschenscharen!
Nicht den erschrecklichen Betrug?
Und seid ihr in so vielen Jahren
Noch nicht mit eurem Schaden klug?
Wollt ihr für den Tyrannen schwitzen,
Der nur im Bett der Wollust liegt,
Und euer Blut für ihn verspritzen,
Wenn ihn Erobrungslust besiegt?

Das liebste ist des Menschen Leben,
Wollt ihr zerstören dessen Spur?
Und auf die Unschuld Feuer geben,
Und kämpfen gegen die Natur?
Wollt ihr für den Despoten fechten,
Und seiner Habsucht Knechte sein?
Ihm eine Lorbeerkrone flechten
Und schnitzen *euch* ein hölzern Bein?

Nein, Brüder! wenn wir kämpfen müssen,
Dann soll nur unser warmes Blut
Für Menschenrecht und Freiheit fließen,

Nicht mehr für Bourbons Übermut.
Wir haben schon seit vielen Tagen,
Seit viele Jahr und Säkulo,
Gebückt das Sklavenjoch getragen,
Und wurden nie des Lebens froh.

Jetzt, da die Freiheitsflamme lodert,
Ist unser Vaterland in Not,
Und seine Hilfe, die es fodert,
Heißt: Brüder, Freiheit oder Tod!
Drum laßt die Freiheitsfahne schwingen,
Trotz Adel und der Klerisei,
So stirbt der Stolz, die Pfaffen singen
Für Angst und Not die Litanei.

Denn endlich springen Joch und Bande,
Die Menschheit fühlet ihre Kraft,
Tyrannen, bebt und flieht mit Schande,
Und zittre, falsche Priesterschaft!
Umstrahlt mit tausend Freiheitsfackeln,
Sind wir voll Mut, ein Volk des Lichts.
Tyrannen bebt! die Kronen wackeln,
Und fallen in ein ewig Nichts.

Doch wenn Gewalt für Recht wird siegen
Und uns der Feinde Schwert verbannt,
So sterben wir doch mit Vergnügen
Für Freiheit und fürs Vaterland,
Dann mögen sich Tyrannen freuen,
Und Louis wieder setzen ein,
Er wird nur über Wüsteneien,
Und über Gänse König sein.

VI Die Marseillaise in Deutschland

Als die Nachricht von der französischen Kriegserklärung am 25. April 1792 von Paris nach Straßburg gelangte, schrieb und komponierte der Hauptmann Rouget de Lisle (1760–1836) — ein Gelegenheitsdichter — am selben Abend in spontaner Begeisterung »Chant de Guerre de l'Armée du Rhin«, das zum nationalen Schlachtgesang und zur Revolutionshymne Frankreichs wurde. Das anfeuernde Marschlied wurde von den Freiwilligen aus Marseille aufgegriffen, die im Juli 1792 zur Verteidigung der Revolution auszogen. Die Marseillaise wurde von den deutschen Freiheitsfreunden übersetzt, nachgedichtet und in zahlreichen Versionen verbreitet. Auch konservative Poeten machten sich die Popularität des Liedes zunutze und dichteten es in antirevolutionärem Sinne um.

39 ANONYM

Hymnus der Marseiller an die Freiheit

Auf! für das Vaterland zu sterben!
Auf! wer den Schwur der Freiheit schwor!
Die Herrschsucht hebt, uns zu verderben,
Ihr blutiges Panier empor. *(bis)*
Hört ihr im Tal die fremden Horden?
Blutdurstend schnaubt der wilde Schwarm.
Er naht, um selbst in eurem Arm
Den Sohn, die Gattin euch zu morden!
   Brecht, Bürger, auf!
   Stellt euch in Glied und Reih'!
Zum Kampf und kämpft! den Boden dünge
Das Blut der Tyrannei!
    Chor
   Zum Kampf und kämpft! den Boden dünge
   Das Blut der Tyrannei!

Was will die feige Sklavenrotte,
Der Könige verschworne Macht?
Wem sind zur Knechtschaft, wem zum Spotte
Dort jene Fesseln zugedacht? *(bis)*
Euch, Franken, euch! — Ha, welche Schande!
Ha! dieser Frevel schreit um Blut!
Euch stürzen will die feige Brut
In euer alten Knechtschaft Bande.
   Brecht, Bürger, auf!
   Stellt euch in Glied und Reih'!
Zum Kampf und kämpft! den Boden dünge
Das Blut der Tyrannei!

Chor

Zum Kampf und kämpft! den Boden dünge
Das Blut der Tyrannei!

Uns schrieb' in unserm eignen Lande
Ein fremdes Heer Gesetze vor?
Wie? eine lohngedungne Bande
Schlüg' unsrer freien Streiter Chor? *(bis)*
Gott! durch gekaufter Sklaven Hände
Bög' unser Nacken sich in's Joch?
Dem Arm, der unsern Nacken bog,
Dem danken wir des Daseins Spende?
    Brecht, Bürger, auf!
    Stellt euch in Glied und Reih'!
Zum Kampf und kämpft! den Boden dünge
Das Blut der Tyrannei!

Chor

Zum Kampf und kämpft! den Boden dünge
Das Blut der Tyrannei!

Weh' euch, Tyrannen! dreifach wehe,
Verräter! euch, der Menschheit Hohn!
Weh' euch, denn über euch ergehe
Heut des Verrates Lohn! *(bis)*
Seht, alles kämpft, um euch zu schlagen:
Und fällt sie, unsrer Helden Schar,
Seht neue, die das Land gebar,
Bereit, mit euch den Kampf zu wagen.
    Brecht, Bürger, auf!
    Stellt euch in Glied und Reih'!
Zum Kampf und kämpft! den Boden dünge
Das Blut der Tyrannei!

Chor

Zum Kampf und kämpft! den Boden dünge
Das Blut der Tyrannei!

Auf! Franken! Euer Schwert verbreite
Gleich edel Leben oder Tod!
Schont jenes Opfer, das zum Streite
Gezwungen seine Rechte bot. *(bis)*
Doch, die von Staub und Mord sich nähren,
Doch jene Emigrantenbrut! —
Die Tiger, die mit wilder Mut
Den Schoß, der sie gebar, verheeren —

Brecht, Bürger, auf!
Stellt euch in Glied und Reih'!
Zum Kampf und kämpft! den Boden dünge
Das Blut der Tyrannei!
Chor
Zum Kampf und kämpft! den Boden dünge
Das Blut der Tyrannei!

Du heil'ge Bürgertugend, leite
Dein Heer, das auf zum Streite bricht!
O Freiheit, teure Freiheit, streite
Selbst für die Schar, die dich verficht! *(bis)*
Voran vor unsern Fahnen gehe
Des Sieges Glück auf dein Geheiß!
Daß den Triumph zu deinem Preis
Dein Feind im Todeskampf noch sehe!
Brecht, Bürger, auf!
Stellt euch in Glied und Reih'!
Zum Kampf und kämpft! den Boden dünge
Das Blut der Tyrannei!
Chor
Zum Kampf und kämpft! den Boden dünge
Das Blut der Tyrannei!

40 Anonym

Das Marseiller Lied
Übersetzt von einem Deutschen

Das hiesige Publikum kennt bereits meine Übersetzung der erhabenen Freiheitshymne der Marseiller. Aber es wird mit Vergnügen sehen, daß auch ein Mann, der mitten in Deutschland lebt, hingerissen von dem heiligen Feuer der Freiheit, seinen Mitbürgern eine Übersetzung davon lieferte. Ich mache mir eine Ehre davon, dieselbe hier mitteilen zu können.

Auf! auf! zur Hilf' dem Vaterlande,
Das Kampf und Sieg und Ruhm uns beut!
Es schwingt schon die Tyrannenbande
Die Fahne, die Verderben dräut. *(bis)*
Hört! furchtbar hallt das Echo wieder —
Es brüllt der Feind — und seine Wut
Lechzt schon nach eurer Kinder Blut —

Er kommt, zu würgen eure Brüder.
Die Waffen, Bürgerschar, ergreif' fürs Vaterland!
Ins Feld! Ins Feld!
Despotenblut soll düngen unser Land!
Chor
Ins Feld! Ins Feld!
Despotenblut soll düngen unser Feld!

Was sucht wohl diese Sklavenbande? —
Ein König selbst verläßt den Thron? —
Für *wen* hat man in fremdem Lande
Geschmiedt die Fesseln lange schon? *(bis)*
Frank! Frank! Für dich! . . . die Fesseln klirren —
Und schrecklich ist das Mordgeschrei —
Es droht uns alte Sklaverei —
Sie läßt schon ihre Ketten schwirren.
Die Waffen, Bürgerschar etc.

41 JOHANN FRIEDRICH LUCÉ

Deutsche Marseillaise

Auf, Brüder, auf, dem Tag entgegen,
Der unser Volk unsterblich macht!
Seht, wie so grimmig und verwegen
Die Tyrannei aufs neu erwacht! *(bis)*
Hört ihr das Rasen ihrer Horden,
Der wilden Brut Gebrüll und Spott?
Sie wollen — o gerechter Gott! —
Euch Weib und Kind im Arm ermorden!
Auf Bürger, auf zur Wehr! Erlegt die Höllenbrut!
Glück zu. *(bis)* Es dünge bald das Feld ihr schwarzes Blut!

Wem droht mit ihrer Mörderbande
Die ränkevolle Fürstenzunft?
Wem diese Ketten? Wem zur Schande
Soll wieder herrschen Unvernunft? *(bis)*
Uns Franken, uns — o fern, ihr Lieben,
Fern von uns sei die Schande doch!
Uns sollte sie das alte Joch
Nun wieder auf den Nacken schieben!
Auf Bürger, auf zur Wehr! Erlegt die Höllenbrut!
Glück zu. *(bis)* Es dünge bald das Feld ihr schwarzes Blut!

Gesang der Neufranken für Gesetz und König

Melodie des Marseillermarsches

Sei uns gegrüßt, du holde Freiheit!
  Zu dir ertönt froh der Gesang!
  Du zerschlägst das Joch der Bezwinger
  Und erhebst aus Elend in Heil!
  Du erhebst aus Elend in Heil!
Uns zu erneun, kehrst du vom Himmel,
  Längst deinen Geweihten ersehnt!
  Was hemmet ihr, Bezwinger, noch
  In verschworner Wut die Erneuung?
    Mit Waffen in den Kampf,
    Für Freiheit und Gesetz!
  Naht, Bürger, naht! Bebt, Mietlingsschwarm!
    Entfliehet oder sterbt!
        Chor
  Wir nahn, wir nahn! Bebt, Mietlingsschwarm!
    Entfliehet oder sterbt!

Oh, wie betäubt von Todesschlummer,
  Wie gar entmenscht starrte der Mensch!
  Du berührst ihn sanft, er erwachet
  Und vertraut sich, denket und fühlt!
  Er vertraut sich, denket und fühlt!
Ihr, die zum Vieh Menschen entwürdigt!
  Unmenschen, ihr trotzet noch jetzt?
  Ihr straft, wo ein Gedank ertönt,
  Und erzwingt fühllosen Gehorsam?
    Mit Waffen in den Kampf,
    Für Freiheit und Gesetz!
  Naht, Bürger, naht! Bebt, Mietlingsschwarm!
    Entfliehet oder sterbt!
        Chor
  Wir nahn, wir nahn! Bebt, Mietlingsschwarm!
    Entfliehet oder sterbt!

Marseiller Marsch
Ein Geschenk
an
meine Brüder

1.

Auf! auf! ihr Freiheitssöhne, Brüder
   auf! und umarmt den frohen Tag;
Seht der Tyrannie Gefieder
   (bis) über uns dort ausgespannt!
Hört ihr nicht dort auf euren Feldern
   dieser wilden Krieger Wut?
   sie fordern euer freies Blut,
Euer Weib und Kinder Leben.
   Zu'n Waffen! ihr Brüder!
   Tret' nun in eure Glieder!
   (bis) Voran! voran! verfluchtes Blut
Tränke nun unsre Flur!

2.

Was mag die Sklaven-Rott dort wollen?
   Verräter, der Tyrannen Bund?
Wem die Fesseln dort? wem sollen
   (bis) diese Ketten, Sklavenhund?
Uns Franken! uns! o welche Schande!
   Entflammen muß uns dies zur Rach!
Wir dies? wir sollen diese Schmach,
   tragen wieder Sklaven-Bande?
Zu'n Waffen! ihr Brüder!
Tret' nun in eure Glieder!
   (bis) Voran! voran! verfluchtes Blut
Tränke nun unsre Flur!

Kriegslied der Deutschen

Melodie: Marsch der Marseiller

Kommt, deutsche Männer, eilt zum Kriege
    Und führet den Frieden herbei.
Seht, die kecken Franken am Rheine
    Treibt der Freiheitstaumel zu weit. *(bis)*
Nicht bloß zum Streit tönen Gesänge,
    Zum Lobe der Freiheit viel mehr,
Und so verwildert deutsches Volk
    Unbekannt mit ihren Gesetzen.
Auf, Deutsche, rüstet euch! Zur Heerschar eilet hin!
    Seid brav, seid brav! Treibt bald zurück der Franken keckes Heer
                    Chor
Wohlan, wohlan, es weich' zurück der Franken keckes Heer.

Doch schmähet nicht die edle Freiheit,
    Sie stammt vom Himmel herab.
Zu dem Licht gebildete Völker
    Schätzen hoch den innren Wert. *(bis)*
Nur mit Gewalt Freiheit erzwingen
    Sei fern von dem klügeren Volk.
Verschwendet werden Gut und Blut
    Und wer bürgt Erfüllung der Wünsche?
Auf, Deutsche, rüstet euch! Zur Heerschar eilet hin! usw.

Denkt, wie das Volk der Franken leidet
    Im Kampfe für Freiheit und Recht.
Fremde Mächte drohen Vernichtung
    Und Parteigeist schwächet die Kraft. *(bis)*
Doch für das Volk sprechen die Rechte,
    Es lebte gedrückt und gebeugt.
Durch Stolz und Not ward es gereizt
    Gut und Blut zu wagen für Freiheit.
Auf, Deutsche, rüstet euch! Zur Heerschar eilet hin! usw.

Drum, Deutsche, seid als Krieger menschlich,
    Euch schände nicht Greuel und Wut.
Folgt mit Schonung weichenden Heeren.
    Nur zum Frieden diene der Krieg. *(bis)*
Fern sei der Geist schnöder Erobrung,

Er nähret die Flamme des Kriegs.
Ein Friede schlicht' den bösen Streit
    Und die Welt rühm' Deutsche und Franken.
Auf, Deutsche, rüstet euch! Zur Heerschar eilet hin! usw.

Dann kehret heim als edle Deutsche:
    Gönnt Franken ein besseres Los.
Hört und leset ihre Gesetze
    Mit der Prüfung kälteren Bluts. *(bis)*
Zeigt das Gefühl männlicher Reife,
    Zeigt Liebe zur Ordnung und Ruh.
Dann sammeln sich zum Freiheitsbau
    Groß' und Klein' und bieten die Hände.
Auf, Deutsche, rüstet euch! Zur Heerschar eilet hin! usw.

So, deutsche Männer, denkt und strebet,
    Kein Schwindelgeist störe die Ruh.
Auf zum Himmel flehet um Weisheit
    Wenn ihr forscht nach Wahrheit und Licht. *(bis)*
Dann, Deutsche, hofft — Freiheit wird kommen
    Zum Glück aller Völker der Welt.
Und so verstumm' der Kriegsgesang
    Und der Ruf zum Streit mit den Franken:
Auf, Deutsche, rüstet euch! Zur Heerschar eilet hin!
    Seid brav, seid brav! Treibt bald zurück der Franken keckes Heer.
                Chor
Wohlan, wohlan, es weich' zurück der Franken keckes Heer.

45 ANONYM

Schlachtlied der Deutschen

*Ein Gegenstück zum Schlachtliede der Marseiller
oder Aufruf an alle deutschen Waffenträger,
die für Gott und Vaterland streiten
März 1794*

Auf! rüstet euch, verbundne Heere
Germaniens! Das Schwert zur Hand!
Ein Volk, das Gott, Gesetz und Ehre
Verhöhnt, droht unserm Vaterland!
Uns nah schon toben wilde Horden,

Wie noch der Erdkreis keine sah;
Die Hand ans Schwert! schon sind sie da,
Uns zu berauben, uns zu morden.
        Auf, wer sich Mensch fühlt, auf!
        Mit deutschem Arm und Mut,
        Schlagt diese Brut!
        Tränkt Berg und Tal mit der Barbaren Blut!

Sie wähnten, diese tollen Rotten,
Sie würden uns willkommen sein;
Wir würden deutscher Tugend spotten,
Uns ihrer Brudermorde freun!
Verwegene! Tod und Verderben
Komm über euch für diesen Wahn!
Seht ihr uns für Rebellen an?
Uns, nur gewohnt, fürs Recht zu streiten!
        Auf, wer sich Mensch fühlt, auf! usw.

Nein, nein, wie Galliens Huronen,
Befleckt mit ihres Königs Blut,
Zertritt kein Deutscher Fürstenkronen,
Raubt keiner seiner Brüder Gut.
O Rasende, vor euren Mahlen,
Wo Mordlust bleiche Schädel nagt,
Erbebt die Menschlichkeit und klagt:
Hinweg mit diesen Kannibalen!
        Auf, wer sich Mensch fühlt, auf! usw.

Hinweg mit feilen Bösewichtern,
Die durch Betrug ein Volk empört,
Das, unterjocht von tauben Richtern,
Wie tief es sank, zu spät erfährt;
Das nackend, hungrig, toten Blickes,
In tausend Henkerhänden itzt
Den Stahl sieht, der Entsetzen blitzt,
Statt jenes ihm verheißnen Glückes!
        Auf, wer sich Mensch fühlt, auf! usw.

Verworfne Lügner! Gottes Tempel
Entweihet ihr durch frechen Spott
Und lehrt durch höllisches Exempel:
Wahnglaube sei der Glaub' an Gott!
So sich verhärtend ziehn die Buben,
Zur Wut gedrungen, jauchzend aus

Und füllen Stadt und Land mit Graus
Und wandeln sie in Mördergruben.
       Auf, wer sich Mensch fühlt, auf! usw.

Ha, Frevler mit Hyänentücke
Und mit des Tigers Raubbegier!
Was, von des Vaterlandes Glücke
Auch uns zu trennen, hoffet ihr?
Bei unsern Vätern! nein! wir haben
Noch Waffen, ehren Gott und Pflicht:
Euch aber folg' ans Hochgericht
Verzweiflung und ein Heer von Raben!
       Auf, wer sich Mensch fühlt, auf! usw.

VII Aufrufe an die französischen Soldaten

Die Nachdichtungen der Marseillaise blieben nicht die einzigen Kriegslieder für die »Frankenkrieger« in deutscher Sprache. Infolge der Siege der französischen Revolutionsarmeen hofften die deutschen Revolutionäre, auch in Deutschland die neuen Ideen verwirklichen zu können. Die Verse, die in der Regel am Beginn des ersten Koalitionskrieges entstanden, behielten bis zum Ende des Krieges ihre zündende Wirkung.

46   ISAAK MAUS

Lied auf die Franken

Seid willkommen edle Franken!
    Menschenrecht sei unser Bund,
Dessen Rettung Welten euch verdanken.
    Alter Irrwahn kehrt in weise Schranken
Menschenwohl auf sichern Grund!

Tapfre Männer, mit Entzücken
    Reicht der Teutsche euch die Hand
Brennt für Lust, euch an sein Herz zu drücken
    Euer Haupt mit einem Kranz zu schmücken
Den Verdienst und Ruhm euch wand.

Ziehet Krieger bis zum Rheine
    Und ihr findet keinen Feind.
Jeder Bürger liebt das Volk der Seine,
    Bietet ihm von seinem Brot und Weine,
Ist ihm Bruder, ist ihm Freund!

Laßt die finstern Geister toben
    Die aus Habsucht, Stolz und Neid,
Statt des göttlich hellen Lichts von oben,
    Sich ein dunkles Herrscherwesen loben
Wo nicht Recht, nur Macht gebeut.

All ihr Drohen ist vergebens
    Recht und Wahrheit steigt empor
Und ein edler Schutzgott leichten Schwebens
    Trägt zum Lohn das größte Gut des Lebens
Freiheit euren Schritten vor!

Kommt ihr dann nach schönen Siegen
   Froh mit Ruhm bekränzt nach Haus,
O so laßt das Schwert zur Sichel biegen
   Helft das Land des freien Volkes pflügen
Ruht von euren Taten aus.

Gott erhalt euch eure Stärke,
   Eure Weisheit, euren Mut;
Und versiegle jene großen Werke
   Daß Despot und Pfaff es ewig merke
Welcher Geist auf Frankreich ruht!

47   GOTTHOLD FRIEDRICH STÄUDLIN

Todesfeier der bei Mons gefallenen Freiwilligen

Heil den Helden! Heil euch allen,
Die im Kampf bei Mons gefallen;
   Heil und ewig hoher Ruhm!
Wo die tapfren Sparter wallen,
Bei Thermopylä gefallen,
   Wallt ihr in Elysium.

Jauchzend flog auf Sonnenwegen
Eurem Bruderkuß entgegen
   Beaurepairs entzückter Geist!
Jauchzend, war die Bürgerkrone
Hier errungen — die Katone,
   Brutus, Herrmann, Tell und Kleist.

Unter jubelvollen Psalmen
Reichten Engel euch die Palmen,
   Die Heroen jenseits blühn:
Und von Pindars goldner Leier
Rauschte eures Todes Feier
   Herrlich durch die Himmel hin.

Göttlich — sang er — ist's, sein Leben
Für die Freiheit hinzugeben!
   Selig, selig ist der Held,
Der erkauft mit kühnen Mut,
Der erkauft mit seinem Blute
   Segen für die Enkelwelt!

Ja ihr seid, erhabne Söhne
Galliens! der Jubeltöne
　　In den Hallen Edens wert! —
Freiheit nur gibt Schwung der Seele,
Muß den Arm zum Siege stählen,
　　Habt ihr alle Welt gelehrt! —

Mit dem Schwert in starker Rechte
Stürztet ihr zum Wutgefechte,
　　Jungen Löwen gleich, heran!
Trotz dem Donner der Geschütze
Stürmet ihr zum Felsensitze
　　Tapfrer Austrier heran.

Blutend von der Eisenspitze —
Mit des Busens offner Ritze —
　　Kämpfet ihr noch Mann für Mann!
Ganze Reihen stürzten nieder;
Über Leichen ihrer Brüder
　　Ging der Franken Siegesbahn.

Darum Heil und Dank euch allen,
Die im Kampf bei Mons gefallen —
　　Heil und Dank und Gottes Lohn!
Euren Tod vor ehrnen Schlünden
Wird der Marmor bald verkünden
　　In der Franken Pantheon.

Da, wo euer Blut geflossen,
Wird der Frühling schöner sprossen,
　　Werden milde Lüfte weh'n!
Süß durchschauert von Entzücken,
Hohe Glut in trunknen Blicken,
　　Wird vorbei der Waller geh'n.

Wie herab von Himmelshöhen
Wird hier in der Seele wehen,
　　Tatengier dem Freiheitssohn;
Laut wird er den Schwur erneuen:
Sich dem Vaterland zu weihen,
　　Göttlich wie — Timoleon.

Unter sanften Wonnezähren
Werden gute Mütter lehren
　　Gute Kinder euren Tod!

Eures Hochsinns edle Erben
Werden mit der Losung sterben:
Freiheit, Vaterland und Gott!

48 ANONYM

Ça ira

Mut! Mut!
Franken erbebt nicht vor Aristokratenwut,
Werfet ans Himmelsgestirne den Freiheitshut,
Lebt in Gedanken:
Gott mit uns Franken.
Brüder, faßt Mut!

Steht! Steht!
Wenngleich den Felsen ein Sturmwind entgegengeht,
Trotzig die schwarze Armee euch entgegensteht.
Werfet wie Regen
Bomben entgegen,
Brüder, und steht!

Kriegt! Kriegt!
Donnert und blitzet aus Mörsern, bis Frankreich siegt,
Feindesstolz, Waffentrotz, sklavische Fessel liegt!
Würget die Würger,
Gallische Bürger,
Brüder, und kriegt!

Tanzt! Tanzt!
Heißa, die Festen von Frankreich sind gut verschanzt,
Fahnen der Freiheit sind hoch auf den Wall gepflanzt;
Blickt nach den Höhen,
Seht, wie sie wehen,
Brüder, und tanzt!

Singt! Singt!
Ça ira, ça ira, daß es am Rhein erklingt
Und in die Pforten des Himmels wie Jubel dringt.
Heil uns, ihr Brüder,
Frei sind wir wieder,
Jubelt und singt!

Lärmgesang der Franzosen

Wohlauf! wohlauf zu Marsch und Ritt!
Das Lärmspiel wird gerührt,
Die Freiheit lebe, die uns mit
Zu ihrem Siege führt.

Weiß keiner einen Feldgesang,
Recht frisch und schauerlich?
Kann keiner was auf unsern Gang,
Ein Lied, recht feierlich?

Singt Brüder, singt von Schlacht und Sieg
Des Despotismus satt,
Singt, wie man mit Gewalt den Krieg
Uns abgezwungen hat.

Ihr wißt, wie man uns zugemut'
Wir sollen Sklaven sein,
Da fochten wir mit unsern Blut,
Um künftig frei zu sein.

Allein es stand von seinem Thron
Der Despotismus auf,
Und bot uns Ruh und tat uns drohn,
Doch keiner gab was drauf.

Despoten nahmen ihren Blitz,
Beschlossen Kampfgericht,
Sie sprachen stolz von ihrem Sitz:
Frei sein, das sollt ihr nicht!

Und just das Wort: Ihr sollt es nicht!
Ist unsers Herzens Lust,
Und steht an unsrer Stirn und sticht
Und zuckt in unsrer Brust.

In unsern Ohren klingt und schallt,
In unserm Arme ficht,
In allen unsern Adern wallt
Das Wort: Ihr sollt es nicht.

Felix von Wimpffen, kennt ihr ihn
Den Namen schauerlich?
Despoten sagt: War nicht Custine
In Speyer fürchterlich?

Wohlan! nun währts nicht lange mehr,
Daß man uns siegen sieht,
Und unser Schlachtsturm graus und schwer
Durch eure Heere zieht.

Den Wackern aus euch sei hiermit
Ein Kameradengruß:
Wir liebens, wenn man Schritt auf Schritt,
Um was erkaufen muß.

Wer aber feiges Herzens ist,
Der bleibe weg vom Krieg:
Denn über Feige, wie ihr wißt,
Ihr Brüder, ist kein Sieg.

Und wer von uns euch zählt und mißt,
Fort mit dem faulen Wicht!
Denn unser Mal und Name ist,
Das Wort: Ihr sollt es nicht!

Wir kehren einst mit Sieg zurück
Ins gute Vaterland,
Und Weib und Mädchen wünscht uns Glück
Und drückt uns derb die Hand!

Und jeder setzt sich um uns her,
Und horcht und fragt uns aus,
Und wir erzähl'n vom deutschen Heer
Bei unserm Freiheitsschmaus.

Wohlauf! wohlauf zu Marsch und Ritt!
Das Lärmspiel wird gerührt,
Heil jeden Feldherrn, der uns mit
Zum Freiheitskampfe führt.

50 ANONYM

Zuruf an einen französischen Krieger

Mel. Auf! ihr meine deutschen Brüder etc.

Sohn der Freiheit! nimm den Becher,
Trinke Abschied, eile schnell,
Sei des Vaterlandes Rächer!

Stolz dein Blick und himmelhell;
Tränenschwanger hefte keiner
Sich auf deiner Brüder Gruft,
Sieg und Tod erwarten deiner,
Wo der Gott der Schlachten ruft.

Schau beneidend auf den Krieger,
Der den Tod der Helden fand,
Als er sich den Kranz der Sieger
Mutig um die Schläfe wandt;
Auf des Todes schwarze Flügel
Eilt er nur zu höhrem Ruhm,
Und sein stiller Leichenhügel
Ist der Nachwelt: Heiligtum.

Männlich tapfer ficht die Rechte,
Da das Herz der Freiheit glüht,
Wenn ein Heer gedungner Knechte
Sklavisch kämpft und zitternd flieht;
Aber wir, im hohen Bunde
Nur dem Vaterland geweiht,
Sind zur schönsten Todesstunde
Wie zum Freiheitskampf bereit.

Auf, singt jubelnde Gesänge!
Auf, ins tatenreiche Feld!
Hier im blutigen Gedränge
Wird der Jüngling Mann und Held;
Kämpfet, ohne umzusehen,
Denn er ficht für Brüder Glück,
Und mit Lorbeern und Trophäen
Kehrt er siegend einst zurück.

Ihn empfängt des Vaters Segen
Und der Enkel opfert Dank,
Jubelt, hüpft dem Held entgegen,
Und sein Stammeln wird Gesang;
Holde Mädchen winden Kränze
Lohnen ihm der Trennung Schmerz,
Führen ihn in Reihentänze,
Kämpfen um sein biedres Herz.

Und an ihrer Brust gesunken
Fühlt er seiner Taten Glück
Freudetränend, wonnetrunken

Denkt er stolz die Schlacht zurück;
Horcht den leisern Ton der Flöte,
Tanzt auf des Despoten Gruft,
Bis die hohe Kriegstrompete
Ihn zu neuen Siegen ruft.

51 ANONYM

Freiheitsgesang
eines holländischen Patrioten

Es ist gewißlich an der Zeit,
Daß die Franzosen kommen,
Zum Heil der lieben Christenheit,
Zur Freiheit aller Frommen;
Nun wird das Lachen werden rar
Bei der Aristokraten Schar,
Denn diese werden heulen.

Die Trommeln wird man hören gehn
Und donnern die Kanonen;
Und sehn die Freiheitsfahne wehn
Und stürzen ein die Thronen;
Seh'n aufgepflanzt den Freiheitsbaum,
Der Despotie auf's Aug' den Daum
Die Tyrannei in Fesseln.

Darnach wird man ablesen bald
Ein Buch, darin geschrieben:
Daß alle Menschen jung und alt
Einander sollen lieben;
Daß alle Menschen arm und reich
Einander sind an Freiheit gleich
Und gleich an Menschenrechten.

O weh demselben, welcher wird
Der Franken Wort verachten
Und der so gröblich sich verirrt,
Nach Despotie zu trachten;
Der wird fürwahr sehr kahl bestehn,
Am Pferdeschwanz gebunden gehn,
Geschmückt mit Eselsohren.

Ach Franken helft! jetzt ist es Zeit,
Kommt doch in unsre Lande,
Und stürzt die Ungerechtigkeit
Und löset unsre Bande!
Macht uns von allem Übel los
Und setzt durch einen Gnadenstoß
Die Despotie vom Throne!

Derhalben wir euch dankbar sind,
Wir wollen's nie verhehlen,
Und eure Taten Kindeskind
Zu euren Ruhm erzählen;
Und unsre Kinder wünschen euch,
Weil ihr uns machtet frei und gleich,
Einst spät noch, Heil und Segen!

Ach Franken ach! ihr macht es lang,
Kommt doch zu uns herüber!
Und seid nicht für den Britten bang,
Der hat das Freiheitsfieber;
Sehnt sich mit uns nach Arzenei,
Drum kommt und macht ihn mit uns frei,
Wir wünschen dies von Herzen.

Wir wollen, tapfre Franken Schar,
Mit Vivat! euch begegnen,
Und euch zu diesem Neuenjahr
Mit Heil und Freude segnen:
Nur große Taten, Sieg und Ruhm
Sei euer Glück und Eigentum
Zum Schrecken der Despoten.

Und alle Welt sei hoch erfreut
Und setz euch Ehrenmäler,
Den Freiheitsbaum — daß er gedeiht
In alle Erdentäler!
Und rotte der Tyrannen Haus
Vom Grunde mit der Wurzel aus,
Der Himmel spreche: Amen!

Franken-Marsch

(Nach der bekannten Schubartschen Melodie:
Auf, auf, ihr Brüder und seid stark etc.)

Auf, auf ihr Frankenbrüder, auf!
Die Kriegstrompete schallt!
Auf singt, daß mit dem Waffenklang
Von Eurer Freiheit Weihgesang
Die Erde widerhallt! — *(bis)*

Frohlockt und jubelt, Franken, laut,
Der schönste Tag ist da!
Hoch schwelle Euer Heldenmut,
Besiegelt jetzt mit Euerm Blut
Das Glück von Francia! *(bis)*

Ihr Freiheitshelden, auf zur Schlacht,
Auf in den Freiheitskrieg!
Stürzt mutig in das Treffen hin;
Ha seht, die Feinde müssen flieh'n,
Und Euer ist der Sieg! — *(bis)*

Auf mutig, Brüder, auf zum Sieg,
Euch schützt Gott Zebaoth:
Trotzt kühn der feigen Sklaverei,
Und Euer lautes Feldgeschrei
Sei: Freiheit oder Tod! — *(bis)*

53 ANONYM

Täglicher Gesang der Franken

Hört, Thuiskon's* Heldensöhne,
        Was der freie Franke spricht:
Sei es, daß die Kriegstrompet' ertöne,
Und die Erd' von unserm Tritte dröhne,
        Euch bekriegt der Franke nicht.

* Thuisko wird für den Stammvater der Deutschen Nation
und für einen Sohn des Japhet gehalten.

Nur dem Frevler, dem Verräter
Dräuet unser Kriegspanier!
Eine Horde schwarzer Missetäter,
Feige Söhne hochberühmter Väter,
Suchen und zerstäuben wir.

Lange sprachen fremde Mächte
Unserm Vaterlande Hohn:
Drum erwacht der Franke zum Gefechte,
Denn es gilt die Freiheit und die Rechte
Einer großen Nation!

Ha! es gilt auch eure Rechte,
Ha! es gilt der Menschheit Glück!
Unterliegt der Franke im Gefechte,
O! so beugt die Kniee, werdet Knechte,
Völker, kehrt zum Joch zurück.

Nein! wir werden nicht erliegen;
Nein! wir sind und bleiben frei!
Keiner wird in's alte Joch sich schmiegen;
Hört es, Völker! Sterben oder Siegen!
Ist der Franken Kriegsgeschrei.

Fluch und Tod dem Erdensohne,
Der sich uns entgegendrängt!
Stürzen soll der Fürst von seinem Throne,
Und zertreten werde dessen Krone,
Der das Glück der Menschheit hemmt!

Hör' es, Kaiser der Germanen!
Uns erschrecket kein Despot.
Deine Schmeichler, Priester und Ulanen
Mögens lesen, was auf unsern Fahnen
Wehet: *Freiheit oder Tod!*

Aber, Heil dem niedern Dache,
Wo der stille Landmann wohnt!
Unsre Heere dienen ihm zur Wache;
Nur den Feind zermalmet unsre Rache,
Der auf Gold und Marmor thront!

Reicht als Brüder uns die Hände!
Rächt mit uns der Menschheit Ehr'!
Sprecht: Es komme der Tyrannen Ende,
Und das schönste Bild der Gottheit schände
Keine Sklavenkette mehr.

Die Töchter Straßburgs an das neuerrichtete Freibataillon

Auf, Brüder, eilt den Grenzen zu,
  Und stürzt in das Gefecht:
Ihr kämpfet nicht für Fürstenstand —
Ihr kämpfet für das Vaterland
  Und für der Menschheit Recht.

Auf, Brüder, zückt das Siegesschwert
  Und schlaget kühn darein!
Euch schrecke kein Tyrannenknecht:
Denn eure Sache ist gerecht,
  Und Gott wird bei euch sein.

Ein Heer von Sklaven stehet dort,
  Und spricht der Freiheit Hohn:
Zermalmet sie mit eurer Macht,
Und gebt dann in der Siegesschlacht
  Den Frevlern ihren Lohn.

Wenn ihr, mit Ruhm gekrönet, einst
  Zu uns zurücke kehrt,
Dann knüpfet manche schöne Hand
Mit euch ein ewig heilig' Band —
  Dann seid ihr unsrer wert.

Und sterbet ihr den Heldentod,
  So lebt noch unsre Wut —
Dann gürten wir die Waffen um,
Und teilen euren Heldenruhm,
  Und rächen euer Blut.

Die Freiheitsfahne wehet hoch,
  Und winket euch zum Streit.
Wenn ihr dem Feind' entgegen geht,
So denkt, was d'rauf geschrieben steht —
  Und haltet euern Eid.

Der Tapfre bleibt der Fahne treu —
  Der Feige kehrt nach Haus —
Auf, schwingt sie zu der Menschheit Glück,
Und bringet segnend sie zurück —
  Wo nicht, so bleibet aus.

95

Verachtet und verflucht ist der,
   Der fliehet vor dem Feind.
Und wem es vor dem Tode graut,
Der find' in Straßburg keine Braut,
   Und sterbe unbeweint.

55 ANONYM

Sieg- und Friedenslied der Jourdanschen Armee

Mel. Bekränzt mit Laub etc.

Triumph! sie flieht, die Schar der stolzen Krieger,
Sie flieht die Kreuz und Quer.
Triumph! sie flieht! wir Franken sind jetzt Sieger,
Sie flohen vor uns her.

Wo sind sie hin? sagt: wo sind jene Scharen,
Die schäumten voll von Wut?
Entflohen — Gott sei Dank! denn wo sie waren,
Da rauchte Menschenblut.

Der Brennen König ging zuerst nach Hause,
Bei uns gefiel's ihm nicht;
Er ging zu einem andern größern Schmause,
In Polen zugericht. —

Ihm folgten andre groß' und kleine Fürsten,
Denn jeder merkte schon,
Nach Frankreichs Teilung so begierig dürsten,
Das bringe wenig Lohn.

Drum bat auch immer einer nach dem andern
Um Waffenstillestand! —
Und mit dem Restlein ihrer Heere wandern
Sie ruhig in ihr Land.

Da singen sie nun Buß- und Psalmenlieder,
Bereuen es gar sehr;
Und seufzen: Ach, wir tun es nimmer wieder,
Das gibt uns gute Lehr.

Nur Einer noch ist stolz auf seine Größe,
Und spricht von nichts als Krieg,
Doch wir, wir kennen seiner Staaten Blöße,
Und unser ist der Sieg.

Nicht lange mehr kann noch dies Spielwerk dauern;
Jourdan ist unser Held,
Auf, Brüder, stürzet jene stolzen Mauern,
Zum Staunen aller Welt.

Laßt uns recht schnell die Kriegesfahne schwingen,
Horcht nur — die Klerisei,
Sie winselt, und die Wiener Pfaffen singen
Für Angst die Litanei.

Drum eilt nur schnell, jetzt gilt es Menschenrechte,
Die man so sehr gekränkt,
Es flieht vor uns die Schar gedungner Knechte;
Wir siegen unumschränkt.

Und alle Deutschen, alle braven Leute,
Die wünschen uns Gedeih'n,
Denn *Friede* soll die einz'ge schöne Beute
Von unserm Siege sein! —

56 ANONYM

National-, Sieges- und Freiheitsgesang
der neugeborenen Republik der Franken

Mel. Auf, auf, ihr Brüder und seid stark

Victoria! die Freiheit sitzt,
        Zur Rechten der Vernunft,
Nun wieder auf der Franken Thron,
Und spricht dem Despotismus Hohn
        Und seiner schwarzen Zunft!

Zu unsern Füßen liegen nun
        Zerstückt die Fesseln da,
In die uns ehmals Pfaffentrug
Und Adelstolz und Herrschsucht schlug;
        Heil uns! Victoria!

Die Rechte, die uns die Natur
        Als freien Menschen gab,
Wirft kein Despot, kein geistlich Heer
Mit räuberischen Klauen mehr
        Tyrannisch in das Grab.

Wir dulden keinen Egel mehr,
　　Der uns das Blut aussaugt,
Der sich zum Gott der Erde lügt,
Der majestätisch uns betrügt,
　　Und allerhöchst nichts taugt.

Wir mästen auch nicht mehr, wie sonst,
　　Das hochgeborne Vieh
Mit unserm sauern Schweiß und Blut,
Ziehn nicht mehr sklavisch ihm den Hut,
　　Und beugen ihm kein Knie.

Warum? Wir fühlen, was wir sind,
　　Und was wir nicht sind, auch,
Denn Tugend adelt uns allein.
Die andern Firlefanzerei'n
　　Sind Lügen, Blendwerk, Rauch.

Die Menschheit lacht des Possenspiels
　　Mit Orden, Stern und Band,
Die einst ein übermüt'ger Narr
(Dem etwa ein geweihter Pfarr
　　Im Rausch es riet) erfand.

Auf puren Unsinn aber läuft
　　Der stolze Wahn hinaus;
Daß, was der Ahnherr einst getan,
Der Sohn und Enkel erben kann
　　Wie seines Vaters Haus.

Und schimpflich, ja höchst strafbar ist
　　Die Titelwucherei
Gekrönter Juden, die für Geld
Den Hochmut adeln. — Kennt die Welt
　　Wohl ärg're Mauschelei???

Dies wußten wir zwar längst — jedoch
　　Es laut zu sagen, war
Ein Majestätsverbrechen!!! — und
Man schloß uns mit Gewalt den Mund,
　　Man würgte uns sogar.

Doch jetzt — Dank sei, o Genius
　　Der Menschheit, dir! — doch jetzt
Sind wir von Sklavenketten frei;
Ein Kraftstoß hat der Tyrannei
　　Den letzten Streich versetzt.

Ha! seht, wie die Hyäne dort —
  Die Despotismus heißt —
Ohnmächtig hin in Staub gestreckt,
Uns röchelnd noch die Zähne bleckt,
  Und zuckend um sich beißt!

Wie sie ihr Tigerauge rollt,
  Wie sie die Klau'n so scharf
Voll Bosheit in den Boden schlägt,
Weil sie nun unsre Fesseln trägt
  Und nicht mehr morden darf!

Seht, wie voll Wut das Wolfsgezücht,
  In Schafspelz eingehüllt,
Uns freie Franken insgesamt
Zum tiefsten Höllenpfuhl verdammt,
  Und uns als Ketzer schilt;

Weil wir den hochehrwürd'gen Wanst
  Ihm mit des Landes Mark
Nun nicht mehr füllen — weil wir klug
Geworden sind, und heil'gen Trug
  Nun ahnden, und zwar stark!

Denn, wer hat seit Jahrtausenden
  Des Despotismus Wut
Mehr unterstützt und mehr hofiert,
Ja größtenteils gar dirigiert,
  Als diese Otterbrut,

Die immerdar im Finstern schleicht, —
  Die mit brutalem Stolz
Sich die Gesandtschaft Gottes nennt (!!!)
Und doch Gott selbst so wenig kennt,
  Als jenen Mann am Holz?

Der sie beordert haben soll,
  Uns lautere Moral
Zu predigen; der aber ganz
Gewißlich keinen Kontertanz
  Ihr drei zu tun befahl:

Das heißt: daß sie ein X für's U
  Der Menschheit machen soll.
Doch — jetzt bei'm Glanz des hellen Lichts
Der Freiheit schadet sie uns nichts;
  Sie gilt nicht mehr für voll!

Ihr Reich, und das der Despotie
　　Ist endlich 'mal zerstört. —
Die Gottheit, die Vernunft und Recht
Gleich liebt, wie's menschliche Geschlecht,
　　Hat unser Schrei'n erhört.

Sie stählte unsern Mut, und wir,
　　Trotz manchem feigen Schuft,
Wir griffen durch, und — krak! — entzwei
Brach Joch und Fessel; wir sind frei
　　Und schöpfen wieder Luft!

Europa sah es und erstaunt'
　　Ob unsrer kühnen Tat.
Die Erdengötter und ihr Chor
Von Schmeichlern kratzten sich am Ohr
　　Und hielten zitternd Rat;

Für ihre eignen Kronen bang',
　　Entschlossen sie sich kurz,
Uns zu bekriegen, und ein Schwarm
Verlaufner Schurken bot den Arm
　　Zu braver Brüder Sturz.

Sie schickten uns ein Manifest
　　Voll stolzer Drohung zu,
Und glaubten wahrlich steif und fest,
Daß sich ganz Frankreich schrecken läßt,
　　Wie eine scheue Kuh.

Allein sie haben sich geirrt,
　　Die lieben guten Herrn!
Nun ziehn sie wieder in ihr Land,
Und flicken sich ihr Ordensband
　　Und putzen ihren Stern.

Und wir ziehn ihnen siegend nach;
　　Doch nicht mehr: ça ira!
Heißt unser Hymnus — da das Blatt
So glücklich sich gewendet hat!
　　Wir singen nun: ça va!!!*

---

* ça ira (so wird es gehn), ça va (so geht es). Wohl konnten die Franken unter
der ersten Konstitution, die ihnen den Weg zu republikanischer Freiheit und
Glückseligkeit bahnte, ihr ça ira singen. Wie groß und seelenerhebend aber
muß nicht das ça va von den Lippen der edlen Republikaner tönen.

VIII Freiheit — Gleichheit — Brüderlichkeit

Auch nach dem ersten Höhepunkt jakobinischer Dichtung in den Jahren 1792/93 priesen die revolutionsfreundlichen Dichter weiterhin die Ideale der Revolution. Sie verkündeten in ihren Gedichten bis zum Ende des Jahrhunderts ihre Hoffnungen auf eine Gesellschaft, die die Prinzipien von Freiheit und Gleichheit verwirklichte. Die Sehnsucht nach einer Weltrepublik fand ihr Echo in vielen Gedichten.

57   GOTTFRIED AUGUST BÜRGER

Entsagung der Politik

Ade, Frau Politik! Sie mag sich fürbaß trollen:
Die Schrift-Zensur ist heut zu Tage scharf.
Was mancher Edle will, scheint er oft nicht zu sollen;
Dagegen, was er schreiben soll und darf,
Kann doch ein Edler oft nicht wollen.

58   FRIEDRICH LEHNE

Das Lied des treuen Untertans
Ein Gegenstück zum Lied des freien Mannes

Mel. Ein Vogelfänger bin ich ja etc.

Ich bin ein treuer Untertan
Was geht mich Recht und Freiheit an!
Ich lobe mir den edlen Hund;
Sein Herr schlägt ihm den Rücken wund,
Doch kriecht er wedelnd zu ihm hin
Und wimmert leis und lecket ihn.
Wohl jedem, der es sagen kann:
Ich bin ein treuer Untertan!

Ich glaube, was der Priester spricht
Und glaubt er es auch selber nicht;
Mich freut es, wenn mein Weib und Kind

In *allem* ihm gehorsam sind.
Mein Vater hat es so gemacht,
Und ihm hat's *gute Frucht* gebracht.
Wohl jedem etc.

Der Adel schwelgt von meinem Brot,
Doch stürb' ich auch den Hungerstod,
So gäb' ich doch den süßen Herrn
Sogar den letzten Bissen gern;
Sie tragen ja für's Vaterland
Ihr Kreuz und Stern und Ordensband.
Wohl jedem etc.

Ich kenne zwar den Fürsten nicht,
Man sagt, er sei ein armer Wicht,
Er schwelge wie ein Großsultan
Und hänge feilen Dirnen an.
Wenn er mich auch mit Hunden hetzt,
So ist er doch von Gott gesetzt.
Wohl jedem etc.

Den Herrn Minister kenn ich zwar;
Ein ränkevoller Hofbarbar,
Vom Markt des Volkes nimmer satt
Und gleich der Schlange bunt und glatt.
Doch er ist des Gesalbten Knecht,
Und *das* macht alles gut und recht.
Wohl jedem etc.

Gehorsam meiner Dienerpflicht
Hör' ich Vernunft und Wahrheit nicht,
Und glaube nur dem Wundermann,
Der mir den Himmel öffnen kann.
Ich fürchte wohl zuweilen noch
Er finde nicht das Schlüsselloch;
Doch fang' ich nicht zu zweifeln an
Und bleib' ein treuer Untertan.

Der Nachtwächter aus dem Lande der Freiheit
an die Bayern, Schwaben und Franken um Mitternacht

Ihr Herrn und Frauen, laßt euch sagen,
Die Stunde hat nun euch geschlagen.
Ihr schläft so lang und schläft so tief
Und hört nicht, daß der Hahn schon rief:
Seid frei und gleich
Und werft von euch
Das Joch der Tyrannei!

Ihr Herrn und Frauen, laßt euch sagen,
Verliert euch nicht in leere Klagen;
Zieht lieber Kopf und Herz zu Rat,
Ermuntert euch zur großen Tat
Und wagt den Schritt,
Eh er entflieht,
Der schöne Augenblick!

Ihr Herrn und Frauen, laßt euch sagen,
Die Stunde hat nun bald geschlagen.
Drum nehmet eure Zeit in acht,
Eh man euch ganz zu Sklaven macht!
Die Kette klirrt,
Die Geißel schwirrt
Um euren Nacken 'rum.

Ihr Herrn und Frauen, laßt euch sagen,
Dann dürft ihr euch nicht mehr beklagen.
Wir machen Friede und ziehn ab;
Euch aber harret bis ins Grab
Von Tyrannei
Und Pfafferei
Ein schmählich drückend Joch.

60   GOTTFRIED JAKOB SCHALLER

Fluch der Tyrannei

Der Du, o Vater der Natur!
Bis heut' in Deinem Tempel, nur
Der Beter Stimmen hörtest

Und uns der Liebe Huldgebot
Erbarmen bei der Brüder Not,
　　Nach Deinem Bilde, lehrtest:
Horch jetzt — und schreib ihn in Dein Buch —
Des freien Volks gerechten Fluch.

Dem Fluch . . . o daß er überall
Wie tausendfacher Donnerhall,
　　Die ganze Welt durchtönte!
Daß Zwingherrnburg und Sklaventurm,
Erschüttert unter seinem Sturm,
　　In ihren Gründen dröhnte! —
Horch jetzt dem Fluch, den kühn und frei,
Der Franke flucht der Tyrannei.

Ha! seufzten wir nicht allzulang'
Im Herrendruck, im Folterzwang
　　Der Dränger dieser Erde?
Gehört nur ihnen Land und Gut?
Nur ihnen unser Mark und Blut?
　　Und uns des Diensts Beschwerde?
Schufst Du nur uns zur Sklaverei
Und sie, nach Deinem Bilde, frei?

Nein! allen hast Du's eingedrückt,
Uns all' mit Freiheit hochbeglückt,
　　Uns alle gleich geschaffen.
Gabst uns dasselbe Mutterland,
Kraft, Männermut, Vernunft, Verstand
　　Und unserm Arme Waffen . . .
Was war der Mensch?! Sich allgenug,
Eh' ihm die Herrschsucht Fesseln schlug.

Was war der Mensch!? Der Schöpfung Ruhm!
Die Erde war sein Eigentum,
　　Die ihn genüglich nährte.
Der Freuden Fülle gab sie ihm,
Solang' ihm noch kein Ungetüm
　　Den holden Frieden störte.
Was ward er unterm Herrenstab?
Entmenscht sank er zum Vieh herab!

Gott! willst Du dies? . . . Du willst es nicht!
Das Volk, das seine Fesseln bricht
　　Und seine Sklavenbürde

Vom Nacken wirft, sich frei erklärt
Und Zwingherrn flucht, ist Deiner wert
    Und seiner Menschenwürde.
Der Franke brach sein Joch entzwei
Und wand aus Sklavenzwang sich frei!

Da steht er nun, Dein Ebenbild,
Der Geißler Geißel, Bürgern mild,
    Und fluchet den Tyrannen.
O segne seinen frommen Fluch,
Und schreib' ihn selbst in Dein Buch,
    Daß sie sich nie ermannen
Und nie der Freiheit würd'gem Sohn'
Mit neuen Fesseln wieder droh'n.

Horch' unserm Fluch'! . . . er ist Gebet,
Das um der Menschheit Wohl Dir fleht:
    Pflanz' in die Brust der Freien
Tyrannenhaß auf Enkel fort;
Laß stets, o Du der Freien Hort!
    Der Freiheit Werk gedeihen,
Und sei von Brüdern, frei und gleich,
Du einzig Herr in unserm Reich'!

61 JOSEPHE

An mein Vaterland

Die Freiheit ruft! Auf, folget ihren Fahnen!
    Die Franken gehn voran;
Zerreißt, wie sie, das Vorurteil der Ahnen
    Des großen Pöbels Wahn.

Wer edel ist, braucht der erkaufte Titel?
    Nur der sei Edelmann;
Der, Fürst im Purpur oder Bauerkittel,
    Verdienste zählen kann.

Die Freiheit weckt die herrlichsten Gefühle
    Gleichviel in wessen Brust;
Mut führt den Knecht zum stolzen Fürstenziele
    Sich gleiches Rechts bewußt.

Bebt, Brüder! nicht; wenn blutige Paniere
Der Freiheit Burg umwehn;
In diesem Blute kochen heiße Schwüre':
Die Freiheit soll bestehn!

Wenn längst verwebt der Ehre Wunden alle
Die eure Stirne trägt —
Tönt hoch nur Ruhm in ehrner Nachwelt Halle
Die kein Despot zerschlägt.
Laßt, Brüder, Blut das Vaterland bespritzen
Die Saat wird Friede wehn
Und Patrioten werdens noch besitzen
Beim Welten Untergehn.

62   ANONYM

Deutsches Freiheitslied

Auf! für Freiheit, Vaterland!
Schwöret, Brüder! Hand in Hand!
Schwör't in eurem Herzen:
Keiner soll die stolze Pflicht,
Die so laut im Herzen spricht,
Keiner sie verscherzen.

Sind wir den Gesetzen treu,
Sind wir glücklich, sind wir frei,
Größer als ein König;
Wer die Tugend, Ordnung ehr't,
Ist der Bürgerkrone wert,
Wär' er noch so wenig.

Guten Fürsten geh' es wohl,
Wenn ihr Leben segenvoll,
All' ihr Tun und Wandeln;
Wenn sie sich des Guten freu'n,
Wahre Landesväter sein
Und als solche handeln.

Doch der Fürst, wenn ihm Gewinn,
Habsucht und Despotensinn
In dem Busen lodern;

Wenn er Armen Gut verschlingt
Und den Geist in Fesseln zwingt,
Soll vergehn und modern.

Wenn der Fürst das Land beglückt,
Seiner Schmeichler Brut erstickt,
Die den Thron umgeben;
Dem Verdienste Kränze flicht,
Als ein Landesvater spricht,
Soll er glücklich leben.

Doch der Fürst, der Bürger-Blut
Wenig achtet, Bürger-Gut
Sich bedient zum Raube;
Fort — herunter von dem Thron!
Nehmt ihm seine Fürstenkron',
Tretet sie im Staube!

Kein Despote soll nun mehr,
Soll mit seinem Sklavenheer
Unser Wohl verderben.
Auf! ihr Brüder! Hand in Hand
Schwör't, fürs deutsche Vaterland,
Schwöret: *frei* zu sterben!

63 ANONYM

*Das Erwachen der Deutschen
Lied fürs Jahr 1800*

Es schlägt der Freiheit Morgenstunde,
Der Rettung heil'ger Tag bricht an.
Schweb, Herrmanns edler Geist voran,
Und lächle Segen unserm Bunde!
Belebe deiner Enkel Mut,
Daß noch einmal der Adler sinke,
Und der entweihte Boden trinke,
Der frechen Unterdrücker Blut.
Zur Schlacht! zur Schlacht! die Freiheit siegt!
Die Söldner fliehn! der Adler liegt.

Ihr Brüder, fand bei unsern Ahnen,
Nicht Varus einst ein schmählich Grab?

Drum werfet kühn die Fesseln ab,
Der Väter würdig, seid Germanen!
Mit uns ist Gott! Tod oder Sieg!
Auf, um der Knechtschaft Schmach zu rächen,
Auf, um der Willkür Thron zu brechen,
Auf, zu der Freiheit heil'gen Krieg!
Zur Schlacht! zur Schlacht! die Freiheit siegt!
Die Söldner fliehn! der Adler liegt.

Entströmt der Felsen dunkeln Grüften,
Und schwinget froh der Rache Schwert!
Ihr Männer, deutschen Namens wert,
Brecht aus des schwarzen Waldes Klüften.
Tragt eures feigen Lebens Schmach,
Ihr wilden Unterdrücker, weichet!
Bis Euch des Rächers Arm erreichet,
Folg euch der Fluch des Landes nach.
Zur Schlacht! zur Schlacht! die Freiheit siegt!
Die Söldner fliehn! der Adler liegt.

Wo herrschten frechere Despoten,
Wo trug ein Volk so schwer, als wir?
Zu lange, Brüder! beugtet ihr
Den Nacken schimpflichen Geboten.
Voll ist der Frevel großes Buch,
Empor die kettenwunden Hände,
Das Reich der Zwingherrn hat ein Ende,
Die murrend Deutschlands Bürger trug.
Zur Schlacht! zur Schlacht! die Freiheit siegt!
Die Söldner fliehn! der Adler liegt.

Der Weltenrichter hält die Waage
In aller Völker Angesicht.
Germania sitzt zu Gericht,
Klagt, Enkel Herrmanns, eure Klage!
Seht von dem Ister bis zum Rhein,
Der hingewürgten deutschen Leichen,
Aus ihren Gräbern zürnend steigen,
Um Zeugen des Gerichts zu sein.
Zur Schlacht! zur Schlacht! die Freiheit siegt!
Die Söldner fliehn! der Adler liegt.

Von der Ardennen finstern Gründen
Bis Wien, erzählt der Völker Fluch,
Zeigt der Geschichte blut'ges Buch,

Ihr Mörderfürsten! eure Sünden.
Ihr tragt des Schatten Anblick nicht,
Des Mordes gräßliche Trophäen?
Ihr müßt verzweifeln und vergehen,
Verhüllt im Staub das Angesicht.
Zur Schlacht! zur Schlacht! die Freiheit siegt!
Die Söldner fliehn! der Adler liegt.

Es gaben treue Nationen
Des Volkes Macht in euer Hand,
Auf des Gesetzes Unterpfand
Begründeten sich eure Thronen.
Als Väter, nach Vertrag und Pflicht,
Zu leiten nur habt ihr versprochen,
Weh euch! ihr habt den Bund gebrochen,
Gewürgt habt ihr, geherrschet nicht.
Zur Schlacht! zur Schlacht! die Freiheit siegt!
Die Söldner fliehn! der Adler liegt.

Ihr schwelgtet in der Witwe Schätzen,
Gabt Waisen preis dem Hungertod,
Stahlt unsrer Armen letztes Brot,
Und mästetet des Auslands Metzen.
An ihren Schlössern frönten wir.
Ihr bautet sie mit unserm Gute.
Ihr kauftet sie mit unserm Blute,
Ihr Mörder! Mördermäkler ihr!
Zur Schlacht! zur Schlacht! die Freiheit siegt!
Die Söldner fliehn! der Adler liegt.

Ach! Brüder geben Brüder Wunden,
Wenn ihr der Raubsucht Schlachten schlagt,
Durch die zertretnen Saaten jagt
Ihr rascher dann mit Schranz' und Hunden.
Die Schar der Edelknechte trinkt
Den Wein, gepreßt in fernen Kelter,
Indes, verkauft in Bostons Felder,
Des Landes Jugend schmählich sinkt.
Zur Schlacht! zur Schlacht! die Freiheit siegt!
Die Söldner fliehn! der Adler liegt.

Der Fürst und seine Metzen bringen,
Gott lästernd, frechen Lobgesang,
Wenn mit dem Tode bleich und bang,
Noch der Gefallnen Haufen ringen.

Zum Himmel schallt die Heldentat!
Verhungre Greis und Waisenknabe,
Leis' wimmernd an des Vaters Grabe,
Laut Weinen gilt für Hochverrat.
Zur Schlacht! zur Schlacht! die Freiheit siegt!
Die Söldner fliehn! der Adler liegt.

Versteigert, o der ew'gen Schande,
Gehetzt in Tod und Sklaverei,
Fiel selbst für fremde Tyrannei,
Thuiskons Sohn im fernsten Lande.
Schimpf ruht auf unsrer Brüder Grab,
In Sarato gar Leichenfelde,
Man kaufte sie mit schnödem Gelde,
Gleich Hunden, ihren Treibern ab.
Zur Schlacht! zur Schlacht! die Freiheit siegt!
Die Söldner fliehn! der Adler liegt.

Leucht' in des Vaterlandes Wunden,
O du! der Wahrheit helles Licht!
Die Schale sinket im Gewicht,
Die Rachefackel ist gefunden!
Zur Hölle stürze Tyrannei!
Der Willkür Brandmal ist zerbrochen,
Der Toten Schatten sind gerochen,
Triumph! Germanien ist frei.
Heil uns! Germanien ist frei,
Zur Hölle stürzt die Tyrannei!

In dem verjüngten Vaterlande,
Herrscht nur Gesetz und Recht und Pflicht.
Es sinkt, durch Irrtum klüger, nicht
Das Volk in neuer Herrscher Bande.
Tyrannen stürzt der Waffen Macht,
Gesetze soll uns Weisheit geben,
Und will ein Frevler sich erheben,
So sink' er schnell in Todesnacht.
Heil uns! Germanien ist frei,
Zur Hölle stürzt die Tyrannei.

Die blinden Menschen

Gegenstück zu Gleims Gedicht

Ihr Menschen! streitet ihr für Freiheit? nein; ihr streitet
Bloß für der Fürsten Tyrannei!
Ihr werdet alle gleich am Narrenseil geleitet
Von euch ist keiner frei!

Ach, wenn ihrs einst erwägt, wie werdet ihr euch schämen
Daß ihr so blind gewesen seid!
Ach möchte, möcht' ein Gott euch eure Blindheit nehmen
Und eure Tigerheit.

So blind seid ihr gemacht! ihr opfert den Tyrannen
Ihr opfert eurer Kinder Blut
Ihr laßt euch willig in das Joch der Knechtschaft spannen
Und euren Heldenmut.

O wie so blind seid ihr! die Nachwelt wirds nicht glauben
So blind zu sein bei hellem Licht!
Ihr laßt euch Kinder, Gatten, Geld und Leben rauben
Und seht die Räuber nicht.

O wie so blind seid ihr! das Seil, an dem man leitet
Ist sichtbar, glaubt mir! Wer es sieht
Beklagt euch, daß ihr Blinde für Tyrannen streitet,
In ihrem Joche zieht.

Drum werd es hell, von euren armen, blinden Augen
Fall es — wie Schuppen fall es ab,
Und seht ihr dann, wozu Despoten Henker taugen,
So stürzet sie ins Grab.

65   LUDWIG AUGUST GÜLICH

Der Menschheit Erwachen

Melodie: Es jubelten jüngst etc.

Gebunden, gefesselt von feilen Despoten,
Der fürstlichen Willkür ein kleinliches Spiel,

Warst du durch Äonen, du göttliche Freiheit,
Dem Namen nach nur deinen Freunden bekannt.
Heil! Heil! Heil! der Nebel schwindet,
Tempel und Altäre
Weiht dir, o Freiheit, das Erdengeschlecht!

Da drückte das Volk an den Ufern der Seine
Ein schimpflich, die Menschheit entehrendes Joch;
Es frönte dem Willen, den Launen der Herrscher,
Gehorchte der Geißel der Treiber, wie Vieh.
Heil! Heil! Heil! der Nebel schwindet,
Tempel und Altäre
Weiht dir, o Freiheit, das Erdengeschlecht!

Minister und Schranzen und feile Mätressen
Verschleuderten bübisch des Fleißes Ertrag;
Dich, Adel, Euch Frömmigkeit heuchelnde Pfaffen,
Euch, Elende, nährte des Redlichen Schweiß.
Heil! Heil! Heil! der Nebel schwindet,
Tempel und Altäre
Weiht dir, o Freiheit, das Erdengeschlecht!

Da tönte die sanft-überredende Stimme
Des Schutzgotts der Menschheit herab vom Olymp:
Ihr seid nicht zu Sklaven, frei seid ihr geboren!
Zerbrecht eure Fesseln, ihr Menschen, seid frei!
Heil! Heil! Heil! der Nebel schwindet,
Tempel und Altäre
Weiht dir, o Freiheit, das Erdengeschlecht!

Es horchte der Franke der rettenden Stimme,
Und schüttelte furchtbar das männliche Haupt;
Er fühlte sein Recht, — er fühlt' seine Würde,
Und schwur den Despoten Vergeltung und Tod.
Heil! Heil! Heil! der Franke siegte!
Tempel und Altäre
Weihte der Freiheit ein freies Geschlecht!

Nun sind sie vernichtet, die schmählichen Bande
Der Knechtschaft; die Freiheit beseligt die Welt;
Es schallen Gesänge der Göttin zu Ehren,
Sie bleibe auf ewig der Menschheit Triumph!
Heil! Heil! Heil! die Nebel schwanden,

Tempel und Altäre
Weiht seiner Gottheit das Menschengeschlecht!

66 FRIEDRICH LEHNE

Die Reisen der roten Kappe

Mel. Le bonnet de la liberté

Hört an der Freiheit Wanderschaft,
Und ihrer Kappe Wunderkraft,
    Auf Kosten der Despoten!
Von Pol zu Pole geh' ihr Lauf,
Lös' überall die Ketten auf
    Den biedern Sansculotten.

Dies Zeichen der Erlösung strahlt,
Und seht, gerechter Schrecken malt
    Die Stirnen der Despoten;
Umsonst bewaffnen sie sich all',
Sie ahnen ihrer Throne Fall
    Durch tapfre Sansculotten.

In Rom, in London, in Berlin,
In Wien, in Madrid, in Turin,
    Seht trotzende Despoten!
Auf dieser Kappe lesen sie
Ihr Todes-Urteil nie zu früh,
    Nach Wunsch der Sansculotten.

Der Sklavensohn von Mahomed,
Fühlt er, wie ihm die Kappe steht,
    Erwürget die Despoten;
Schon segnet er, trotz dem Sultan
Den neuen schöneren Turban
    Der Franken-Sansculotten.

Und von Paris bis Japans Strand,
Vom Kaffern bis zum Lappenland,
    Wird bald die Freiheit siegen.
Tyrannen! hört, welch Los euch fällt,
Die Freiheits-Kappe wird die Welt
    Auf schneller Reis' umfliegen.

Der Freiheit dem Volke gewidmet

Du Freiheit bist das höchste Gut,
    Das einzge Ziel des Lasterlosen.
Der Schweizer kaufte dich mit Blut
    Für dich nur kämpfen die Franzosen!

Durch dich schlug bei Thermopila
    Der Griech' des Xerxes Millionen.
Durch dich bei Paterbornia
    Schlug Siegmars Sohn die Legionen!

Temixocles in deinem Kahn
    Beschützte einst der Griechen Meere
Der Wilde unter deiner Fahn
    Zermalmte jüngst der Britten Heere!

Der schwache Knabe dünkt sich Held,
    Sobald er deine Trommel rühret,
Noch nie erlag' ein Volk im Feld
    Wenns deinentwegen Krieg geführet!

Drum Völker auf und macht euch frei.
    Der Franke hat die Bahn gebrochen.
Er hat der Hyder Tyrannei
    Das Todesurteil laut gesprochen!

Auf Völker, auf — zum Rhenus hin,
    Zum Rhein — wo der Tyrannen Rotten
Wie wilde Kannibalen zieh'n,
    Und unsrer Menschenrechte spotten!

Auf braver Unger! auf zum Krieg,
    Auf — auf, des Reiches freie Bürger
Auf — auf, es winket euch der Sieg,
    Auf — auf, und würgt die Freiheitswürger.

Ihr Hermanns Söhne schlafet noch,
    Die Legionen einst zersplittert!
Ihr schlaft und tragt das harte Joch,
    Und lachet, wenn der Sklave zittert!

Wißt Deutsche ihr es denn nicht mehr,
    Daß Brennus einstens Rom gestürmet,
Daß Hermann einst Varus Heer
    Der Freiheit Tempel aufgetürmet!

Auf Deutsche, auf, ergreift das Schwert,
    Ergreift das Racheschwert, und schlaget!
Ihr seid der Väter nicht mehr wert
    Wann ihr in diesem Krieg nichts waget!

Auf Bataver! legt Waffen an
    Und schützet die befreiten Staaten!
Auf Britten, denkt an Ossian,
    Auf Schweizer! denkt an Wilhelms Taten!

Das Recht des Volks ist in Gefahr
    Auf Priester, greifet die Musqueten,
Verwechselt Kragen und Talar,
    Zieht Panzer an! — und helfet retten!

Auf tapfrer Pole, auf zur Schlacht!
    Zur Schlacht, und streit' für deine Rechte!
Auf Belger, auf mit ganzer Macht,
    Und würg' des Kaisers wilde Knechte!

Auf freie Völker über Meer,
    In Osten, Westen, Süden, Norden
Ihr freien Völker ins Gewehr
    Und helfet die Tyrannen morden!

Auf, auf, was Waffen tragen kann
    Auf Kinder, Greise lernet kriegen,
Auf, auf, das Würgen fängt schon an,
    Auf, die Tyrannen zu besiegen!

Verflucht sei der, der vor dem Tod
    Und vor dem stolzen Feinde fliehet,
Gesegnet jeder Patriot,
    Der wundervoll zum Heimat ziehet!

68 ANONYM

Timoleons Lied an Syrakus

Nach einer griechischen Handschrift

Auf! wer Kraft zu Taten fühlet,
    Auf! wer Freiheitssinn besitzt!
Wenn es stark im Innern wühlet,
    Daß man mit der Menschheit spielet —
    Auf! das Schwert der Freiheit blitzt!

Freude! Freude! laßt uns singen!
    Seht, der Menschheit Genius
Eilt herab auf Götterschwingen,
Goldne Gaben uns zu bringen:
    Freiheit, Gleichheit, Überfluß!

Sklavenketten sollen brechen,
    Tyrannei entthronet sein;
Urteil der Gewalt gesprochen,
Und dem Stolz der Stab gebrochen,
    Vorurteil verbannet sein!

Auf! wer vor dem Fackelscheine
    Der Vernunft kann mutig stehn!
Wer der Menschheit hehre, reine
Würde schätzte, der vereine
    Sich mit uns auf jenen Höh'n!

Doch wem Vorurteil nur Höhe
    Und Geburt — Verdienst nur gab:
O dem wär' es wohl, er flöhe,
Eh' an ihm auf seiner Höhe
    Man Despotenunfug straft.

Menschen sollen Menschen wieder,
    Menschheit ihre Rechte sein.
Bande trennten uns einst, Brüder,
Bande drückten uns einst nieder —
    Frei von Banden woll'n wir sein!

D'rum, wer Kraft zu Taten fühlet,
    Wer noch Freiheitssinn besitzt —
Wem es stark im Innern wühlet,
Daß man mit der Menschheit spielet:
    Auf! das Schwert zur Freiheit blitzt!

69   ANONYM

Hohes Lied von der Gleichheit

(am 10ten Aug. 1796 gesungen, von einem Franken)

Gleichheit! dich will ich besingen!
Holde Tugendmutter, dich!

Möchte mir dies Lied gelingen,
Möcht' es zu den Ohren dringen,
Euch, Despoten, fürchterlich!
Hört mich! — Wahrheit will ich sagen!
Mag ich dann auch immerhin,
Fürsten, eure Rache wagen,
Ohne Hoffnung, zum Gewinn,
Wenn ich euch gefährlich bin.

Als im tiefen Chaosschlunde
Jeder edle Keim noch schlief,
Schallte aus des Donners Munde
Laut in jener hehren Stunde
Eine Stimm', die »Werde«! rief.
Da entstieg beim großen »Werde«
Auch ein edler Keim der Nacht,
Der, gereift durch höh're Macht,
Bald sich formt' zur schönen Erde
In bewundernswürd'ger Pracht.

Und der Hohe schuf mit Milde
Seine Weltbewohner nun;
Er bevölkert' die Gefilde,
Schuf sich Wesen, ihm zum Bilde,
Groß und edel war ihr Tun.
Und sie liebten sich, wie Brüder,
Gleichheit war das schöne Band,
Das die Glücklichen umwand. —
Goldne Zeit, o kehre wieder,
Binde wieder, schönes Band!

Aber Fürstenstolz, du holde
Gleichheit, trat an deinen Platz,
Sklavensinn, im Fürstensolde,
Schurkerei, erkauft mit Golde,
Raubte uns den teuren Schatz.
Aber zittert! zittert, Fürsten!
Zittere, Despotenbrut!
Unbesiegbar ist der Mut
Derer, die nach Freiheit dürsten,
Sie verlachen euren Mut!

Wär't ihr besserm Stoff entsprossen,
Besserer Natur, als wir?
Wär't ihr edlern Blutes Sprossen,

Höh'rer Wesen Mitgenossen? —
Nichts von allem dem seid ihr!
Vorurteil gab euch, o Schande!
(Schande dem, der ihm noch frönt,
Der nicht seine Macht verhöhnt!)
Herrschaft über Leut' und Lande,
Vorurteil hat euch gekrönt!

Ha! Dies Vorurteil bekriegen,
Sei uns hohe, heil'ge Pflicht!
Kämpfen wollen wir und siegen;
Feig' in Sklavenfesseln schmiegen
Werden wir uns ewig nicht!
Am Altar der Gleichheit schwöre
Jeder bieder, groß und frei,
Fern von nied'rer Sklavenscheu,
Laut, daß alle Welt es höre —
Ew'gen Haß der Tyrannei!

Nun, so hebt die Hand zum Bunde!
Schwört der Gleichheit ew'ge Treu!
Jeder schwör! mit Herz und Munde,
Schwör' in dieser heil'gen Stunde
Ew'gen Tod der Sklaverei!
Ew'gen Tod und ew'ge Rache
Allen Gleichheitsfeinden! Schwört!
Tod dem Despotismus! Schwört!
Gleichheit ist der Menschheit Sache,
Ist des heißen Kampfes wert!

70   Niklas Müller

An die Gleichheit

Gleichheit, edler Göttersame,
Fülle aller Erdenlust!
Schon dein süßer Zaubername
Wärmt die sehnungsvolle Brust.
Du erscheinst in dem Gewande
Friedlicher Genügsamkeit,
Und an deinem Leitungsbande
Folget Erdenseligkeit.

Deiner Milde Zauber wirken
Da, wo Unschuld lächelnd spielt,
In den friedlichen Bezirken,
Wo das Herz sich lauter fühlt;
Wo des Stolzes Selbstvergessen,
Nie des Giftes Wurzeln schlug
Das die Staude aufgefressen,
Die des Heiles Balsam trug;

Wo Natur ihr Recht erzwinget
Und des Herzens tiefen Kern
Mächtig aufsprengt, da gelinget
Deine Huldigung ihr gern.
Kunst mit falscher Neigung spottet,
Wo der Triebe Lauterkeit,
Ihrer Urquell so entlocket,
Menschen ihre Weihe leiht.

Menschenquäler lernen weinen
Werfen ihre Nimben hin,
Und vor deinem Altar scheinen
Sie sich selbsten zu entfliehn;
Fühlen das Gewicht der Krone,
Fühlen Dank in Herrlichkeit,
Und auf ihrem Herrscherthrone
Zeiget sich die Menschlichkeit:

Da wo Liebe ihre Würde
Geltend macht mit Eigensinn,
Fliegen Fürsten hin zur Hürde
Zu der schönen Schäferin.
Bei Gefahr des Unterganges
Weicht im heißen Kampfgezerr
Aller Unterschied des Ranges,
Gilt der Sklave wie der Herr.

Fürst und Bettler an der Kette
Werden brüderlich vertraut;
Und wenn's auf dem Totenbette
Dem gekrönten Sünder graut,
Wird der Herrschsucht Mutgeschäum
Ein gedrängtes Körnchen Eis;
Mit des Übermuts Gebäume
Wechselt kalter Sünderschweiß.

Traum! zurückgeworfen wieder
In der Menschheit Eigentum;
Sucht sich auch das Laster Brüder,
Mehrt es Gleichheit deinen Ruhm.
Aber wie die Sünden kehren
Fleucht dein holdes Licht davon,
Und des Frevels Becher leeren
Wichter dir aufs neu zum Hohn.

Du vereinst im Bruderkusse
Was ein falscher Ton getrennt,
Führst den Geist im Hochgenusse
Über jenes Firmament;
Zeigst, wie Geister traulich kosen,
Die hienieden ausgeschmerzt,
Wie auf frischgestreuten Rosen
Die Vergeltung brennend herzt.

Wo dein Aushauch huldreich fächelt
Da gedeih'n Arkadien,
Doch wo deine Hand nicht lächelt
Fließen Tränen tiefer Wehn;
Neigen Blümchen und verblühen,
Erd und Himmel trennen sich
Alles Lebens Harmonien
Sind nur Übellaut ohn dich.

Bruder trennt sich da von Schwester,
Und der Vater von dem Sohn,
Da erbaut die Selbstsucht Klöster
Allem Lebenszweck zum Hohn;
Und der Armut Mark und Zähre
Schlingt der Wucher gierig ein,
Und die Herrschsucht läßt Altäre
Sich auf Menschentrümmern weihn:

Wahn mit Lüge wird vergöttert,
Ausgelöscht der Wahrheit Licht,
Und in Banden hingeschmettert
Wird der Menschheit Recht und Pflicht;
Denn auf usurpierten Höhen
Leuchten Recht und Wahrheit nie,
Trug und Ketten sind Trophäen
Der erstickten Sympathie.

In des Chaos dunklem Schoße
Lagst du, Göttin, längst versteckt,
Als das Lebenslicht die große
Weltentwicklung aufgeweckt.
Von dem Muttergürtel löstest
Du dein kräftiges Gedeih'n,
Und dem goldnen Alter flößtest
Reichen Zauber mild du ein.

Aber jene gift'ge Schlange,
Die der Übermut gebar,
Spie, zum sichern Untergange,
Pest auf deinen Weihaltar.
Myriaden Grausgestalten
Schwarzer Laster hoben sich,
Schlugen mit der grimmgeballten
Faust, o Unschuld, wider dich:

Und dein holdes Kind zu schützen,
Gleichheit, schwandst du mit ihm hin
Zu den seligen Besitzen,
Da wo ewig Rosen blühn.
Und seitdem verschwand der Äther,
Räuber setzten Kronen auf,
Und der Rangsucht brachte jeder
Seine Tugenden zu Kauf.

Recht ward gegen Gold verhandelt,
Gold bestimmte den Gehalt;
Und die Menschheit stand verwandelt
Da in jammernder Gestalt;
Blutend unter Geißelschlägen
Sank zum Schemel sie herab,
Und auf schlaugebahnten Wegen
Fand die Wahrheit nun ihr Grab.

Schwer gerächet, Franken, haben
Wir der Allverwüster Greu'l;
Laster, Trug und Schmach vergraben
Durch des Rechtes scharfes Beil;
Seht! durch Galliens Gefilde
Webt ein breiter Bruderkreis
In der Gleichheit höchster Milde —
Unsrer Mühe reichster Preis.

Ihr, die ihr im Staube keichet,
Seht das große Beispiel an!
Daß ihr gleiches Ziel erreichet,
Reißet, so wie wir getan,
Alles Ranges Scheidewände
Mit gestählten Armen ein;
Soll der Unterschied der Stände
Stets die Menschheit noch entweihn?

Gleichheit bleibe treu dem Volke,
Das dir kühn entgegenflog,
Und in deiner Silberwolke
Dich zur Erde niederzog.
Du erschienst uns im Gewande
Friedlicher Genügsamkeit,
Und an deinem Leitungsbande
Folget Erdenseligkeit.

71   Rudolff Suter

Freiheitslied

Nach der Melodie: God save the King

Freut euch der goldnen Zeit
Wo Freiheit Blumen streut
    Auf die Natur;
Sie steigt vom Sternenzelt
Herab auf unsre Welt;
Ihr Götterstrahl erhellt
    Das Erdental.

Das Sklavenjoch war hart,
Die Menschheit lag erstarrt
    Am Grabesrand:
Die Göttin winkt, und schnellt
Den Pfeil auf Thronen, schwellt
Das Herz, und macht die Welt
    Zum Vaterland.

Die Krone hat verblüht,
Auf ihrem Grabe glüht

Die Freiheitsblum;
Ihr sanfter Rosenduft
Verscheucht die Fürstenluft,
Schafft über ihrer Gruft
    Elysium.

Vom blauen Ozean
Weht uns ihr Hauch jetzt an
    Dem Zephyr gleich —
Er weht uns Kühlung zu,
Bringt Menschenglück und Ruh,
Macht durch das Du und du
    Uns alle gleich.

Am schönen Alpenkranz
Strahlt jetzt der Göttin Glanz
    So sonnenhell —
Vom Rhein bis zum Ticin,
Vom Jura bis zum Rhein
Taucht eure Herzen ein
    In Freiheitsquell.

Kommt! wandelt Hand in Hand!
Kommt Schweizer! nur ein Band
    Umschling uns all'! —
Das Band der Einigkeit
Und der Gerechtigkeit,
Durch Freiheit eingeweiht,
    Im Brudersaal.

Triumph! dann Herz an Herz,
Vergessen wir den Schmerz
    In Ewigkeit —
Triumph! von Mund zu Mund
Schallt dann durch's Weltenrund:
Dem neuen Schweizerbund
    Unsterblichkeit.

Freiheits-Lied

Wohl mir, ich bin ein freier Mann!
Nur den Gesetzen untertan;
 Drum tu' ich keinem Menschen je,
 Was ich nicht will, das mir gescheh';
Drum bin ich jedes Schurken Feind,
Der 's mit der Menschheit übel meint.
 Willkommen, wer es sagen kann:
 Wohl mir, ich bin ein freier Mann!

Mir stört kein Fürst, noch Fürstenknecht
Mein häuslich Glück, mein Menschenrecht;
 Kein Pfaff, noch Schranze hudelt mich
 Und tränkt von meinem Schweiße sich;
Ich bin, sei er auch noch so reich,
Ist er nur bieder, jedem gleich.
 Willkommen, wer es sagen kann:
 Wohl mir, ich bin ein freier Mann!

Es adle den ein Ritterschlag,
Den nicht die Tugend adeln mag;
 Ich trage weder Stern noch Band,
 Mir gnügt mein Herz und Vaterland;
Mein Herz, das ohne Falsch und Trug
Für 's Vaterland stets redlich schlug.
 Willkommen, wer es sagen kann:
 Wohl mir, ich bin ein freier Mann!

Ich trachte nicht nach Ruhm und Rang,
Und forsche nur nach gradem Gang;
 Trotz allen Welten Tag und Nacht,
 Was mich und andre glücklich macht;
Ich sehe nicht in träger Ruh'
Dem Elend meiner Brüder zu.
 Willkommen, wer es sagen kann:
 Wohl mir, ich bin ein freier Mann.

Nicht jeder ist der Freiheit wert,
Der, frei sein oder sterben, schwört;
 Denn mancher, der Despoten droht,
 Ist, wenn er kann, wie sie Despot;
Der Neid macht ihn zu ihrem Feind,

Doch ist er ihrer Laster Freund.
      Der ist es nicht, der sagen kann:
      Wohl mir, ich bin ein freier Mann!

Gar oft nur tragen Übermut,
Und Eigennutz den Freiheitshut,
      Und mancher Bube, reif zum Rad,
      Entweiht den Namen Demokrat;
Von Menschenrecht und Bürger-Pflicht
Schwätzt mancher viel und kennt sie nicht;
      Denn, wer von Freiheit schwätzen kann,
      Ist darum noch kein freier Mann.

Willkommen! wer die Menschheit liebt,
Wenn's gilt, für sie sein Leben gibt;
      Willkommen! wer mit edlem Mut
      Das Gute will und Gutes tut.
Willkommen! wer mit voller Kraft
Im Heiligtum der Wahrheit schafft;
      Nur der ist es, der sagen kann:
      Wohl mir, ich bin ein freier Mann!

Wohl mir, ich bin ein freier Mann!
Trotz jedem, der's nicht leiden kann,
      Trotz jedem Schuften, jedem Tor'n,
      Und sei er noch so hoch gebor'n,
Und sei er Bischof oder Graf,
Sei er auch König oder Sklav.
      Wohl mir, daß ich es sagen kann:
      Wohl mir, ich bin ein freier Mann!

73 ANONYM

Allgemeine Freiheit des 19ten Jahrhunderts
Eine prophetische Vision

Heil! Heil dir und Segen o Menschengeschlecht!
Dir nahen, im Bunde mit Wahrheit und Recht
Worauf wir uns lange schon freuten,
Die goldenen Zeiten. —

Sieh! Kronos entriegelt das eherne Tor;
Der Geist des Jahrhunderts tritt ernsthaft hervor,
Er donnert ein mächtiges: Werde —
Und frei ist die Erde.

Es schleudert die Rechte den flammenden Blitz
Auf zitternder Könige wankenden Sitz;
Sie stürzen. — Es fallen die Binden
Vom Auge der Blinden.

Die Linke trägt Fackel und Waage und Buch,
Symbole der Freiheit. Despotischer Trug,
Irrtum und fanatischer Glaube
Liegt vor ihm im Staube.

Er winkt. — Es sinken in Nacht und in Graus
Erschütterte Staaten. — Die Täuschung ist aus.
Hell sah' ich aus rauchenden Trümmern
Das Wahrheitslicht schimmern.

Wild tritt sein Fuß auf Zepter und Kron;
Fest steht er, der Zeiten herkulischer Sohn.
Ein Fels in grausen Gewittern
D'ran Wogen zersplittern.

Er gießt in Feigheit und Sklavensinn Mut.
Giftschäumender Hydern ohnmächtige Wut
Hilft nur mit eigenen Händen —
Sein Werk zu vollenden.

Vom goldenen Tagus zum stolzen Byzanz
Strahlt Wahrheit und Freiheit im herrlichsten Glanz,
Von Asiens Küsten hallts wieder:
Die Menschen sind Brüder.

Vergangen ist's Alte; und alles ist neu:
Zersprengt sind die Fesseln, der Sklave ist frei;
Er schämt sich der schimpflichen Bürde
Und fühlt — seine Würde. —

In Österreich, den süddeutschen Reichsstädten, Sachsen, Schlesien und anderen Gebieten des Reichs kam es immer wieder zu lokal begrenzten Unruhen. Die revolutionären Poeten deckten in ihren Versen die Mißwirtschaft der Privilegienordnung auf und wiesen auf das Vorbild des befreiten Frankreich hin.

74 FRANZ HEBENSTREIT VON STREITENFELD

»Eipeldauerlied«

Was denkts enk denn, daß gar so schreits
Und alles auf d' Franzosen?
Den Louis haben's köpft — Ja nun mich freuts
Er war schlecht bis in d' Hosen.

Heut hat er 'n Volk ein Eid geschworn
Morg'n hat er 'n wieder brochen.
D' Freiheit war ihm in d' Augen ein Dorn
S' Volk wollt er unterjochen.

Drum fort mit ihm zur Guillotin
Denn Blut für Blut muß fließen,
Hätt man nur a hier so a Maschin,
Müßt's mancher Großkopf büßen.

Schauts nur die Russisch Kathel an,
Die enk jetzt ist so heilig
Hat's nicht den Kaiser, ihren Mann,
Abg'setzt und g'mordt abscheulig?

Wann's Volk einmal eam nimmer mag,
So muß er stille sitzen:
Sonst trifft ihn halt der rechte Schlag
Wenn er muß's Blut verspritzen.

'S ist ja das Volk kein Arschpapier
Und darf auf sich wohl denken,
Wer halt nicht lernen will Manier,
Den Lümmel muß man henken.

Schaut's enker Kaiser Kind nur an,
Mit 'n Adel tut er's halten,

Der Ludwig hat's halt a so tan,
Drum haben's ihn ja nit g'halten.

Was tun's denn all die Herrn so groß,
Die ihr so hoch tut's heben,
Da spitzen's halt beim Weiberschoß
Und spiel'n mit enkern Leben.

So manches gutes Mutterkind
Hat elend sterben müssen,
Weil enker Franz, von Hoffart blind,
Will, daß d' Franzosen büßen.

Was geh'n ihn denn d' Franzosen an,
Dort hat er nichts zu kehren,
Wär er lieber hier ein rechter Mann
Und hielt enk fein in Ehren.

Enk, das heißt enk, die er nicht kennt,
Enk Trager, Schiffleut, Hauer,
Den, der 's Holz hackt, der d' Kohlen brennt,
Den Handwerksg'selln, den Bauer.

Denn sagt's mir's, ist im ganzen Land
Wer z'finden, der was macht,
Wenn er nit ist mit enk verwandt
Und nit mit enk veracht?

Wer nur a wenk an Titel hat,
Und heißt er nur ein Schreiber,
Der zerrt ihn schon beim Vetterndraht,
Als wie ein Bärentreiber.

Drum schlagt die Hundsleut alle tot
Nit langsam wie d' Franzosen,
Sonst machen s' enk noch tausend Not
'S ist nimmer auf sie z'losen.

75 ANONYM

Belagerung von Landau 1793

1. Seid lustig ihr Brüder, das Ding freut uns prächtig,
   Kronprinz wollt Landau haben und war es nicht mächtig,
   Er ließ ihm durch den Trompeter ansagen,
   Daß er die Festung das Landau wollt haben.

2. Der General aus Landau antwortet ihm darauf:
   »Wir geben die Festung das Landau nicht auf;
   Wir haben Kanonen, viel Pulver und Blei,
   Und dann auch gute Patrioten dabei!«

3. »Ihr seid Patrioten, ich Kronprinz von Preußen,
   Ich und General Rüchel, wir werdens euch weisen,
   Daß ihr müßt geben die Festung jetzt auf
   Und als Kriegsgefangne aus Landau heraus!«

4. »Wir tun uns nicht ergeben, wir wollen kein König,
   Wir lieben die Freiheit und fürchten uns wenig,
   Und wann schon die ganze Stadt liegt in der Asche,
   Wann nur das Schnupftuch nicht brennt in der Tasche!«

5. »Glaubt ihr Franzosen, wir müssen retirieren,
   Weil ihr Prinz Louis bei Mainz habt blessiert!
   Glaubt nur, solang das Blut in uns tut wallen,
   So müssen auch alle Kanonen frisch knallen!«

6. »Was helfen Kanonen, wir haben auch Mauren!
   Wir sitzen in Kasematten und könnens ausdauren!
   Wir haben Fleisch, Brot, Bier und auch Wein!
   Die Tor' sind verschlossen, darf niemand herein!«

7. »So haut auf die Lunten und laßt einmal knallen,
   Laßt Bommen, Haubitzen und Kugeln neinfallen,
   Damit, die drinnen sein, in Gewölber rennen,
   Darauf sie dann sprechen: ›Wir müssen verbrennen!‹«

8. »Ihr wollt uns aushungern, wie kommt ihr dazu,
   Ihr habt nur sechs Kreuzer und wir 15 Sous!
   Wir hören Kanonen und haben kein Bang,
   Marschiert nur nach Preußen und wartet nicht lang!

9. Kronprinz von Preußen, was bildst du dir ein,
   Daß du die Festung Landau willst nehmen ein;
   Warte nur kurze Zeit, wies wird dir ergehen,
   Wenn all deine Soldaten wirst draufgehen sehen!«

Bekanntmachung an alle Brüder

1. Der Tag des Schreckens naht sich schon,
   Da Nürnbergs Mauern zittern.
   Weil uns die Brut der Großen nur
   Mit Hohn und Spott tut wittern,
   So wollen wir die ganze Rott'
   Mit Hohn und Schimpf und Schand' und Spott
   Halb sengen, rädern, braten,
   Euch, ihr hochherrlichen Gnaden!

2. Dies ist ein großer Jubeltag
   Für uns, ihr lieben Brüder!
   An diesen hebt sich unsre Klag',
   Und wir erhalten wieder
   Die Freiheit übers Waisenhaus
   Und rotten die Beamten aus,
   Der Umgelder muß brennen
   Und die Beamten hängen.

3. Das Tuchhaus wird ganz ausgerott',
   Die Deputierten braten.
   Die ganze Welt hat keinen Ort,
   Wo so viel Advokaten,
   Beamte, Schreiber und dies G'schmeiß
   Von armen Bürgern ihren Schweiß
   Tun huren, fressen, saufen
   Und in d' Komödie laufen.

4. Euch Große trifft nicht bloß das Los,
   Es trifft auch euch Beamte;
   Sechs sitzen schon in unsern Schoß,
   Die in den Lüften pampeln.
   Der erste soll der Kühnlein sein,
   Den Häßler in die Mitt' hinein,
   Beim Sörgel steht das Kleeblatt an,
   Dann hängen die größten Schurken dran.

5. Die andern drei von dieser Art,
   Die wollen wir nicht nennen;
   Es kennt sie jeder an dem Bart,
   Wenn sie an Pfählen hängen.
   Und dieses bleibt so fest und gut,
   Als Gottes Allmacht an uns tut,

Der uns gibt Brot und Segen
Und Hitz' und Frost und Regen.

6. Was hilft uns Segens Überfluß
Von unsern großen Vater,
Wenn uns der Wuchrer den Genuß
Nicht zuläßt! Ach Berater,
Rüst unsern Arm mit Stärke aus,
Daß wir die Bluthund' rotten aus,
Und keinen nicht verschone,
Den Vater mit dem Sohne!

7. Dies ist der Wunsch der ganzen Stadt
Und auch vom ganzen Lande;
Doch alles ein schönes Ende hat
In unserm Vaterlande.
Die Beamten schmeißen wir hinab,
Die Großen finden g'wiß ihr Grab,
Und die Verwalter henken;
Auch triff's euch Konsulenten.

8. Noch eins, ihr Brüder, müssen wir
Der ganzen Welt entdecken,
Was vor infame Schurken hier
Unter den Bäcken stecken.
Die jüngern Meister waren klug,
Die alten trifft auch unser Fluch,
Und alle Donnerwetter
Werden sie in Stück' zerschmettern.

9. Ihr Dummheit in der Laufergaß'
Und noch mehr seinesgleichen,
Die kriegten auf der Herberg' was,
Vielleicht waren 's gar Ohrfeigen;
Die jungen Meister schrien laut:
Wir geben nichts mehr aufs Tuchhaus!
Halt 's Maul, ihr jungen Fratzen,
Man tut nur weg sechs Batzen!

10. Potztausend! Freund' und Brüder, hört,
Das Best' hätt'n wir vergessen:
Die Brauer, unsre größten Dieb',
Nach ihren Wert zu messen.
Der Ochse, der hat keine Pflicht,
Und sie verschont der Strang auch nicht,
Weil sie nur Wasser färben,
Uns Bürgern zum Verderben.

11. Den Jordan und den Hörntlein,
Die hört' ich kürzlich schwatzen:
»Weiß Gott, die Maß wär' 'zahlt genug
Vor einen halben Batzen!
Allein die Deputation,
Die trägt den größten B'such davon,
Und Herr Kolleg', wir spicken
Die Beutel zum Entzücken.«

12. Nun, Brüder, hört, wie kann's mehr sein,
Daß einer mehr kann leben?
Man tut uns vor das viele Geld
Nur Dreck und Wasser geben.
Das macht die große Adelsbrut,
Die Deputations-Höllenglut,
Die vielen Pflastertreter,
Die Pfaffenrott' und Verräter!

13. Der Fleischerzunft und Metzgerbrut,
Der müssen wir gedenken;
Wie schön die Herren anzusehn,
Wenn sie am Pranger henken!
Die setzen unsre Stadt in Not,
Der Teufel schlag die Fleischer tot,
Die Deputierten daneben,
Dann wird 's wohlfeil Fleisch geben!

14. Eher, Brüder, wird 's hier nicht Fried',
Bis wir uns alle rühren
Und allen Schurken, groß und klein,
Die Hälse derb zuschnüren.
Dann, Menschenfeinde, gute Nacht!
Euch Pfragner hat man auch bedacht,
Ihr tut die Armen schinden;
Man wird euch Wuchrer finden!

15. Nun freut euch, Brüder, freut euch sehr!
Ich freu' mich mit euch allen,
Wie wir der Rott', der Schurken Heer
Die Köpfe wollen z'knallen!
Die Böden werden aufgesprengt,
Die Kornjuden drüber g'henkt,
Und trifft's auch einen Pfaffen,
Kann er am Strang einschlafen.

16. Nun auf, ihr Brüder, merket auf,
    Die Lärmenstangen stecken!
    Wenn euch der Trommelschlag weckt auf,
    Tut eure Hand ausstrecken
    Und greift zuerst den Löffelholz,
    Den Bürgerfeind, den Hagestolz;
    Den Bluthund Scheuerl presset,
    Den Gugel nicht vergesset!

17. In einigen Tagen bricht sie aus,
    Die große Feuerflamme!
    Dann ziehn wir mit Kanonen aus
    Und rotten uns zusammen
    Und hauen, stechen, schießen drein,
    Kein Schurke soll nicht sicher sein!
    Die Redlichen im Lande
    Schützt Gottes Vaterhande!

18. Nun wißt ihr alle, liebe Freund',
    Bekannte und unbekannte,
    Wie gut der Groß' und G'nannt' es meint
    In der Stadt und auf dem Lande.
    Nun greifet alle, alle zu,
    Laßt keinen solchen Dieb in Ruh'!
    Wann ihr wollt Freiheit haben,
    Müßt ihr die Rott' begraben.

19. Noch drei von dieser großen Brut
    Muß man auch hier gedenken;
    Die wollen wir nicht wie andre Dieb'
    Hin vor das Rathaus henken;
    Die müssen in den Galgen 'nein,
    Dort soll ihr Leichbegängnis sein;
    Und ein'ge auf die Räder,
    Das sind gute Flaumenbetter.

20. Das Katzeng'sicht an dem Krebsstock,
    Der Flegel aller Väter,
    Der Imhof mit sein' Ochsenkopf,
    Der faule Pflastertreter,
    Der Bösewicht im Unschlitthaus,
    Der tut die Stadt sehr kränken;
    Die drei, die sollen ganz allein
    Im Galgen schön drin henken!

21. Nun ist's genug, ihr Brüder, hört!
Ich will jetzunder schließen:
Versammlet euch in großer Zahl,
Sobald ihr höret schießen!
Dann ihr wißt, was der Schuß bedeut',
Dann, Brüder, wißt, wir sind bereit,
Zu fechten und zu sterben
Und Gottes Reich ererben.

77 ANONYM

An Ulms Bürger

Der Bürger ist der erste Mann im Staate,
Und keinen Vorzug hat der Mann im Rate,
Als Bürger sind wir alle gleich.
Ja dem, der stolz und blähend sich will heben,
Dem muß man deutlich zu verstehen geben,
Er sei der erste Tor im Teutschen Reich.

Notwendig jedem Staate sind Gesetze,
Und Strafe dem, der eines nur verletze;
Doch fordert auch die Billigkeit,
Daß jeder Bürger wisse, wo er fehle,
Daß man nicht die Gesetze ihm verhehle
Und strafe nur nach Gunst und Eigenheit.

Reichsstädte sollen Republiken heißen,
Doch kann man mehrere durchreisen,
In denen Despotie nur herrscht.
Wo gar Patrizier sich eingedrungen,
Da ist Republikanersinn verdrungen,
Da ist's fürwahr, wo Despotie nur herrscht.

Ach, eine Republik, und die Regierung
Ganz unumschränkt, und die Finanzenführung
Ganz in der Hand des Magistrats,
Der selbst sich wählt, der Jünglinge ernennet,
In denen Wildheit nur, nicht Patriotismus brennet,
Zu Gliedern eines hohen weisen Rats.

Ein Rat, besetzt von manchen Blutsverwandten,
Von Vätern, Söhnen, Schwägern und Bekannten;
Und diesen allen nur allein

Die ersten Stellen stehen im Rat offen.
Kann da Gerechtigkeit der Bürger hoffen?
Kann da der Bürger ruhig, sorglos sein?

Zwar sitzen Bürger auch dabei im Rate,
Doch werden sie gewählt vom Magistrate,
Und dieser wählt, wir Bürger nicht.
Die Zünfte sollen erst zum Rate wählen,
Dann dürfte man auf tücht'ge Männer zählen,
Weil keiner eine ganze Zunft besticht.

So steht's in Ulm und so in andern Städten,
Die reichsfrei sind, das heißt nur frei von Ketten,
Doch sonst zur Sklaverei verbannt,
Gebeugt ins Joch der Konstitutionen,
Beherrscht von stolzen Magistratspersonen
Und doch dabei, o Glück! reichsfrei genannt.

Von unserm Lande sind viel Waldungen verschwunden,
Und Magistrat hat's nicht für gut gefunden,
Laut Schwörbrief seiner Bürgerschaft
Nach Pflicht und Recht die Kund' davon zu geben.
Es trug wohl ein, auch Wain hinwegzugeben
Ohn' Wissen ihrer Bürgerschaft.

Hochwicht'ge Sachen ohne alle Frage
Sind Krieg und Teurung, deren harte Plage
Den Bürger stets aufs härtste drückt.
Doch schickt man Truppen fürstengleich zu Felde,
Schließt Waffenstillstand mit dem baren Gelde
Des Landmanns, unbefragt, der stumm sich bückt.

Im Lauf des Kriegs, umringt von zwo Armeen,
Muß die Quartierslast täglich sich erhöhen;
Wie ging es da dem armen Mann?
Wurd' der, der in der niedern Hütte wohnet,
Vor dem, der im Palaste haust, verschonet?
Schlug man des Bürgers innre Kräfte an?

Nein! Trotz dem Bitten, Klagen, Suchen, Flehen
Der Deputierten muß man wüten sehen
Die Allgewalt des Magistrats.
Man suchte nicht, die Lasten auszugleichen,
Man gab dem Armen gleich viel wie dem Reichen,
Denn reich sind auch die großen Herren des Rats.

Man kämpft vier Jahre schon im langsamen Prozesse
Mit dem Magistrat; kein Bürgersohn vergesse,
Was dieser Kampf gekostet hat;
Vergesse nicht die Wut des Magistrates,
Die niedre Schleiche des geheimen Rates,
Der schändlich uns in Wien verleumdet hat.

O Muse, schweige von den vielen derlei Plagen,
Die unsre Väter schon mit Gram getragen
Durch die reichsstädt'sche Despotie.
Sing lieber uns noch hoffnungsvolle Lieder,
Vereine uns als Bürger und als Brüder
Zur reinen reichsstädt'schen Demokratie.

Blick, Kaiser, nieder von dem hohen Throne,
Erfahre bald, in dunklen Mauern wohne
Ein Häuflein Bürger sehr gedrückt.
Es flehet zu dem schützenden Monarchen:
Befreie es von seinen Oligarchen!
Dann dankt es dir und ist beglückt.

Kongreß in Rastatt! Du wirst hintergangen.
Man schickt Gesandte, die von dir verlangen
Mit kriechend schmeichelndem Besuch:
Der Konstitutionen fernre Dauer;
Es wünsche sie der Bürger und der Bauer.
Der Lüge! — Beide geben ihr den Fluch.

78 ANONYM

Republikanischer Bruderkuß
im ersten Jahre deutscher Freiheit

Allen wahren Demokraten
Naher und entfernter Staaten
Freiheit, Gleichheit, Brüderschaft!
Friede freien Nationen!
Krieg den Zeptern und den Kronen,
Die die Völker frevelhaft
Um ihr Recht und Freiheit bringen
Und des Landes Mark verschlingen!
Krieg der stolzen Adelschaft,

Die den Landmann und den Bürger
Für gekrönte Menschenwürger
Und für sich als Lastvieh braucht!
Krieg und ewige Bataille
Jeder heuchelnden Kanaille,
Die ihr Gift in Honig taucht,
Wenn sie, ohne zu erröten,
Gar zum göttlichen Propheten
Sich mit stolzer Keckheit lügt
Und, um die Vernunft zu töten,
Uns mit heil'gen Fabelreden
Schon von Jugend auf betrügt;
Die, um uns ins Netz zu locken,
Uns im Himmel fette Brocken
Unter Sing und Sang verheißt
Und dabei uns dummen Tröpfen
Aus den wohlgefüllten Töpfen
(Eh wir noch das Fett abschöpfen)
Suppe, Fleisch und Kohl entreißt!
Hochgeschätzt sei jeder echte
Tugendfreund, der Menschenrechte
Heilig hält und für sie ficht!
Sei's mit Degen oder Federn,
Sei's im Feld, sei's auf Kathedern:
G'nug, wenn er nur Menschenpflicht
Lehrt und übt und sie verteidigt
Und dem frechen Bösewicht,
Der der Menschheit Recht beleidigt,
Eine derbe Peitsche flicht!
Heil und Frieden endlich allen
Unsern braven Brüdern, die
Schon für uns im Streit gefallen!
Ew'ger Lorbeer kröne sie
Dort, wo vor dem Herrn der Welten
Stern und Ordensband nichts gelten,
Sondern Wahrheit nur und Recht!
Auf dann, Franken! Bayern! Schwaben! Füllt die Gläser
Mit dem besten Traubensaft!
Trinkt aufs Weh der Ohrenbläser
Einer jeden Völkerschaft!
Tod und Feindschaft den Neronen!
Allen braven Nationen
Freiheit, Gleichheit, Brüderschaft!!

Sehnsucht

Freiheit in der Hütte —
Sei sie noch so klein —
Läßt mit jedem Tritte
Uns des Lebens freun.

Ach! ich wünsche wenig,
Und doch wär' ich dann
Mehr als Fürst und König,
Wär' ein freier Mann.

Dürfte nicht mehr fronen,
Und der Arbeit Preis
Würde mich nur lohnen:
Mein wär' aller Fleiß.

Für den Hof und Pfaffen,
Die sich müde ruhn,
Essen, trinken, schlafen
Und nur Böses tun —

Adel und Mätressen
Und das Hofgeschmeiß,
Die das Mark uns fressen,
Flösse nicht mein Schweiß.

Schicket Gott mir Kinder,
Hab ich Freude dran,
Die mir itzt wie Rinder
Max verkaufen kann.

Mein ist, was ich habe,
Und in Freiheit mein;
Kann mich jeder Gabe
Sorg- und truglos freun.

Ach! ihr guten Franken!
Macht uns Bayern frei!
Bayern wird euch danken,
Los der Sklaverei.

Schützt durch eure Waffen
(Gerne stehn wir bei)

Uns für Hof und Pfaffen,
Östreichs Tyrannei.

Wir sind keine Tiere,
Sklaven wert zu sein;
Trotz dem braunen Biere
Geht uns auch was ein.

Bald sollt ihr ihn sehen,
Wenn wir uns bemühn,
Auch in Bayern stehen
Euern Baum und blühn.

80 ANONYM

Die Bayern an die Neufranken

1.

Wir freuten uns recht sehr auf euch,
Das konntet ihr wohl sehen;
Denn alt und jung und arm und reich
Blieb staunend vor euch stehen.
Wir sahn euch froh ins Angesicht,
Ihr unerschrocknen Sieger!
Doch solche Leute sahn wir nicht.

2.

Solch Feuer in den Augen nicht
Und nicht die Heldenmiene,
Die schon von ferne Sieg verspricht,
So mutig und so kühne.
Ja, wohl versprach sich jedermann,
Der gut und edel dachte,
Das Glücke, das uns lachte
Und auch gegeben werden kann.

3.

Seht auf den armen Bauer hin,
Der euer Mitleid fodert;
Er flucht dem Fürsten, höret ihn;
Sein Rachefeuer lodert.
Ach! er verkaufte seinen Sohn,

Er nahm ihm seine Knechte,
Verletzte seine Rechte
Und lachet dem Gekränkten Hohn.

4.

Wenn dies nun euer Mitleid regt
(Das muß es doch wohl regen,
Denn euer Herz wird leicht bewegt),
Sollt ihr zu Ruh' euch legen,
Eh ihr die Ketten losgemacht,
Die unsern Nacken drücken,
Uns hindern aufzublicken,
Eh uns der Freiheit Glücke lacht?

5.

Ihr geht itzt Waffenstillstand ein —
Ihr hemmet eure Siege?
Zum Henker, sagt, was soll das sein!
Das Ende aller Kriege?
Genügen euch die Lorbeer schon?
Wünscht ihr, des Siegens müde,
Euch endlich Ruh' und Friede
Zu eurer Heldentaten Lohn?

6.

Das wäre nun schon alles gut,
Ihr sollet Ruh' genießen
Und euer edles, teures Blut
Nicht alles doch vergießen;
Allein des Friedens Ölzweig wird
Euch wenig Früchte tragen,
Sie werden abgeschlagen,
Sobald man wieder Kräfte spürt.

7.

Ihr Helden, auf! Zum Kampfe fort!
Ihr habt gerechte Sache.
Geht! Rächet den Gesandtenmord!
Er fodert eure Rache.
Demütigt Wien, zersört das Reich,
Das alles Übel schickte,
Solang es ihm nur glückte,
Auf uns, wie allbekannt, und euch.

8.

Entreißt den ungerechten Raub
Gesalbten Räuberbanden;
Verbrennt die Adler all zu Staub,
Und reißt sie von den Wänden!
Verteilet Habsburgs Hurenlohn —
Tirol und Böhmen, Kärnten!
Und Bayern soll nun ernten
Für sich, nicht für des Kaisers Thron.

9.

Und dann versprach uns Decaens Ruhm
An seiner Truppen Spitze,
Daß er Person und Eigentum
Und Freiheit uns beschütze.
Und soll er sein Versprechen nicht
Auch halten und erfüllen
Und unsre Sehnsucht stillen,
Die laut zu seinem Herzen spricht?

10.

Ja wahrlich — ja bei Gott! das hieß'
Sich wirklich schlecht beschützen,
Wenn man uns andern überließ,
Sobald wir nimmer nützen.
Da kömmt das Ungeheuer dann,
Wenn ihr von hinnen gehet
Und euer Geist verwehet,
Wo keiner frei sich nennen kann.

11.

Es kömmt die Inquisition,
Zieht seinen stolzen Wagen;
Der euch itzt liebet, muß davon;
Wir sind dann ganz geschlagen.
Und da sein Thron einmal gewankt,
So schmied't es neue Ketten,
Die Despotie zu retten,
Der es sein glänzend Dasein dankt.

12.

Der Bayer, von der Pfaffenbrut
Von jeher auferzogen,
Ist abergläubisch, aber gut
Und wird euch erst gewogen,

Wenn er das alles wirklich fühlt
In seinen Wiesen, Feldern,
Zu Haus und in den Wäldern,
Was aus der Freiheit Füllhorn quillt.

13.

Gebt uns die Konstitution,
Die euch so sehr beglücket:
Wir jubeln bald, wenngleich nicht schon
Im Anfang hoch entzücket.
Der Bayer ist ein Biedermann,
Der euer Glück verdienet
Und, wenn es einmal grünet,
Auch grünend es erhalten kann.

14.

Er ist nun satt der Sklaverei,
Des Adels und der Pfaffen
Und hasset jede Schurkerei
Der goldgestickten Laffen.
Er flucht Ministers Montgelas Macht
Und Englands Blutguineen,
Die seines Hauses Wehen
Bis auf den höchsten Grad gebracht.

15.

Er haßt die niedre Schmeichlerzunft,
Die um den Thron sich dränget;
In die sich Törrings Unvernunft
Auch kürzlich eingezwänget.
Er schrieb ein Wort an Herz und Ohr
Und riet es seinem Fürsten,
Nach Menschenblut zu dürsten,
Sei mehr itzt nötig als zuvor.

16.

Entfernet uns die Schurkenschar,
Die unsern Schweiß verzehret
Und nach Belieben immerdar,
Was sie nur will, begehret.
Der Doktor Observantius
Soll itzt gestürzet werden;
Er war genug auf Erden,
Daß er doch einmal sterben muß!

17.
Und konnte Mailand Buonapart'
Republikanisieren,
Kann Moreau ja auf gleiche Art
Den Wunsch realisieren:
Zu stiften eine Republik
Aus Bayern, Schwaben, Franken.
Was wären dies für Schranken
Für Frankreich — und für uns welch Glück!

18.
Ich weiß, daß Freiheit hier gedeiht;
Der Deutsche hat nicht minder
Aufklärung, Mut und Tapferkeit
Als Cisalpinerkinder.
Der Deutsche ist in allem Mann;
Hat vieles selbst erfunden
Und seinen Geist entbunden,
Daß jener lang noch lernen kann.

19.
Ja Moreau soll nicht eher ruhn,
Soll uns dies Glück vergönnen.
Das soll er — ja, das wird er tun,
Um seinen Ruhm zu krönen.
Dann sind wir glücklich, sind wir reich;
Man nennt uns Transrhenaner,
Nennt uns Republikaner;
Wir jubeln hoch und segnen euch!

X Echo der Französischen Revolution und deutsche Revolutionsfeiern

Seit Beginn der Revolution fanden alle wichtigen Ereignisse Frankreichs regen Widerhall in Deutschland. Die französischen Revolutionsfeste wurden laut dem neuen Kalender von den deutschen Jakobinern gefeiert. 1798 wurde die revolutionäre Zeitrechnung offiziell in den vier Departements des Rheinlandes eingeführt. Gedichte und Lieder erinnerten bei den Revolutionsfeiern an die großen Tage der Revolution.

81 Eulogius Schneider

Den 21. d. M. morgens nach 10 Uhr wurde Ludwig Kapet zu Paris auf dem Platze der Revolution, zwischen dem Fußgestelle der abgebrochenen Bildsäule seines Großvaters und den elysäischen Feldern hingerichtet

Es sterbe der Tyrann, der Volksverräter!
So sprach der hohe Rat der Nation.
Vernehmet es, gekrönte Missetäter!
Und zittert auf dem blutbespritzten Thron!

So senkt sich auf die Häupter der Verbrecher
Das Schwert der ewigen Gerechtigkeit.
So findet stets die Unschuld ihren Rächer,
So handelt Gott, wenn Blut um Rache schreit.

Ha! wer vermag dem Zorne zu entgehen,
Den Gott dem Meineid und dem Morde schwur?
Was ist der Mensch? wie kann er widerstehen
Dem hohen Allbeherrscher der Natur?

82 Hans von Held

Hymnus an J. J. Rousseau

Gesungen von den Franzosen bei Versetzung seiner Asche in das Pantheon zu Paris, am 11. Oktober 1794. Aus dem Französischen übersetzt, nach der Melodie: Freude, schöner Götterfunke

Die Väter und Mütter

Du, der die Naturgesetze
Aus der Vorurteile Nacht,

Diese lang verkannten Schätze,
Im Emil an's Licht gebracht:
O begeistre Frankreichs Jugend
Zu der Gleichheit Bürgertugend,
Die das Vaterland dir weiht,
Zu der Freiheit, Sittlichkeit!

Chor

Rousseau! Edelster der Weisen!
Freund der Menschheit, sieh' herab!
Dankbar treten um dein Grab
Freie Menschen, die dich preisen.

Die Repräsentanten des französischen Volkes

Deine Hand zerriß den Schleier,
Der die Menschheit längst entweiht —
Und der Freiheit helles Feuer
Brach durch die Vergessenheit.
Dies dein Buch vom Menschenbunde*
Wird zum Speer der Nation;
Tödlich ward dem Stolz die Wunde —
Es erbaut der Gleichheit Thron.

Chor

Rousseau! Edelster der Weisen!
Unser Schutzgeist, sieh' herab!
Dankbar stehen um dein Grab
Deine Franken, dich zu preisen.

Die Knaben und Mädchen

Du, gesandt, die Welt zu retten
Aus dem Druck' der Sklaverei,
Machtest auch von seinen Ketten
Unsers Daseins Frühling frei.
O! vernimm die Huldigungen
Kindlicher Erkenntlichkeit!
Liebend lallen unsre Zungen:
Rousseau hat auch uns befreit!

---

* Rousseau's contract social, wovon ein Exemplar
vor dem Zuge hergetragen wurde.

Chor

Rousseau! Edelster der Weisen!
    Freund der Tugend, sieh' herab!
    Blumen streuen auf dein Grab
Frohe Kinder, die dich preisen.

Die Abgesandten aus Genf

Mann von Geist und reinem Herzen!
    Hier um deinen Aschenkrug
Pflanzt auch Genf der Freiheit Kerzen,
    Das, gleich dir, einst Fesseln trug.
Hier, verbrüdert mit den Franken,
    Weht des freien Genfs Panier;
Jauchzend eilt es, dir zu danken,
    Seinem liebsten Sohne — dir!

Chor

Rousseau! Edelster der Weisen!
    Held der Wahrheit*, sieh' herab!
    Stolz auf dich, steh'n um dein Grab
Deine Brüder, die dich preisen.

Die jungen Bürger und Bürgerinnen

Du bist hin! — doch ewig beben
    Wird vor dir die Tyrannei.
Du, Erlöser! du wirst leben
    Durch der Jahre lange Reih'.
Frankreich, um dir zu vergelten,
    Daß durch dich sein Schlummer brach,
Kränzt im Namen beider Welten
    Deinen heil'gen Sarkophag.

Chor

Rousseau! Erster aller Weisen!
    Großer Kämpfer, sieh' herab!
    Dankend wallen um dein Grab
Freie Völker, die dich preisen.

* Rousseau's Wahlspruch: Vitam impendero vero.

Gesang für das Fest des 1sten Vendemiaire 7 (22. Sept. 1798)
Von dem Bürger L. F. Melsheimer

Melodie: Amis laissons là l'histoire

Öde trauerten die Fluren,
    Schweigend harrte die Natur
Und Europa's Mächte schwuren
    Der Zernichtung ernsten Schwur
        Den Millionen,
        Die die Freiheit neu gebar,
        Die um ihren Bund'saltar
Unter ihrem Schatten wohnen.

Rauschend wie empörte Meere,
    Mord und Raub in jedem Zug,
Wogten der Verschwornen Heere —
    Aber ihre Stunde schlug.
        Auf tausend Leichen
        Flohen sie in wilder Eil',
        Fanden fliehend nur ihr Heil
Statt erträumter Lorbeerzweigen.

Um der Neugebornen Wiege
    Tobte der Verräter Wut,
Aber Waffenglück und Siege
    Schmückten ihren Freiheitshut,
        Und Heldentaten —
        Kinder edler Freiheitsglut —
        Stürzten jene Höllenbrut
Und erschütterten die Staaten.

Und den Thronen der Despoten,
    Ihnen, die von Zorn entbrannt,
Uns erst zu zermalmen drohten,
    Droht nun mit geballter Hand
        Der Völker Rache,
        Und der bess're Teil der Welt
        Kämpft und siegt und steht und fällt,
Opfer für der Freiheit Sache.

Große Nationen schwören
    Freiheit — Gleichheit — Menschenrecht! —
Daß es ferne Zonen hören

Niemand's Herr und Niemand's Knecht!
Ist Weisheits-Lehre,
Zeitgeist. — Euch Tyrannen droht
Diese Lehre Fluch und Tod —
Euch und eurem Sklavenheere!

Zwar noch krümmt in Todeskämpfen
Die zertret'ne Natter sich,
Doch in Zuckungen und Krämpfen
Nur dem Schwachen fürchterlich.
Die Schlangenhaare
Sträubend, wälzt die Despotie
Sich noch röchelnd — bald liegt sie
Kalt und modernd auf der Bahre.

Ah! dann heilt die tiefe Wunde,
Die Gewalt und Pfaffentrug,
Auf des Erdballs weitem Runde
Der mißbrauchten Menschheit schlug.
Die Feierstunde
Kommt dann, die von Pol zu Pol
Alle Völker sammeln soll
Zu dem großen Brüderbunde.

Schreiten wir nur schnell und bieder,
Den Gesetzen untertan,
Und im Geist der Freiheitslieder
Auf der Wahrheit Sonnenbahn —
So stürzen nieder
Täuschung, Irrwahn, Truggestalt,
Und die weite Sphäre hallt
Von dem Ruf der Freiheit wieder.

84   JOHANN JAKOB STAMMEL

*Zweites Lied
auf die Hinrichtung des Königs*

(Nach der so beliebten Melodie: »Au bruit des Canons« etc.)

Chor

Es stürze Thron und Kron'!
Und nur gerechter Lohn
Müß' jedem Frevler werden,

Der taub für Recht und Pflicht,
Der Volksverträge bricht,
Der Gott sich dünkt auf Erden!

Er sinke tief von seiner Höh',
Um die sich lagern Ach und Weh!
Ihn fasse des Gesetzes Hand!
Ihm werde nie ein Vaterland!

> Es stürze Thron und Kron'! u. s. w.

Und söhnt ihn nur ein Blutgericht,
Das ihm des Volkes Wille spricht,
Er blute! — traurig, daß nur Blut
Noch kühlen muß des Lasters Wut.

> Es stürze Thron und Kron'! u. s. w.

Vernimm, o Vater der Natur!
Vernimm den großen heil'gen Schwur:
Wir schwören Haß der Fürstenzunft:
Nur uns gebietet die Vernunft.

> Es stürze Thron und Kron'! u. s. w.

Zerstöre auch der Dummheit Reich!
Mach' deine Kinder frei und gleich!
Laß sie den großen Bund erneu'n,
Stets *weise* und stets *gut* zu sein.

> Es stürze Thron und Kron'! u. s. w.

Und steht ein andrer *Kapet* auf,
Dann ende baldigst seinen Lauf!
Dann stähle unsern Arm mit Kraft,
Der den Erdrücker niederrafft!

> Es stürze Thron und Kron'! u. s. w.

Verbanne jede Tyrannei
Des Geistes und der heil'gen Weih'!
Laß schwinden jeden frommen Wahn!
Schließ deine Priester an uns an!

> Es stürze Thron und Kron'! u. s. w.

Gib Ruh' dem ganzen Erdenball!
Schenk' Freiheit auch dem Weltenall!

Ergänze das zerriss'ne Band
Der Bruderlieb' mit Vaterhand.

> Es stürze Thron und Kron'! u. s. w.

Dann machen wir mit frohem Mund
Den späten Enkeln es noch kund,
Daß du nach deinem weisen Plan
An Völkern Großes hast getan.

> Es stürze Thron und Kron'! u. s. w.

Drum Brüder! hebt den Rundgesang,
Und ruft bei frohem Becherklang:
Es lebe jeder *freie* Mann,
Der kühn den Fürsten trotzen kann!

> Es stürze Thron und Kron'! u. s. w.

Es lebe jeder deutsche Mann,
Der bald, wie wir, auch jauchzen kann:
Triumph! zerbrochen ist das Joch,
Das unsern Nacken sklavisch bog!

> Es stürze Thron und Kron'! u. s. w.

Triumph! der Erdenhalbgott liegt!
Vernunft und Wahrheit hat gesiegt!
Bald tönt's vom fernen Norden her:
Wir brauchen keine Fürsten mehr!

> Es stürze Thron und Kron'! u. s. w.

85 GOTTFRIED JAKOB SCHALLER

Am Feste der Thronesumstürzung

Triumph! Triumph! der Tag ist da,
Der einst die Franken siegen sah
    Und ihren Dränger fallen.
Laß't heut im hohen Feierklang
Des schönen Festes Hochgesang
    Durch alle Welt erschallen.

Geschleudert ward der letzte Blitz
Heut' aus des Thrones morschem Sitz

Von unserm Aftergotte.
Schon strömt umher der Brüder Blut.
Gott aber stählte sie mit Mut
  Da fiel die Meuterrotte;

Da fielen — Heil dem hehren Tag! —
Durch einen kühnen Riesenschlag
  Der Unterjochten Bande;
Es fiel das stolze Königtum,
Erlöst ward, zu der Menschheit Ruhm!
  Das Volk vom Sklavenstande.

Und aus der Gottheit heil'gem Schoß'
Stieg — herrlich ist nun unser Los! —
  Zu uns die Freiheit nieder,
Und lehrt' uns, was kein Fürstenknecht,
Kein König kennt, der Menschheit Recht
  Und Menschengleichheit wieder.

Triumph! Triumph! die Freiheit siegt!
Wenn auch von aller Welt bekriegt,
  Wird sie nie unterliegen.
Nicht wir allein — schon manches Land
Erhub sich aus dem Sklavenstand,
  Preis Gott und unsern Siegen.

Triumph! Triumph! — Bald wird dies Fest
In Nord und Süd, in Ost und West,
  Wer Mensch ist, mitbegehen,
Und, durch den ganzen Erdenball,
Zu Land und See ... allüberall
  Der Freiheit Wimpel wehen!

86 KARL HADERMANN

Gesang für den 10ten Thermidor
Melodie: Was will die freche Sklavenschar usw.
Von dem Bürger Hadermann

Wohl uns, wir singen fesselfrei,
Wir singen frei und hochentzückt!
Wir schwören Haß der Tyrannei,
Die weiland nieder uns gedrückt.

Seht wie nach trüber Nacht
Schimmernd die Freiheit lacht;
Laßt die Göttin uns verehren:
Seht sie siegt, seht sie siegt!
Tyrannei wollt' es uns wehren,
Und erliegt, sie erliegt!

Es war einmal am linken Rhein
Gar eine böse, schlimme Zeit,
Wo unsre Frucht, wo unser Wein
Durchlaucht'ge Mägen nur erfreut.
Wohl uns, sie ist vorbei!
Wohl uns, wir sind nun frei.
Seht der Freiheit Fahnen blinken
Längs dem Rhein, längs dem Rhein
Laßt uns jubeln, laßt uns trinken
Selbst den Wein, unsern Wein!

Es war einmal nicht gut zu sein
Wo man jetzt Jubellieder hört;
Des Zepters Glanz, der Heil'gen Schein
Hat uns, Gott weiß es, wie betört.
Wohl uns, aus langer Nacht
Sind wir nun aufgewacht!
Seht, der Freiheit holde Sonne
Geht hervor, geht hervor;
Licht des Segens und der Wonne,
Steig' empor, steig' empor!

Es war einmal ein schlimmes Ding
Ein Schäfchen bei dem Wolf zu sein,
Der nach Belieben Schäfchen fing,
Und wir, wir sollten uns kastein.
War so ein eignes Recht
Für den ergebnen Knecht.
Wollen's länger nicht so halten,
Wie es war, wie es war;
Recht und Freiheit sollen schalten
Immerdar, immerdar!

Die Freiheit hebt des Menschen Brust,
Zum Staube drückt die Tyrannei;
Der Menschenwürde sich bewußt,
Entblühen Völker, groß und frei.
Wohl dem, der sagen kann:

Ich bin ein freier Mann!
Sklaven mögen feige beben
Dem Tyrann, dem Tyrann;
Freiheit, Menschenwürde heben
Himmelan, himmelan!

87   Eulogius Schneider

Am zehnten August 1793

Er kömmt, er kömmt der große Befreiungstag:
Der jüngste Tag der Fürsten und Könige!
    Auf! grüßet ihn mit Jubelliedern,
    Franken, und huldiget eurer Göttin!

Der Göttin, die zum Kampfe für's Vaterland
Euch ruft, zum süßen Kampfe für's Vaterland.
    Der Göttin, die euch winkt zum Siege,
    Huldiget, Franken, der Göttin *Freiheit!*

An diesem Tage stürzte vom güldnen Thron
Das Ungeheuer Kapet, zerbrochen ward
    Der Zepter zu des Volkes Füßen,
    Niedergetreten die Herrscherkrone.

An diesem Tage schwöret den Bundeseid
Das Volk der Franken, heiliget sein Gesetz,
    Und spricht: Verbannet sei die Zwietracht!
    Einig ist Frankreich und unzerteilbar!

Und ist er dann gefeiert der Bundestag;
Der Eid getan, geheiliget das Gesetz;
    Dann stehen wir zum letzten Male
    Auf, und zerschmettern die Königsknechte!

In einer Hand das flammende Rächerschwert,
Die Palme in der andern, so ziehen wir
    Und wälzen, einer Felsenmasse
    Ähnlich, Verderben auf unsre Feinde.

Von ferne sieht es zitternd Hochverrat,
Wie Spreu zerstäubet fliehen der Könige
    Erschrockene Söldner, ihre Arme
    Strecken nach uns die befreiten Völker.

Republikanischer Gesang vom 10. August

Will einer noch der Knechtschaft Schande,
   Der bettle sich von Thron zu Thron,
   Und find' in Ketten seinen Lohn:
Für ihn ist nichts im Vaterlande.
   Doch wir Tyrannenhasser, wir,
   Der Väter würdig, bringen hier
Dir, heil'ge Freiheit, Dank und Feier.
   Steig' nieder zu dem Frankensohn!
Nur deinem Sieg' tönt seine Leier;
   Gib Stolz und Anmut ihrem Ton.

Heil dir, August, dir Segenbringer!
   Hehr brach dein zehnter Morgen an.
   Schon wähnten auf des Sieges Bahn
Die Herrscher sich des Volks Bezwinger.
   O falscher, trügerischer Schwarm,
   Du waffnest den verruchten Arm
Von unsrer Wohltat; unsre Gnade
   Reift' in dir der Empörung Plan,
Und deine Blutgier füllt die Pfade
   Mit Leichen unsrer Brüder an!

Noch donnert tief in meine Ohren
   Der grausen Feuerschlünde Knall.
   Wem gilt dies tötende Metall?
Wem hast du Untergang geschworen,
   Du Tag des Blutes! Tag der Nacht?
   Wer trägt den Ruhm aus deiner Schlacht?
Volk oder König, wer ist Sieger?
   Der Donner schweigt — die Herrschaft fällt;
Ein Augenblick — und unsre Krieger
   Entschieden das Geschick der Welt.

Da liegen sie, die Raubgesellen!
   Das Volk erkämpfte sich sein Recht!
   Verbannt das trügrische Geschlecht—
Die Könige nur sind Rebellen!
   Und was vermag die schwache Hand
   Der Frevler, dort auf unserm Strand,
Was will ihr Räuberarm erbeuten?

Nur Ketten will er und den Thron!
Laßt für die Sklaverei ihn streiten:
Als Sieger steht der Freiheit Sohn!

Nichts hemmet ihren tapfern Streiter,
Nicht Eisen, Feuer nicht, noch Flut;
Der Sturm erlahmt an seinem Mut:
Er fliegt die Bahn des Helden weiter.
Wer anders pflanzte wohl als wir
Auf jenen Felsen dies Panier?
Viktoria lieh' uns die Schwingen.
Doch euch, von Albion gesandt,
Wird der entweihte Strand verschlingen,
Verräter an dem Vaterland!

Brittanien, du wirst verschwinden —
Des Meergotts Rache dräut dir schwer:
Erzittre, denn sein Dienerheer
Wird deine Mörderflotte finden!
Und deiner Schiffe goldner Last,
Und dem Verräter, deinem Gast,
Steht nur der schwarze Abgrund offen.
Was hat wohl diese Tigerbrut
Für ihre Taten mehr zu hoffen
Als Schand' und Strafe in der Flut?

Das Reich erweitert seine Schranken
Und stellt der Freiheit Säule fest.
Im Nord und Süd, im Ost und West
Weht das Panier der neuen Franken.
Ihr Mut beugt Alles fern und nah.
Selbst unsrer Siege Göttin sah
Erstaunt auf unsere Trophäen,
Und lächelt' uns zufrieden Dank,
Als auf den nie erstiegnen Höhen
Von Luxemburg der Adler sank.

Bis zu der Zukunft fernsten Tagen
Wird der Kamönen Rosenhand
In des Triumphes Prachtgewand
Die Wunder unsrer Kühnheit tragen.
O möchten unsre Enkel noch,
Daß wir sie von der Schande Joch
Auf ewig lös'ten, uns verdanken!

O möchte sich die Welt befrei'n,
Und dieser große Tag der Franken
Das große Fest des Erdballs sein! —

Lied von der Republik

Nach der Weise: Ein feste Burg ist unser Gott

Gott segne unsre Republik,
  Die Republik der Franken!
Und laß sie keinen Augenblick
  Auf ihrem Felsen wanken.
    Wo ihr Felsen ruht,
    Tobt der Feinde Flut:
    Aber unversehrt,
      Das hohe Haupt verklärt,
  Bescheint sie alle Lande.

Die Wahrheit und des Volkes Kraft
  Soll ihren Grund beschützen,
Wenn Eigennutz und Lüge schafft,
  Zu brechen ihre Stützen.
    An der Pforte dräut
    Die Gerechtigkeit:
    Wer sich zum Verrat
      Der hohen Pforte naht,
  Der ist des gähen Todes.

Die Stimme des Gesetzes ruft
  Herab vom heil'gen Berge!
Drob ächzen in des Berges Kluft
  Verworfne Lasterzwerge,
      Ächzen tief versteckt,
      Weil der Fluch sie schreckt!
      Weil der Fluch sie trifft!
      Ihr Kröten!* eig'nes Gift
  Ersticket euch im Sumpfe.

* Die Lehrer mögen die Anspielungen dieses
Verses ihren Gemeinden erklären.

Verschwörung schläft im Hinterhalt,
Vergebens! denn wir wachen.
Komm, Fürstentrutz und Heergewalt!
Wir können wohl dein lachen.
Erd und Himmel bricht
Gottes Willen nicht;
Gottes Will' und Rat
Befestigt unsern Staat.
Drum zittern seine Feinde.

Das Reich soll nimmer untergehn:
Denn die Bedränger sterben.
Der Franken Freistaat soll bestehn:
Die Feinde schlägt Verderben.
Töne, Ruhmgesang
Unter Waffenklang!
Töne Feldgeschrei!
Es sterbe Tyrannei!
Die Republik soll leben!

90   AUGUST LAMEY

Freiheit und Gleichheit

Nach der Weise: Auf, auf ihr Brüger und seid stark

Die Freiheit und die Gleichheit herrsch
In unserm Vaterland:
Hier hat kein Aberglaube Raum,
Wir ehren nur den Eichenbaum
Und das Dreifarbenband.

Ihr andern dient dem Ritterhelm,
Dem krummen Bischofsstab:
Kein Wolf, im Wappen aufgestellt,
Kein Tigerfuß, im Sternenfeld,
Nimmt unsern Hut uns ab.

Die Gleichheit ist des Volks Triumph,
Das seine Würde schätzt,
Das eitler Ehren Prunk vergißt,

Und was da Mensch und Bürger ist
In eine Reihe setzt.

Hochmütiger, ich rufe dir
   Mit stolzem Herzen zu:
Ich tugendhaft, du frech und reich,
Wir sind wohl nicht einander gleich;
   Denn ich bin mehr als du.

Die Freiheit ist das schöne Recht,
   Sich ungestraft zu freu'n,
Zu tun, von dem Gesetz geschützt,
Was mir und meinen Brüdern nützt,
   Und keinen Herrn zu scheu'n.

Selbstsüchtiger, dich dünket wohl,
   Daß Freiheit Unding sei:
Wer an des Lasters Joch gewöhnt,
Unseligen Begierden frönt,
   Der fühlt sich niemals frei.

Das höchste Wesen möge uns
   Erhalten unser Los:
Uns gebe Freiheit edle Kraft
Und Gleichheit mach uns tugendhaft,
   Und Tugend mach uns groß.

91   JOSEPHE

An Buonaparte
Nach der Schlacht bei Faenza am 2. Februar

Höher, und immer höher wölbt sich der Lorbeerhain,
der *Deinen* Heldengang umweht.
Völker, denen *Du* die Palme der Freiheit reichtest
jauchzen *Dir* Heil!
und in den fernen Zonen
kennt man zum erstenmal Hoffnung,
Menschenrecht fühlen zu dürfen.

   Großer Republikaner!
unter dem Staunen von Millionen

unter dem Ruf von Segenswünschen
Freier — und Nichtfreier,
die *Deiner* Erscheinung noch harren,
eilt Dein Strahlengang
im hohen Bewußtsein seiner Kraft
vorwärts.
Dort, um die sieben Hügel-Stadt
grünen neue Kränze.

    Horch!
Schon wogen die Wellen der Tiber stolzer;
die Ruinen vergangner Triumphe
großer Männer, wie *Du*,
heben sich aus dem Schutte empor,
um nach mehr als tausend Jahren
ein Fest der Ehre zu feiern.

    Die Helden Manen,
einst Gesetzgeber der Welt, wie *Du*,
schweben um die Trümmer ihrer Pracht,
und rufen dem Bruder: Willkommen!
Um die Gräber der Helden
flüstern deine Palmen Roms Erwachen
und von dem Kapitol
weht die Fahne der Freiheit.
Versöhnung denen,
die hier für Freiheit
dachten und starben.
Vor deinem Blick flieht
verderbender Wahn —
und dessen Priester,
die Jahrhunderte lang
Fanatismus und Menschenhaß heiligte.

    Vollende!
unheilige Erde drückt
die Asche des großen *Brutus*.
Versöhne seinen Geist
durch brüderliche Umarmung.
Hebe die heilige Urne,
ihr Anblick gebe dem Römer
wieder Römergefühl.

    Ha!
Sie tritt glänzend hervor

die große Vergangenheit.
Dich, ihren Erwecker,
krönet der Ruhm
mit nie vergänglicher Krone.

Doch nein!
Dich schmückt dieses verdächtige Kleinod nicht.
Der Kronen denkst *Du* nur,
wenn sie dein starker Arm
in den Staub wirft.

Republikaner!
Du nimmst nur lächelnd
des Ruhmes Kränze
die er dankend dir reicht;
denn, seitdem Dein Heldengang begann,
ward er ehrend genannt.

XI Freiheitshoffnungen am Rhein

Im Sommer und Frühherbst 1797 hofften die deutschen Republikaner, vom französischen General Hoche unterstützt, auf die Errichtung einer selbständigen linksrheinischen Republik. Das Direktorium enttäuschte jedoch die Erwartungen der deutschen Revolutionäre. Auch nach der Eingliederung des Rheinlandes in Frankreich propagierten die Cisrhenanen in Vers und Reim ein unabhängiges republikanisches Staatswesen.

92 ANONYM

Einladung zur Freude

Nachahmung eines bekannten Liedes

Chor

Freut euch des Lebens
Lodernd von Freiheitsglut!
Strömte vergebens
Fränkisches Blut?

Wo ehmals der Despote stand
Und Geißeln, uns zu peitschen wand,
Da beut, gerührt von unserm Harm,
Die Freiheit uns den Arm.

Chor

Freut euch des Lebens! ec.
Die Ähren, die der Edelmann
Mit unserm Schweiße sich gewann,
Geschützet von der Despotie
Sind unser nun durch sie.

Chor

Freut euch des Lebens! ec.
Und, was der Pfaff, seit Hildebrand
Um uns die Eisenkette wand,
So mit Gewalt als mit Betrug
In seine Scheunen trug.

Chor

Freut euch des Lebens! ec.
Was sich die Industrie gewinnt,

Und des Gewerbes Mühe, rinnt
Nicht in den Sack, den unverhüllt
Der Fürst für Huren füllt.

Chor

Freut euch des Lebens! ec.
Ihr Reiz wirft nach gesunkner Macht
Nicht Edle mehr in Kerkernacht.
Dubarry ging auf dein Gebot,
O Freiheit, aufs Schafott.

Chor

Freut euch des Lebens! ec
Wo sonst der Mönche Lied erklang
Tönt nun der Freiheit Hochgesang
Zu Gott, Tyrann nicht, wie er war,
Am Vaterlandsaltar.

Chor

Freut euch des Lebens! ec.
Den Reiz, den Gott dem Weibe gab
Verbirgt nicht mehr der Zelle Grab.
Sie pflanzt in's kommende Geschlecht
Die Glut für Menschenrecht.

Chor

Freut euch des Lebens! ec.
Den Jüngling reizt ihr Zauberblick
Nun in's Gefecht für Völkerglück;
Zum Lorbeer, den ihm Freiheit wand;
Zum Tod für's Vaterland.

Chor

Freut euch des Lebens! ec.
Den sonst der Stock zum Krieger schuf
Dem gibt nun Freiheit den Beruf,
Dem Vaterlande sich zu weihn,
Sich Helden anzureihn.

Freut euch des Lebens! ec.
Und wo einst feige Sklaven flohn,
Sehn Helden wir Despoten drohn,
Im Kampf, bis Republiken stehn,
Wo Könige vergehn.

Freut euch des Lebens! ec.
Sie gaben ihr verlornes Glück
Batavien und der Schweiz zurück,
Und Rom, und Cisalpinien,
Bald auch Sardinien.

Freut euch des Lebens! ec.
Sie gaben es dem Rhenusstrand
Wir haben nun ein Vaterland,
Wo uns vorher ein Fürst befahl
Und Sklaven ohne Zahl.

Freut euch des Lebens! ec.
Zerrissen liegt das Eisenband,
Das Fürstenwille um uns wand.
Die Freiheit, die sich selbst nur zwingt,
Sie ist's, die uns bedingt.

Freut euch des Lebens! ec.
So schließt euch dann in ihren Bund,
Und schwört den Schwur mit Herz und Mund:
Zertrümmert sei das alte Joch!
Die Freiheit lebe hoch!

Freut euch des Lebens
Lodernd von Freiheitsglut!
Strömte vergebens
Fränkisches Blut?

Bundeslied der Cisrhenanen

Die Freiheit hebt am Vater Rhein
　　Ihr glänzend Haupt empor,
Verdunkelt ist der Kronenschein,
　　Die Menschheit tritt hervor.

Tyrannengold ist Flitterglanz,
　　Der Thron Theaterkauf.
Es wiegt der Franken Bürgerkranz
　　Ein Dutzend Kronen auf.

Die Pfaffenfürsten stehen schacht,
　　Drum Brüder fasset Mut,
Zersplittert der Tyrannen Macht,
　　Und trinkt Nimrodenblut.

Ihr Römer-Würger zaget nicht,
　　Erwacht vom Kerkertraum,
Erfüllt der Vaterländer Pflicht,
　　Und pflanzt den Freiheitsbaum.

Erlöschen soll des Bös'wichts Stamm,
　　Der diese Eich' beschimpft,
Und ewig sei des Volkes Nam',
　　Das diesen Baum geimpft.

Ihr Edle, Hermanns Söhne, auf
　　Ihr Deutschen! macht euch frei,
Vollendet mutig euren Lauf,
　　Und schlagt das Joch entzwei.

Auf cisrhenanischer Verein!
　　Beschwöre deinen Bund:
Entfesselt sei der Vater Rhein!
　　Den Völkern mach es kund!

Kommt Pfaffenfürsten! kommt herbei
　　Und zeugt von unserm Mut,
Der Cisrhenane macht sich frei,
　　Und spottet eurer Wut.

Der Cisrhenan' schwört donnerlaut,
    Er schwört zum ew'gen Gott,
Den Freiheitstempel, den er baut,
    Zu schützen bis in Tod.

Auf Bruder! gib mir deine Hand
    Und sprich den großen Eid:
Der Freiheit und dem Vaterland
    Sei diese Faust geweiht!

Wer nicht zur grünen Fahne schwört,
    Der ist kein deutscher Mann;
Er ist der Freiheit noch nicht wert,
    Sein Ich ist sein Tyrann:
Und solcher feige Fürstenknecht
    Sei stets von uns veracht,
Gar seinem künftigen Geschlecht
    Der Bruderkuß versagt.

Nun Brüder, laßt uns hehr und hell
    Die Freiheitshelden ehr'n,
Wie Herrmann, und wie Wilhelm Tell
    Den neuen Bund beschwör'n.

Wir fürchten nicht der Pfaffen Bann,
    Und nicht des Reiches Macht;
Wir wissen, daß ein freier Mann
    Dreihundert Sklaven jagt!

Spricht einst tarquinsche Herrschbegier,
    Der Enkel Freiheit Spott,
Statt unsren Enkeln schwören wir
    Den Schurken Ludwigs Tod.

Sollt eines Zars Erobrungssucht
    Einst unsrer Freiheit drohn,
So sei der Wüterich verflucht
    Und Brutusdolch sein Lohn.

Der frechen Preußen schändlichs Los
    Sei jedem Feind bestimmt,
Der so wie sie mit Mann und Roß
    Den Rhein hinüberschwimmt.

Nun Brüder! laßt im freien Hain
    Die grüne Fahne weh'n,
Und ewig soll am Vater Rhein
    Die Freiheits-Eiche blühn!

Freiheitslied

Wo Freiheit wohnt, nur da ist Heil
  Und Fried' und Seligkeit.
Triumph! uns ward dies Glück zuteil,
  Das ihr Genuß verleiht.
Zerfallen ist das Staubgewand,
  Das unsre Geistesschwingen band.

Das Sklavenjoch der Leidenschaft,
  Das jede Lust vergällt,
Erstickt nicht mehr die Gotteskraft,
  Die unsre Herzen schwellt;
Sie sank auf Erden in das Grab
  Des trägen Körpers mit hinab.

Wir können, was wir wollen, nun,
  Und Gutes wollen wir;
Das Böse, das sie will, zu tun,
  Zwingt keine Macht uns hier,
Kein Frevler dämpft voll Übermut
  In unsrer Brust die heil'ge Glut.

Wir beten nicht Tyrannen an —
  Wir alle sind uns gleich;
Vereint hat uns zu einem Plan
  Der Tugend Himmelreich;
Verschwunden ist des Wahnes Nacht:
  Die Freiheit hat uns gleichgemacht.

Heil dir! Für Freiheit kämpftest du
  Dir Siegespalmen ein;
Die freie Menschheit jauchzt dir zu
  In diesem Eichenhain.
Triumph dir, der ihr Heil errang!
  Hoch tönt dir unser Preisgesang!

Schwur der Vereinigten

Hoch wehen die Fahnen der Freiheit am Rhein,
Und laden zu Schwur und Verbrüderung ein;
Auf! hebt zu den Sternen die männliche Hand,
Schwört Liebe für Freiheit und ewiges Band.

Gesetzen, entworfen von Menschen, wie Wir;
Erzielend Nationenglück schwören wir hier,
Gehorsam, auf innere Kenntnis gebaut,
Und Liebe und Treue, die nimmer ergraut.

Dem Armen, der freudelos Menschen verkennt;
Dem Waisen, von Eltern und Hilfe getrennt;
Der Witwe des Edlen, in Schwermut gehüllt;
Euch werden, wir schwören's, die Tränen gestillt.

Der himmlischen Weisheit im einfachen Kleid
Sei jede der Stunden des Lebens geweiht;
Vor Strahlen des Lichtes erblinden wir nicht,
Sie weiter verbreiten sei unsere Pflicht.

Umhüllen die Pfaffen die Menschheit mit Graus
Und löschen das ewige Wahrheitslicht aus
Und zerren die Zeiten des Gregors zurück:
Wir schwören's, wir hemmen der Welten Geschick.

Und wenn die Tyrannen mit knechtischem Heer
Uns drohen, so rolle ein stürmendes Meer
Von Kriegern für Freiheit den Felsen herab,
Und stürze die Feigen in schändliches Grab.

Der Stolze, der frevelnd nach Übermacht strebt,
Und sich aus der Waage der Gleichheit erhebt,
Und sei er ein Weiser, ein Held und ein Gott,
Er falle und werde der Niedrigsten Spott.

Und wenn Er der Sklaven Milliarden sich dingt,
Und ist Er vom flammenden Seraph umringt,
Und bergen ihn Klüfte und nächtliches Tal:
Ihn findet, ihn tötet der rächende Stahl.

So schwören wir feiernd am Freiheits-Altar,
Uns töne der Helden vortreffliche Schar,
Uns töne der Weise im stillen Gemach
Und Chöre der jubelnden Jünglinge nach!

Hoch wehen die Fahnen der Freiheit am Rhein
Und laden zu Schwur und Verbrüderung ein.
Auf! hebt zu den Sternen die männliche Hand,
Schwört Liebe für Freiheit und ewiges Band.

96   KARL ANTON ZUMBACH

Proskription an Rübezahl

Wer tief bis zur Erde sich
        Vor seinesgleichen biegt
Und für ein Dienstchen jämmerlich
        Sich um Behörden schmiegt,
Fort fort mit ihm, er ist ein feiger Wicht,
Und taugt ins Land der Gleichheit nicht.
        Auf Rübezahl, verjage ihn
        Bis zu den Kammerzofen hin!

Wer seines Bruders Recht und Heil
        Nach goldnen Gründen wiegt,
O ihm ist auch die Freiheit feil;
        Verwuchert, dem der siegt.
Fort fort mit ihm, er ist ein feiger Wicht,
Und taugt ins Land der Freiheit nicht.
        Auf Rübezahl, verjage ihn,
        Nach Kremnitz und Potosi hin!

Wer auf das Amt, das er erhielt
        Mit Macht und Hochmut pocht,
Bemerkt es euch, der strebt und zielt,
        Bis er euch unterjocht;
Fort fort mit ihm, er ist ein feiger Wicht,
Und taugt ins Land der Tugend nicht.
        Auf Rübezahl, verjage ihn
        Ins Königreich der Toren hin!

Wer nur an kahlen Nutzen denkt,
        Nur für den Magen frönt,
Nur seinen Hut im Räuschchen schwenkt,
        Nur dann sein Vivat tönt;
Fort fort mit ihm, er ist ein feiger Wicht,

Und taugt für unsre Größe nicht,
Auf Rübezahl, verjage ihn
Bis mitten in den Nordpol hin.

Wer höfisch nach der Meinung spürt,
Die der und jener hegt,
Und kaltwarm seine Reden führt,
Sich rechts und links bewegt;
Fort fort mit ihm, er ist ein feiger Wicht,
Und taugt für offne Männer nicht.
Auf Rübezahl, verjage ihn
Zu seinesgleichen Schranzen hin.

Wer mit dem stillen Herzen oft
Noch um Vertriebne bebt,
Und auf Messias Rußland hofft,
Zum Schein nur mit uns lebt.
Fort fort mit ihm, er ist ein feiger Wicht,
Auf Rübezahl, verjage ihn
Zu seinen alten Meistern hin!

97 ANONYM

Das Reichsherkommen

Ist noch auf Gottes großer Erde
Ein Volk, das an dem Alten klebt,
Das heute noch der Schöpfergeist umschwebt:
So ist's das *Deutsche*. Hier blieb es beim — *Werde*.

Ein zweiter Schöpfer zeigte sich den Britten;
Kaum kennt sich dieses Volk bei seinen neuen Sitten.
Einst war es glücklich, lebte frei;
Doch diese Rosenstunden sind vorbei.

Die Gallier, der Deutschen Brüder,
Vom schweren Joche tief gebeugt,
Bestürmten ihren Thron; Bastillen stürzen nieder,
Aus deren Trümmern Freiheit steigt.

An diese schließt sich der Bataver Land;
Der Schweizer, Longobard und Römer gehen Hand in Hand;
Hibernien erwartet seine Retter,

Und Spaniens Bigott beschwört das trübe Wetter.
Germanien sieht zu, bleibt dem System getreu,
Das Freiheit! dich verbannt; denn du bist ihm zu *neu*.

Sein Schattenbild, ein König ohne Macht —
Sei's daß Europa drüber lacht —
Ist noch und wird ihm heilig bleiben,
Bis Franken das Fantom vertreiben.

Um seines Kaisers Adler ist's geschehn.
Seitdem das Kapitol von ihnen ward errungen,
Erzeugen solche Vögel keine Jungen;
Aus Gnade läßt man noch den alten gehn.

Der Adel, nach dem Beispiel seiner Ahnen,
Mag von dem Schweiß der Untertanen
Noch schwelgen. Dies ist hergebracht,
Der es verneint, fällt in die Acht.

Die Pfaffheit lebt von fremden Sünden;
Für Geld weiß sie zu lösen und zu binden;
Seit dem Pipin und Ludewig dem Frommen
Bleibt dieses Recht ihr unbenommen.

Zum Dreifuß ihrer Themis wallen
Bedürftige; sie zeigt sich allen
Geneigt: doch schade, daß ihr Spruch
So weit entfernt ist vom Vollzug.

Kommt etwas Rühmliches zustande
In diesem so zerteilten Lande,
Wo, was man eben aufgestellt,
Sogleich in seine Trümmer fällt?

Ist ihm am Handel viel gelegen?
Der kämpft mit ungebahnten Wegen:
Und doch ruft jeder Meilenstein:
Hier zollt man oder geht nicht ein.

Der Zunftgeist spukt in allen Städten;
Von solchen Ungeheuern sich zu retten,
Fiel euch, ihr Deutschen? niemals ein;
Ein jeder glaubt: es müßte sein.

Der Fürsten erstes Tun ist — freies Denken
In ihren Staaten einzuschränken;
Warum? Es harmonieren nie
Vernunft und Fürstendespotie.

Und wie benimmt der Deutsche sich in Kriegen?
Einst stärker, itzt weiß er kaum noch von Siegen;
Und siegt er: so verteilen seinen Lorbeerkranz
Die Großen unter sich. Auch dies ist Observanz.

Uneinigkeit herrscht in dreihundert Staaten,
Drum läßt es sich auch ohne Pythia erraten:
Der gotische Koloß, der lang den Einsturz droht,
Sinkt früher auf der Freiheit Machtgebot.

XII Die neue Religion

Im Gedankengut der Französischen Revolution war von Anfang an das Bestreben nach einer religiösen Erneuerung mitenthalten. Auch die deutschen Jakobiner
wurden davon beeinflußt. In Gedichten und Liedern übten sie scharfe Kritik an
den Institutionen und Lehren beider christlichen Religionsbekenntnisse.

98   AUGUST LAMEY

Der Bauer an seinen aristokratischen Pastor

Herr Pastor, mach Er uns nichts weis!
Er schürt die Hölle mächtig heiß,
    Um uns in Furcht zu jagen.
Doch sieh Er, noch hats keine Not!
Ein' feste Burg ist unser Gott.
    Drum werden wir nicht zagen.

Was lärmt Er da vom Holz herab
Von Kirchenrecht und Kirchenhab?
    Das mag Er bald vergessen.
Hat Er sein Brot nur immerfort,
So pred'ge Er uns Gottes Wort;
    Dafür kriegt Er zu essen.

Er aber donnert immerzu,
Stört fromme Seelen aus der Ruh,
    Und klagt von argen Zeiten.
Er redet von verlorner Herd',
Doch meint Er, wie man gar wohl hört,
    Nur die verlornen Weiden.

Hör' Er einmal zu schelten auf!
Er hindert nicht der Dinge Lauf:
    Wie's kommt, so muß es kommen.
Verloren sind die Schätze nicht,
Die man, wie Seine Kanzel spricht,
    Der Christenheit genommen.

Wir sind ja alle Christen doch,
Und unsre Kirche stehet noch,

Und hat kein Leid erduldet!
Doch flucht Er immer drin so sehr,
So ist es ja kein Bethaus mehr —
    Wer hat es dann verschuldet?

Was kümmern uns Concilien,*
Und seine Patreklesien,**
    Die Er uns da zitieret?
Wir schlagen in der Bibel nach,
Und finden von der ganzen Sach
    Kein Wörtlein angeführet.

Wohl finden wir, daß Jesus Christ
Demütig stets gewesen ist
    Und arm in seinem Leben;
Die Jünger hatten auch kein Gut,
Doch haben sie gern selbst ihr Blut
    Der Lehre hingegeben.

War da die Kirche schlecht bestellt?
»Mein Reich ist nicht von dieser Welt!«
    Und: »Selig, die da glauben!«
Dies ist's ja, was die Bibel spricht!
Nimmt man uns diese Wahrheit nicht,
    Was kann man sonst uns rauben?

Nun lästre Er nicht mehr von heut
Die hochverdienten wackern Leut'
    Die uns Gesetze machen:
Sie wollen unser Glück, das will
Auch unser Herrgott — schweig Er still!
    Das sind nicht Seine Sachen.

Er will vom Jüngsten Tage schrei'n!
Stets schwätzt Er von der Hölle Pein,
    Als wär Er dort zu Hause.
Mach Er den ganzen Pfuhl auch leer!
Das Teufellegionenheer
    Hat nichts, wofür uns grause.

Ehrwürd'ger Herr! sei Er gescheit,
Und schwör Er seinen Bürgereid,
    Um seine Haut zu decken.

  * Kirchenversammlungen
 ** Kirchenväter

Geb' Er sich nur gewillig drin!
Schwer möcht' es werden, wider ihn,
Den Stachel noch zu lecken.

99 Franz Theodor Biergans

Rückblick der geretteten Nonne,
da sie an ihrer ehemaligen Bastille vorbeireiste

Hier ihr guten Menschen ist der Ort,
Wo so viele armen Mädchen schmachten;
Dort in diesem öden Kerker, dort
Sind wohl dreißig, die nach Rettung trachten.

Dort ihr Lieben, dort in dieser Höhl
Sind schon tausend vor der Zeit gestorben;
Man begießt dort keine Wund' mit Öl,
Ach! die Menschheit ist dort ganz verdorben.

O! an diesem Ort gibts viele noch,
Die vergebens Hülf und Rettung suchen;
Viele, die gesperrt im tiefsten Loch,
Ihem Gott und ihren Eltern fluchen.

Wie viel tausend Nonnen gibt es nicht,
Die, was sie durch Zwang getan, beklagen?
Kommt kein großer Retter mehr, der spricht:
Die gezwungnen Fesseln sind zerschlagen!

Diese Mauren nennen sich geweiht,
Und die Menschheit wird dort oft entehret;
Fluch dem schwarzen Pfaffen, wenn er schrei't:
Rache dem, der eine Nonn' entführet.

Dorten herrscht die ew'ge Sklaverei,
Despotismus hier bist du geboren;
Kömmt, ihr Schwestern! kömmt und macht euch frei,
Sonst seid ihr auf ewig, ach! verloren.

Dort in diesem öden Kerker, dort
Liegt die Unschuld angeschmiedt an Ketten;
Dreißig seufzen hier an diesem Ort,
Mut! ein freies Volk wird euch erretten.

Neben jeder Klosterobrigkeit
Ließ sich Satan einen Thron errichten;
Kein Verseh'n der Nonnen wird verzeiht,
Das Verbrechen kann nur Hayn* zernichten.

Still Empfindungen, Gedanken still,
Weg ihr' Augen von der Räuberhöhle,
Weg von dieser schändlichen Bastill',
Weg, hinweg befreite Gabriele.

100   FRIEDRICH LEHNE

*Der Republikaner im Kreise seiner Familie
über die Entbehrlichkeit der Pfaffen*

Air du Vaudeville des Visitandines

Laß Vater! laß mich dir es schwören:
    Wir ändern nichts an der Natur,
Wann Vorurteile wir zerstören,
    Dann schaden wir dem Laster nur.
Ich liebe den, der mich geschaffen,
    Der mir so manche Freude gibt,
    So wie ein Sohn den Vater liebt,
Und dazu brauch' ich keine Pfaffen.

Ach Mutter! deines Herzens Schwäche,
    Sie widerstand der Täuschung nicht,
Ist sie der Quell der Tränenbäche
    Auf deinem blassen Angesicht?
Soll Trost vielleicht ein Priester schaffen?
    O gieße lieber deinen Schmerz
    In mein — in deines Sohnes Herz.
Er tröstet besser als die — Pfaffen.

Gefährtin auf dem Lebenspfade,
    An deinem Beispiel kann man seh'n:
Es brauche keiner heil'gen Suade,
    Um gut der Wirtschaft vorzusteh'n;
Bei uns hat niemand was zu schaffen,

* Der Tod in der Dichtersprache unsrer Alten.

Der uns nur meistert und belügt,
Wenn dir an meinem Herzen gnügt,
So brauchen wir ja keine Pfaffen.

Geliebte Kinder! künftig schrecken
    Euch ungerufne Tadler nicht,
Die oft in euch das Laster wecken,
    Wenn gleich ihr Mund von Tugend spricht.
Ich will sie aus den Mauern schaffen,
    Wo euer Vater euch den Wert
    Der Redlichkeit und Wahrheit lehrt,
Denn dazu braucht es keinen Pfaffen.

Ihr Landbewohner, die ich ehre,
    Die man noch ohne Scham belügt,
O hört auf eures Freundes Lehre
    Und glaubet, daß man euch betrügt.
Seht ihr wohl Gottes Huld erschlaffen?
    Noch sprießt die junge Saat empor,
    Noch blüht der Weinberg wie zuvor,
Gedeiht nicht alles — ohne Pfaffen?

Ich bin ein Mensch, und meinem Herzen
    Ist keiner meiner Brüder fremd,
Ich lindre willig seine Schmerzen
    Wenn er zu mir um Hülfe kömmt.
Dem armen Bruder Labung schaffen,
    Ist Pflicht und keine Göttertat;
    Ich frage nur mein Herz um Rat,
Und brauche dazu keine Pfaffen.

Doch seht den listigen Leviten,
    Den stolzen Schriftgelehrten seht,
Sie eilen fort mit schnellen Schritten,
    Wo man um ihre Hülfe fleht;
Ein armer Treiber muß sie schaffen,
    Sein Balsam heilt des Kranken Schmerz,
    Und Jesus meint — ein gutes Herz
Wohn' nie bei schwelgerischen Pfaffen.

Verschmitzte heuchlerische Rotte!
    Gemästet an dem Opferherd,
Auf! folget kühn dem Kriegesgotte,
    Dann sei Verzeihung euch gewährt.
Um Haß und Zwietracht zu erschaffen,

Hat es euch nie an Mut gefehlt,
Nur dann, wann ihr das Gute wählt,
Seid stets ihr träg' und feige Pfaffen.

Es lächelt Gott auf unsre Reihen
Im Kampf für Freiheit mild herab,
Obschon uns keines Bonzen Schreien
Versichrung seiner Gnade gab.
Wozu das Brüllen feiger Laffen?
Da uns an unserm Mute gnügt;
Wir haben ja schon oft gesiegt,
Auch ohne Segen eines Pfaffen.

Bin einst ich in dem Schattenreiche,
Im Schoß der längst ersehnten Ruh',
O Freunde! scharrt dann meine Leiche
Mit frischbetautem Rasen zu.
Auch gebt dem Wandrer was zu gaffen,
Und grabt in eine Ulme dann:
»Es modert hier ein Biedermann,
Und den begruben — keine Pfaffen.«

Und fodert auch nach meinem Scheiden
Mich Gottes Spruch vor sein Gericht
Ich werde nicht den Richter meiden,
Denn, glaubet mir, ich fürcht ihn nicht.
Dann sag' ich dem, der mich geschaffen,
Ich liebte stets als Vater dich,
Doch nie, mein Schöpfer! glaubte ich
Dich ähnlich jenem Gott der Pfaffen.

101 ANONYM

Das neueste Credo

Als Probe aus dem satirischen Almanach auf 1800

Ich glaub an einen Gott allein,
Der alle Fürsten groß und klein,
Zum Heile ihrer Herde,
Nährt mit dem Mark der Erde;
Der auch mich selbst aus lauter Gnad

Zu ihrem Dienst erschaffen hat,
Mir Leib und Seel gegeben,
Um nur für sie zu leben.
Nach seiner Weisheit, Macht und Güt
Er sie vor der Vernunft behüt;
Der Volksglaub' ist ihr Trost, ihr Gott,
Der ihnen hilft aus aller Not,
Sie schützet und ernähret.

Ich glaube auch an Jesum Christ,
Der unsrer Priester Vater ist
Und sie gesalbt, beschoren,
Daß keiner würd' verloren;
Der ihn'n der Fürsten Gunst erwarb',
Daß keiner jemals Hungers starb,
Wofür sie, fromm und bieder,
Uns gängeln, ihre Brüder;
Und zu vollenden seinen Lauf
Fuhr spornstreichs er gen Himmel auf,
Von da er kommen wird einmal,
Daß er mit Pomp sie hole all
In Krausen und Kapuzen.

Ich glaub auch an den heiligen Geist,
Der aller Gimpel* Ratsherr heißt,
Ein Lehrer ihrer Sinnen,
Der ewig, ohn Beginnen
Von unsers Fürsten Thron' ausgeht,
Auch unserm Pfarr zur Seite steht
Und uns für Geld läßt finden
Vergebung unsrer Sünden,
Ich glaub, daß er erhalten werd'
All', alle Monarchien auf Erd,
Bei denen blieb des Erbrechts Gab;
Ich glaub, daß Freiheit bis zum Grab
Mit Recht ein Unding heiße.

* Sind wir, wie jener Prediger meinte, alle Narren in
Christo, so können wir auch mit Ehren Gimpel in dem
heiligen Geiste heißen.

Französisches Religionslied

Wesen ohne Maß und Ende,
    Auf zu dir erheben wir
Unser Herz und unsre Hände;
    Hör dein Volk! Es huldigt dir!
Stimmt in aller Nationen
    Mannigfachen Lobgesang,
    In der Welten Jubelklang!
Er, er wird gerecht belohnen!
    Brecht die Fesseln! Gott verleih
    Ruh dem Erdkreis! Mach ihn frei!

Deiner Weisheit heil'gen Willen
    Scheue, was auf Erden lebt!
Deine Güte wird denn stillen
    Unser Herz, wenn's schüchtern bebt
Vor der Würde der Gesetze.
    Deiner Rechte Heiligkeit,
    Deines Arms Gerechtigkeit!
O daß keiner sie verletze!
    Brecht die Fesseln! Gott verleih
    Ruh dem Erdkreis! Mach ihn frei!

Als du, Gott, nach deiner Milde,
    Schufst den Menschen, schufst du ihn
Frei, wie du, nach deinem Bilde! —
    Ihn am Sklavenjoche ziehn,
Heißet dein Gesetz verspotten!
    Schütze, schütze, Gott der Macht,
    Deines Werkes hehre Pracht,
Gegen der Tyrannen Rotten.
    Brecht die Fesseln! Gott verleih
    Ruh dem Erdkreis! Mach ihn frei!

Kinder jeden Alters nahet,
    Naht zu eurem Vater her!
Vater ist er allen, nahet!
    Söhne, Töchter, naht euch her!
Fleht mit unschuldsvollem Munde,
    Vater deine reiche Hand
    Segne unser Erntenland

Und die ganze Schöpfungsrunde!
　　Brecht die Fesseln! Gott verleih
　　Ruh dem Erdkreis! Mach ihn frei!

Gottes Kinder aller Zonen
　　Wie ihr ihn auch nennt und ehrt,
Zepter nicht, nicht stolze Kronen:
　　Gott nur ist anbetungswert!
Erde rede! Du bist Zeuge
　　Seiner Güte! Eure Pracht,
　　Himmel, Zeuge seiner Macht!
Alle Welt sich vor ihm beuge!
　　Brecht die Fesseln! Gott verleih
　　Ruh dem Erdkreis! Mach ihn frei!

Höchste Urkraft, Erd und Himmel
　　Ist voll deiner Majestät!
Wie das große Sterngewimmel
　　Doch so herrlich vor dir steht!
Du gebeutst, und Sonnen winden
　　Unter dir sich ohne Zahl!
　　Deiner hundert Augen Strahl
Blitzt bis zu den tiefsten Schlünden!
　　Brecht die Fesseln! Gott verleih
　　Ruh dem Erdkreis! Mach ihn frei!

103　Gottlieb Konrad Pfeffel

Das Fest der Vernunft

Nach der Melodie: Citoyens! Troupe guerriere etc

Sammelt Euch in frohe Chöre
　　Franken, wer ihr immer seid;
Der Vernunft, des Menschen Ehre,
　　Wird ein neues Fest geweiht.
Jeder ist dazu berufen,
　　Wer nach reiner Wahrheit fragt,
Und auf ihres Altars Stufen
　　Allem Kindertand entsagt.

Höret die Vernunft. Sie lehret
    Euch der Menschen Wert und Wohl;
Nicht ihr Bild, sie, sie verehret!
    Die Vernunft kennt kein Idol.
Sie, die Kraft, die in euch denket,
    Ist der Gottheit reinster Hauch,
Sie hat selbst Euch sie geschenket,
    Menschen, darum braucht sie auch.

Sie hilft uns die Wahrheit kennen,
    Führt uns auf der Gottheit Spur,
Lehrt ihr reinen Weihrauch brennen
    In dem Tempel der Natur.
O Natur! du bist die Leiter
    Die zur Weisheit uns erhebt;
Durch dein Licht wird alles heiter,
    Freut sich alles was da lebt.

Die Vernunft lehrt uns, dich schätzen,
    Holde Freiheit; sie entreißt
Uns der Knechtschaft ehrnen Netzen
    Und veredelt unsern Geist.
Franken, sagt den Schwärmereien,
    Sagt dem Aberglauben ab,
Laßt euch keinen Wahn entzweien;
    Wahn war stets der Freiheit Grab.

O Vernunft! in deren Strahle
    Uns der Eintracht Bild erscheint,
Die uns heut zum ersten Male
    In ein Gotteshaus vereint;
Laß uns jede Tugend üben,
    Welche deinen Thron umringt,
Und uns stets als Brüder lieben,
    Die der Gleichheit Band umschlingt.

Stürzet ein, ihr Scheidemauern,
    Die uns allzulang getrennt!
Ewig soll die Flamme dauern
    Die der ew'gen Wahrheit brennt.
Vater der Natur! wir geben
    Uns darauf die Bruderhand,
Stets für die Vernunft zu leben
    Und für unser Vaterland.

An die Vernunft

Vernunft, o reiner Funken,
 Der lang umdüstert war!
Wir kommen freudetrunken
 Zu deinem Weih-Altar!
Und treten auf die Trümmer
 Des schnöden Truges hin;
Und sehn in deinem Schimmer
 Ein freies Volk erglüh'n.

Die du mit edlen Freuden
 Des Weisen Seele labst!
Und in den finstern Zeiten
 Ihm Licht und Tröstung gabst!
Du hobst den keuschen Schleier
 Der Wahrheit ihm empor,
Und fachtest hohes Feuer
 In seiner Brust hervor.

Da ging er rasch die Bahne
 Zum Tempel der Natur,
Wo er dem niedern Wahne
 Der Torheit Fehde schwur;
Da schwung er allen Blinden
 Der Wahrheit Fackel vor,
Du halfst ihr Aug entbinden,
 Und öffnetest ihr Ohr.

Der Herrschsucht Geifern schröckte
 Die edlen Kämpfer nicht,
Der Dummheit Untier blökte —
 Umsonst! — es wurde Licht.
Die Menschheit, lang betrogen,
 Rächt streng den Bundes-Bruch;
Tyrannen-Schädel flogen
 Durch deinen Richter-Spruch.

Der Zukunft Bilder strahlen
 Aus deinem Zauber-Schild;
Kein Maler wird es malen,
 Was deine Kraft erfüllt,
Wann wieder Morgenröte

Durch Friedens-Palmen glüht,
Wann auf der Dummheit Öde
Dein Segen keimt und blüht.

Nicht Täuschung, keine Träume,
Malst du der Menschheit vor,
Schon sprießen jene Keime
Aus Frankens Grund empor.
Die staunende Geschichte
Erhebt ihr schläfrig Haupt,
Und jauchzt dem neuen Lichte,
Das sie noch fern geglaubt.

Sie findet Römer-Geister
In dem verlachten Land,
Wo man nur Mode-Meister
Und Gecken wichtig fand.
Sie findet die Altäre,
An Örtern dir erbaut,
Wo man dich einst, o Hehre!
Als Popanz nur beschaut.

Mag doch die Dummheit schmollen!
Mag doch des Lasters Knecht,
Dich unterdrücken wollen!
Du schirmst der Menschheit Recht,
Und weil dich Toren hassen,
Weil dir das Laster flucht,
Wird sie dich nicht verlassen,
Sie, die dich liebt und sucht.

Einst wird in allen Zonen,
O du, der Menschheit Braut!
Wo nur Geschöpfe wohnen,
Dein Opfer-Herd erbaut.
Und Millionen Brüder
Umarmen sich dabei,
Und singen Bundes-Lieder,
Von allen Ketten frei.

Da baut in Tamarinden
Der Schwarze ihn von Moos,
Der Türke von den Rinden
Der Zedern Libano's;
Selbst aus dem Vatikane

Zeigt eine Brutus-Hand
Der Wahrheit Sieges-Fahne
    Dem neuen Römer-Land.

Vernunft! o reiner Funken,
    Durch Gottes Hauch entflammt!
Die Götzen sind gesunken,
    Die er durch dich verdammt!
Dein reiner Sonnen-Schimmer
    Erhelle unsre Bahn,
Und leuchte heiter immer
    Uns zu dem Ziel voran!

Anhang

Anmerkungen zu den Gedichten

1 *Gottfried August Bürger, Der Bauer An seinen Durchlauchtigen*
Tyrannen
In: *Bürgers Werke in einem Band, S. 196.*

Dieses 1773 entstandene Gedicht erschien erstmals 1776 im *Musenal-*
manach von Johann Heinrich Voß und erhielt seine endgültige Gestalt 1789.
Es gehörte wie die folgenden Gedichte zu jenen, die während der Revolu-
tionsepoche starken Widerhall fanden und oft gedruckt wurden. U. a. in:
[Friedrich Christian Laukhard], *Zuchtspiegel für Fürsten und Hofleute,*
S. 95; *Poetische Sammlungen,* S. 86; *Freiheitsgedichte,* 1. Bd., S. 89.

Gottfried August Bürger wurde als Sohn eines Theologen am 31. Dezember 1747 in Molmerswende im Harz geboren. Im Jahre 1759 besuchte er
in Aschersleben die Stadtschule und ging dann nach Halle, wo er von
1760—1764 das Pädagogikum und anschließend die Universität besuchte,
um Theologie zu studieren. 1768 siedelte er nach Göttingen über und
studierte Rechtswissenschaft. Sein Freund J. Chr. Boie verschaffte ihm
1772 die Stelle eines Justizamtmanns in Altengleichen; 1789 wurde der
Dichter unbesoldeter außerordentlicher Professor für Ästhetik an der Göttinger Universität. In den Jahren 1792—1794 verfaßte er über vierzig Gedichte, die sich vehement für die Revolution einsetzten und den Interventionskrieg Preußens und Österreichs verurteilten. Ein großer Teil seiner politischen Gedichte wurde erst nach seinem Tode veröffentlicht. Am
8. Juni 1794 starb er in Armut und Verbitterung in Göttingen.

Lit.: Lore Kaim-Kloock, *Gottfried August Bürger;* vgl. dort besonders zu
diesem Gedicht S. 103 ff.

2 *Johann Heinrich Voß, Lied für Freie*
In: *Freiheitsgedichte,* 1. Bd., S. 97.

Es handelt sich um eine Umdichtung des 1774 entstandenen deutsch-
patriotischen Gedichts *Trinklied für Freie,* die während des ersten Koalitionskrieges geschrieben ist. Das Lied findet sich mit Abweichungen auch in:
Poetische Sammlungen, S. 124; *Lieder der Freiheit gewidmet,* S. 17; *Lieder*
für Freie, S. 60; *Sammlung verschiedener Gedichte,* S. 61.

Johann Heinrich Voß wurde am 20. Februar 1751 zu Sommersdorf in
Mecklenburg als Sohn eines Gutspächters geboren. Sein Großvater war
noch Leibeigener. Nach seiner Tätigkeit als Hofmeister auf Schloß An-
kershagen studierte er 1771 in Göttingen Philologie und war ältestes
Mitglied des Göttinger Hains. Von 1775—1778 lebte er als Schriftsteller
in Wandsbek und gab dort seinen *Musenalmanach* heraus. Durch die
Vermittlung seines Jugendfreundes Graf Friedrich Leopold zu Stolberg
war er von 1782—1802 Rektor an der Eutiner Schule. Während der Revolution stand er mit dem liberalen Kreis des Hamburger Kaufmanns G. H.
Sieveking in Verbindung. In den Journalen seines Freundes, des Publizisten August von Hennings, veröffentlichte er einige seiner Gedichte.
Voß war zeit seines Lebens ein Anhänger der Prinzipien der Französischen
Revolution. Dies führte schließlich zum Bruch mit dem Aristokraten Stolberg. Von 1802—1805 unterrichtete er als Privatgelehrter in Jena. 1805

siedelte er nach Heidelberg über, wo er fortan als Übersetzer und Kritiker tätig war und am 29. März 1826 starb.

Lit.: Vgl. Die Einleitung von Hedwig Voegt in: Voß, *Werke in einem Band*. Für seine Einstellung zur Revolution vgl. Renate Erhardt-Lucht, *Die Ideen der Französischen Revolution in Schleswig-Holstein*, S. 55 ff.; Annedore Lütje, *Das Echo auf die französische Revolution*, S. 26 ff.

Lüttichs Felder — gemeint ist die Niederlage der Österreicher gegen die französische Revolutionsarmee bei Jemappes am 6. November 1792, die am 26. November zur Eroberung Lüttichs führte.

3 *Ernst Theodor Johann Brückner, Sauflied Sr. Hochwohlgeb. des wohlseligen Herrn Landrats Kasimir von Schmurlach*
In: Pickerodt, *Gedichte 1770–1800*, S. 110.

Das Gedicht Brückners erschien 1779 in dem Musenalmanach von J. H. Voß. Es findet sich auch in der 1795 erschienenen Anthologie *Poetische Sammlungen*, S. 106.

Ernst Theodor Johann Brückner wurde am 13. Sept. 1746 zu Neetzka in Mecklenburg geboren. Er studierte in Halle Theologie und wurde 1771 Pfarrer in Groß-Vielen bei Neubrandenburg. Hier lernte er J. H. Voß kennen, durch dessen Vermittlung er auswärtiges Mitglied des Göttinger Hainbundes wurde. Brückner wurde 1789 Prediger in Neubrandenburg und starb dort am 29. Mai 1805.

Lit.: Alfred Kelletat (Hrsg.), *Der Göttinger Hain*, S. 376 f.

grinzen — mit den Zähnen knirschen.
aushunzen — ausschelten.
Mazfoz — Matz Fotz, Matz, törichter Mensch, hier mit obszönem Zusatz.
Kuppeln — Gruppe, oft in verächtlichem Sinne gebraucht.

4 *Gottlieb Konrad Pfeffel, Jost*
In: Gottlieb Konrad Pfeffel, *Poetische Versuche*, Teil 3, S. 34.

Dieses Gedicht Pfeffels entstand im Jahre 1785. Der Jakobiner Georg Wilhelm Böhmer rückte es in die Spalten der Mainzer Nationalzeitung vom 5. November 1792 ein. Georg Büchner kannte dieses Gedicht. Vgl. die Worte Woyzecks in der Szene *Beim Hauptmann:* »Man hat auch sein Fleisch und Blut. Unsereins ist doch einmal unselig in der und der andern Welt. Ich glaub, wenn wir in Himmel kämen, so müßten wir donnern helfen.« Vgl. dazu Krolopp, ›*Im Himmel donnern helfen.*‹ In: *Wissenschaftliche Zeitschrift der Martin-Luther-Univ. Halle-Wittenberg*. Gesellschafts- und Sprachwissensch. Reihe, Jg. 12 (1963), S. 1049 f.

Gottlieb Konrad Pfeffel wurde am 28. Juni 1736 als Sohn eines höheren Beamten in Colmar geboren. Er studierte in den Jahren von 1751–1754 in Halle Jurisprudenz und kehrte dann in seine Heimatstadt zurück. Infolge eines schweren Augenleidens erblindete er 1759. Sein dichterisches Schaffen brachte ihm Ruhm und Auszeichnungen ein. 1773 gründete er eine Kriegsschule für die protestantische Jugend, die 1793 in den Wirren der Revolution aufgelöst wurde. Sein 1790 entstandenes revolutionäres Lied »Der freie Mann, Ein Volkslied« wurde von Beethoven vertont. Die Jakobinerherrschaft, während der er sein Vermögen verlor, verurteilte er scharf. Seine beliebten gesellschaftskritischen Fabeln wurden in fast alle Jakobineranthologien der Zeit aufgenommen. 1803 wurde er von

Bonaparte zum Präsidenten des in Colmar neu errichteten evangelischen Konsistoriums ernannt. Er starb hochgeehrt am 1. Mai 1809.

Lit.: Edgar Guhde, *Gottlieb Konrad Pfeffel*, Winterthur 1964. Vgl. dort besonders das Kapitel *Pfeffels politische Anschauungen und sein Verhältnis zu Frankreich*, S. 59 ff.; Maria Tronskaja, *Die deutsche Prosasatire der Aufklärung*, Berlin, DDR, 1969, S. 359 ff.

5 *Anonym, Parodie Lied eines Leibeigenen*
In: *Musen-Almanach für 1789* von J. H. Voß, Hamburg, S. 124.

Die Parodie bezieht sich vermutlich auf die von J. H. Voß 1775 erstmals veröffentlichte Idylle *Die Leibeigenen*. Vgl. *Voß, Werke in einem Band*, S. 1; Johann Heinrich Voß, *Idyllen*, Faksimiledruck nach der Ausgabe von 1801, mit einem Nachwort von Ernst Theodor Voss, Heidelberg 1968, (Deutsche Neudrucke), S. (10) und S. (29) ff.

keichen – ältere Form von *keuchen*.

6 *Eulogius Schneider, Auf die Zerstörung der Bastille*
In: Eulogius Schneider, *Gedichte*, S. 245.

Eulogius (eigentl. Johann Georg) Schneider, am 20. Oktober 1757 als Sohn eines mittellosen Winzers in Wipfeld am Main geboren, studierte seit 1771 an der Universität Würzburg Jura und Schöne Wissenschaften. 1777 trat er in das Franziskanerkloster in Bamberg ein, wo er 1784 die Priesterweihe erhielt. Im gleichen Jahr wurde er Lektor am Franziskanerkloster in Augsburg. Hier entstanden seine ersten Gedichte. Im November 1785 hielt Schneider eine berühmte Toleranzrede, die ihm unter den orthodoxen Katholiken des paritätischen Augsburg unversöhnliche Feinde schuf und ihn zum Verlassen der Reichsstadt zwang. 1786–1789 war er in Stuttgart Hofprediger des Herzogs Karl Eugen von Württemberg, 1789 Professor der Eloquenz an der Universität Bonn, wo seine religiöse Freisinnigkeit zwar geduldet wurde, sein Eintreten für die Französische Revolution jedoch zu Konflikten führte, die ihn zwangen, im Frühjahr 1791 nach Straßburg überzusiedeln. Dort wurde er Professor für Kirchengeschichte und Vikar des konstitutionellen Bischofs. Im Juli 1791 legte er den Eid auf die bürgerliche Verfassung des Klerus ab und wurde Anfang 1792 Vizepräsident des Klubs der Konstitutionsfreunde, in dem er den linken, deutsch-revolutionären Flügel anführte und sich damit die Feindschaft der Girondisten wie der französischen Jakobiner zuzog. Seit Juli 1792 gab er die revolutionäre Zeitschrift *Argos, oder der Mann mit hundert Augen* heraus. Ende 1792 Maire und Kommissar in Hagenau/Elsaß, wurde er 1793 öffentlicher Ankläger beim Straßburger Revolutionstribunal. Als er am 14. Dezember 1793 seine Braut nach Straßburg führte, sahen seine Feinde den dabei entfalteten Prunk als Vergehen gegen die Gleichheit an; auf Befehl der anwesenden Konventskommissare St. Just und Lebas wurde Schneider verhaftet und nach Paris überführt. Am 1. April 1794 wurde er als Feind der Republik guillotiniert.

Lit.: Karl August Schiller (Hrsg.), *Galerie interessanter Personen oder Schilderung des Lebens und Charakters der Taten und Schicksale berühmter und berüchtigter Menschen der älteren und neueren Zeit*, Berlin und Wien 1798, S. 259 ff.; Leo Ehrhardt, *Eulogius Schneider. Sein Leben und* seine Schriften; Edmund Nacken, *Studien über Eulogius Schneider in Deutschland;* Franz Xaver von Wegele in: ADB, Bd. 32, S. 103 ff.; Max Braubach, *Die erste Bonner Hochschule.* Maxische Akademie und kurfürstliche Universität 1774/77 bis 1798, Bonn 1966.

Bassa — ältere Form für Pascha (Titel eines Würdenträgers im Osmanischen Reich). Hier soviel wie Tyrann.
Ein R . . . — gemeint ist J. J. Rousseau (1712—1788), der nach dem Erscheinen seines *Emile* aus Frankreich fliehen mußte.

7 *Gottlieb Konrad Pfeffel, Die drei Stände*
In: *Freiheitsgedichte,* 2. Bd., S. 40.

Dieses Gedicht schrieb Pfeffel nach eigener Angabe 1790. In den *Poetischen Versuchen* (Teil 4, S. 12) trägt das Gedicht den Untertitel: »An Herrn Rat Petersen in Darmstadt« und hat folgenden Zusatz:
> Ein schöner Anblick, Freund! Wenn nur die heil'ge Regel
> Des Lichts und Rechts des Riesen Arm regiert;
> Sonst ist es eins, ob Zepter oder Flegel,
> Ob Krummstab oder Speer das Reich despotisiert.

Das Gedicht findet sich auch in: [Friedrich Christian Laukhard], *Zuchtspiegel für Fürsten und Hofleute,* S. 75; *Bayerische Nationallieder,* S. 42. Dort erscheint es mit dem Titel *Der neue Landtag in Bayern* und beginnt abweichend:
> Die Freiheit kam ganz schnell vom Frankenlande,
> Den alten Staat der Bayern zu bereisen.

Penn's gelobtes Land — William Penn (1644—1718), Begründer Pennsylvaniens, wo er liberales Wahlrecht und Freiheit der Religionsausübung einführte.

Gottlieb Konrad Pfeffel — vgl. Anm. 4.

8 *Georg Heinrich Sieveking, (Freie Deutsche, singt die Stunde)*
In: Heinrich Sieveking, *Georg Heinrich Sieveking,* S. 50.

Das Gedicht wurde am Jahrestag der Erstürmung der Bastille im Hause des Kaufmanns gesungen. Vgl. auch das Nachwort S. 235.

Georg Heinrich Sieveking wurde am 28. Januar 1751 in Hamburg geboren und trat 1766 als Lehrbursche in das Handlungshaus des Senators Caspar Voght ein. Er führte das Geschäft seit 1781 zusammen mit dem jungen Caspar Voght. Das Haus des Großkaufmanns wurde zu Beginn der Revolution zum gesellschaftlichen Mittelpunkt aller liberalen Hamburger Revolutionsanhänger. Von den konservativen Kreisen der Hansestadt wurde Sieveking, der mit dem französischen Gesandten Lehoc befreundet war, des Jakobinismus bezichtigt. Dennoch wurde er 1796 von seinen Mitbürgern in diplomatischer Mission nach Paris gesandt, um mit dem Direktorium über Hamburgs Neutralität und wirtschaftliche Beziehungen zu Frankreich zu verhandeln. Er entledigte sich dieser Aufgabe erfolgreich. Der Freund Hölderlins und Goethes, Karl Friedrich Reinhard (1761 bis 1837), der 1795—1798 als französischer Gesandter in Hamburg, 1799 eine Zeitlang als Außenminister des Direktoriums fungierte, war Sievekings Schwager. Sieveking starb am 25. Januar 1799 in Hamburg.

Lit.: Sillem in: ADB, Bd. 34, S. 220; Heinrich Sieveking, *Georg Heinrich Sieveking,* Berlin 1913.

9   *Von einem Frauenzimmer, Bei Frankreichs Feier den 14ten Juli 1790*
     In: *Poetische Sammlungen*, S. 154.

10   *August Lamey, Rheinisches Bauernlied*
     In: August Lamey, *Gedichte eines Franken*, S. 162.

     August Wilhelm Lamey, am 3. März 1772 als Sohn eines Großkaufmanns
     in Kehl geboren, siedelte 1778 mit seinen Eltern nach Straßburg über.
     Nach dem Besuch des protestantischen Gymnasiums studierte er an der
     dortigen Universität Philosophie und Schöne Wissenschaften. Zwischen
     1789 und 1795 verfaßte der junge Dichter über hundert revolutionäre
     Gedichte, die teilweise in den Vernunfttempeln des Elsaß nach alten Kir-
     chenweisen gesungen wurden. Im Zuge der allgemeinen Begeisterung für
     die Revolution trat er freiwillig als Jugendlicher in die Nationalgarde ein.
     Nachdem er 1794 vorübergehend als Gerichtsschreiber fungiert hatte, ging
     er auf den Rat Pfeffels im gleichen Jahr als Übersetzer nach Paris. Dort ver-
     vollständigte er seine Ausbildung und verfaßte deutsche und französische
     revolutionäre Dramen. 1812 verließ er Paris und wurde von den Franzo-
     sen in Lüneburg zum Mitglied des Zollgerichts ernannt. Er kehrte 1816
     in das Elsaß zurück und bekleidete dort bis zu seinem Eintritt in den
     Ruhestand 1844 mehrere Richterstellen. Bis zu seinem Tode entwickelte
     er eine rege schriftstellerische Tätigkeit und widmete sich ganz seinen
     künstlerischen und literarischen Neigungen.   Während der Korrektur-
     arbeiten an seinen politischen Gedichten, die er in der Zeit von 1789
     bis 1850 geschrieben hatte, verstarb er im Alter von 89 Jahren am
     27. Januar 1861 in Straßburg.

     Lit.: Martin in: ADB, Bd. 17, S. 568; A. Hirschhoff, *August Lamey, ein
     elsässischer Dichter*, in: Elsaß-Lothringische Heimatstimmen, Jg. 1927, S.
     176 f.; Goedeke VIII, S. 51 ff.

     Es geht — Lamey gebraucht hier die Formel des Revolutionsliedes *Ça ira*.
     Das französische Lied entstand am ersten Jahrestag des Sturmes auf die
     Bastille, dem 14. Juli 1790. Damals wurde auf dem Marsfeld in Paris
     das Föderationsfest gefeiert. Die konservative Stadtverwaltung sabotierte
     die dazu nötigen Erdarbeiten. Daraufhin zogen die Sansculotten auf das
     Marsfeld und planierten es. Sie sangen dabei das Lied *Ça ira, die Aristo-
     kraten an die Laterne*, nach einer bekannten Tanzmelodie. Vgl. Gerd
     Semmer (Hrsg.), *Ça ira*, S. 57. Das Lied war neben der Marseillaise das
     beliebteste Revolutionslied. Vgl. auch die Gedichte Nr. 23, 24, 32, 48, 56.

11   *Friedrich Müller, Glücklicher Fortgang der Revolution*
     In: Friedrich Müller, *Lieder den freien Franken*, S. 11.

     Im Vorwort des Verlegers zu den *Liedern* heißt es: »Der poetischen Kri-
     tik, um billig und nach Rücksicht zu urteilen, mache ich hiemit die
     Anzeige, daß der Verfasser, der kein Poet von Profession ist, diese poli-
     tisch-moralischen Lieder, eigentlich nur aus dem Grunde, weil für den
     Gegenstand und den Inhalt derselben sein allgemein-patriotisches Herz
     sehr teilnehmend ist, nicht als Jüngling, sondern als ein Mann von ein-
     undsechzig Jahren geschrieben hat.«

     Über Friedrich Müller konnte nichts Näheres ermittelt werden.

12   *Carl Philipp Conz, Die Nymphe der Seine. Im September 1792*
     In: Carl Philipp Conz, *Gedichte*, 2. Bd., S. 11.

Carl Philipp Conz wurde am 28. Okt. 1762 in Lorch als Sohn eines Klosteramtsschreibers geboren und studierte im Tübinger Stift Theologie. Dort bildete er zusammen mit Karl Friedrich Reinhard und den Brüdern Stäudlin einen Freundschaftsbund. Von 1789 bis 1791 war er dort Repetent, 1793 wurde er Diakon in Vaihingen an der Enz. Seit 1798 war er Diakon in Ludwigsburg und lehrte seit 1804 klassische Literatur an der Universität Tübingen. Er starb dort am 20. Juni 1827.

Lit.: G. Class, *Der schwäbische Dichter C. Ph. Conz*, (Diss.), Tübingen 1913; vgl. auch P. Böckmann, *Hymnische Dichtung*, S. 327 ff.

13 *Gottfried August Bürger, (Für wen, du gutes deutsches Volk)*
In: *Bürgers Werke*, S. 222.

Das im Sommer 1793 geschriebene Fragment wurde von Bürger nicht veröffentlicht. Es erschien erstmals in: *Bürgers politische Ansichten*. Nach ungedruckten Briefen, Gedichten und Aufsätzen seines literarischen Nachlasses, von Adolf Strodtmann, in: *Neue Monatshefte für Dichtkunst und Kritik*, Bd. 1, Berlin 1875, S. 224. Vgl. auch: Lore Kaim-Kloock, *Gottfried August Bürger*, S. 279 ff.

bekleiben — fortdauern, festsitzen.

Gottfried August Bürger — vgl. Anm. 1.

14 *Friedrich August von Brömbsen, Volkslied*
In: Friedrich August von Brömbsen, *Versuche*, S. 3.

Das Gedicht erschien erstmals anonym in: *Niedersächsischer Merkur*, 3. Bändchen, 7. Stück, 1792, S. 97.

Friedrich August von Brömbsen, geb. 1741 in Lübeck, studierte in Göttingen Theologie und wurde Kammerherr des Bischofs zu Lübeck und später Senior des Domkapitels. Er starb am 27. April 1797 in seiner Heimatstadt. Brömbsen begrüßte die Revolution nur in ihrer Anfangsphase. Die Hinrichtung Ludwigs XVI. verurteilte er. Vgl. auch sein Gedicht *Ludwig XVI. Hinrichtung im Januar 1793*, in dem es heißt:
    Wohl uns, daß unser *deutscher* Geist
    Die guten Fürsten liebt und preist,
    Selbst schlimme nie betrübt,
    Nie Rach' an ihnen übt!
In: *Versuche*, S. 28.

Lit.: Vgl. die Selbstbiographie Brömbsens: *Mein Lebenslauf in nuce*, in: *Versuche*, S. 89 ff.; Johann Georg Meusel, *Lexikon der vom Jahr 1750 bis 1800 verstorbenen teutschen Schriftsteller*, 1. Bd., Leipzig 1802, S. 603.

15 *Friedrich August von Brömbsen, An den regierenden Herzog von Braunschweig*
In: Friedrich August von Brömbsen, *Versuche*, S. 19.

Das Gedicht, das wahrscheinlich schon 1792 entstand, wendet sich an den Oberbefehlshaber der alliierten Armee, den Herzog Karl Wilhelm Ferdinand von Braunschweig (1735–1806), der als Feldherr im Siebenjährigen Krieg gegen die Franzosen erfolgreich gewesen war, am 20. September

1792 jedoch eine entscheidende Schlappe bei Valmy gegen die Revolutionstruppen erlitt.

Friedrich August von Brömbsen – vgl. Anm. 14.

16 *Anonym, Bußgesang, (In der mißlichen Lage bei Chalons sur Marne gesungen)*
In: *Niedersächsischer Merkur*, 2. Bändchen, 8. Stück, 1792, S. 113.

Der *Bußgesang* erinnert an das Kirchenlied *Herr, ich habe mißgehandelt* von Johann Franck (1618–1677). Eine Parodie dieses Kirchenliedes wurde vom Berliner Volk nach dem Sturz der Mätresse Friedrich Wilhelms II., der Gräfin von Rietz-Lichtenau, Ende 1797 gesungen. Vgl. Otto Tschirch, *Geschichte*, 1. Band, S. 250..

In Châlons-sur-Marne sammelte sich im Herbst 1792 ein Teil der französischen Revolutionstruppen zum Kampf gegen die preußische Armee, die in die Champagne vorgedrungen war. Nach der Kanonade von Valmy zogen sich die Preußen am 22. September 1792 zurück.
Roßbach – Anspielung auf den Sieg der Preußen unter Friedrich II. bei Roßbach am 5. November 1757 über die französischen Truppen und die Reichsarmee.
Dumouriez – Charles François Dumouriez (1739–1823), französischer Diplomat und General. Im März 1792 war er Außenminister des girondistischen Ministeriums geworden.. Er war als General gegen die Preußen bei Valmy und die Österreicher bei Jemappes erfolgreich. Im April 1793 ging er zu den Österreichern über.
Montesquiou – französischer General. Er hatte Ende September 1792 die ehemals französische Provinz Savoyen, ohne Gegenwehr zu finden, besetzen können.
Custine – Adam-Philippe Comte de Custine (1740–1793), französischer General, 1788 Deputierter der Generalstände. Nach Dumouriez' Sieg bei Valmy stieß er ins Rheinland vor und konnte im Oktober 1792 Mainz, Speyer, Worms und Frankfurt einnehmen. Er konnte diese Positionen jedoch nicht halten und mußte vor den Preußen zurückweichen. Nach dem Fall von Mainz wurde er von dem Revolutionstribunal angeklagt, im Einverständnis mit der antifranzösischen Koalition gestanden zu haben, und am 27. August 1793 in Paris guillotiniert.
Kellermann – François-Christophe Kellermann (1735–1820), Feldmarschall und Generalleutnant der Revolutionsarmee. Er siegte mit Dumouriez gegen die Preußen bei Valmy. Unter dem Direktorium war er Generalinspekteur der Armee in Holland. Von Napoleon wurde er zum Senator, Marschall von Frankreich und Herzog von Valmy ernannt.

17 *Anonym, Rückzug aus der Champagne*
In: Franz Wilhelm Freiherr von Ditfurth, *Die historischen Volkslieder*, S. 84.

Magister Laukhard teilt in seiner Reportage über den Feldzug eine Strophe des Gedichts mit und schreibt dazu: »Ein preußischer Kanonier hatte ein Liedchen über das große Elend, das wir in jeder Rücksicht erlitten hatten, verfertigt, welches auch hernach gedruckt herumlief.« Vgl. [Friedrich Christian Laukhard], *Briefe eines preußischen Augenzeugen über den Feldzug des Herzogs von Braunschweig gegen die Neufranken*, Upsala (vielm. Altona) 1795, 4. Pack, S. 85.

straplezieret — strapaziert.
Kühfuß — nach der damaligen Soldatensprache Bezeichnung für das Gewehr.
ballieren — polieren.

18 *Anonym, Trinklied für Brüder der Franken*

In: *Lieder der Freiheit gewidmet*, S. 78. Das Gedicht steht nach Ferber, *Das Volkslied in Hamburg*, S. 38, auch in dem Band *Neue Lieder zum gesellschaftlichen Vergnügen*, 2. Bd., 1. Sammlung, Hamburg o. J., der jetzt in keiner Bibliothek mehr auffindbar ist.

Pillnitzer Ligue — Am 27. August 1791 trafen sich Leopold II. und Friedrich Wilhelm II. als Gäste des Kurfürsten von Sachsen im Schloß Pillnitz und beschlossen, in Frankreich zu intervenieren, wenn sich England anschlösse. Die Franzosen interpretierten die »Pillnitzer Deklaration« als Kriegsdrohung.
Der Ritter von B*** — gemeint ist der Herzog von Braunschweig, vgl. Anm. 15.
Manifeste — gemeint sind die Manifeste des Herzogs von Braunschweig vom 25. und 27. Juli 1792, die die Invasion in Frankreich eröffneten, die Wiederherstellung des alten Regimes forderten und den Revolutionären unnachsichtige Bestrafung androhten.

19 *Anonym, Die Konterrevolution in einem scherzhaften Scherzgedichte in extrafeinen Knittelversen gesungen von M. Jodocus Agreabilis P. L. und p. t. Schulmeister zu Freihausen*

Diese Satire gegen die französischen Emigranten, die Einflüsse von Bürgers Lyrik zeigt, erschien als Flugblatt 1792 in Mainz. Vgl. *Verzeichnis sämtlicher Revolutionsschriften*, S. 4; E. Sauer, *Die französische Revolution*, S. 48.

P. L. — Poeta Laureatus, gekrönter Dichter. Die Dichterehrung mit dem Lorbeerkranz war besonders im 17. Jahrhundert üblich. Der Titel ist hier ironisch gemeint.
p. t. — per tempus, zur Zeit.
Lais — Kokotte, Mätresse. Ursprünglich Name zweier berühmter griechischer Hetären.
Joujou's — (frz.) Spielzeuge.
ausgeschämte Gesichter — unverschämte Gesichter.
Dose — Dosis.
hudelten — plagten.
schlauer Unhold — gemeint ist der englische Premierminister William Pitt (1759–1806), der die französischen Emigranten und Preußen mit Geld gegen das revolutionäre Frankreich unterstützte und seit 1793 die antifranzösische Koalition anführte.
mächtigen Fey — gemeint ist die russische Zarin Katharina II. (1762–1796).
Vastug — Anagramm für Gustav III., der seit 1771 König von Schweden war und einen Kreuzzug gegen das revolutionäre Frankreich plante. Er wurde 1792 von einem Fanatiker der Adelsopposition ermordet.
Der Held sei in Gaskogne geboren — Anspielung auf die sprichwörtliche Klugheit der Einwohner der südwestlichen französischen Provinz Gaskogne.
Mirabeau-Faß — Vicomte Boniface de Mirabeau (1754–1792) war ein

Bruder des berühmten Grafen Honoré de Mirabeau. Wegen seiner Fülle und Trinkfestigkeit führte er den Spitznamen »le tonneau« (das Faß). Er sammelte 1791 in Freiburg im Breisgau eine französische Legion, die dazu beitragen sollte, die Revolution niederzuzwingen.

Calonne – Charles-Alexandre de Calonne (1734–1802), 1783–1787 französischer Finanzminister, Vertrauter des Grafen von Artois und führender Politiker der französischen Emigranten.

Fey Messalina – gemeint ist die wegen ihrer Libertinage bekannte Zarin Katharina II.

nordsche Uhu – vermutlich ist der Schwedenkönig Gustav III. gemeint, vgl oben.

Skapulier – ein Teil der Ordenskleidung.

Meisenkloben – Vorrichtung zum Fangen von Meisen.

Kalmäuser – Kopfhänger, gelehrter Stubenhocker.

20 *Anonym, Lied für Geweihte. Verfaßt als die koalisierten Heere aus der Champagne flohen*
    In: *Die Schildwache*, 2. Stück, 1796, S. 19.

Das Gedicht hat folgende Fußnote: »Die ekstatischen Ausdrücke des Dichters abgerechnet, ist alles, was er voraussagt, eingetroffen. So redete damals schon manche laute Stimme derb und deutlich von einem so unrechtmäßigen und gefährlichen Kriege; allein man wollte nicht hören, und hört noch nicht; inzwischen wird wahrscheinlich in dem Augenblicke, da ich dieses schreibe, General Lefevre eine Carmagnole tanzen, deren Pas uns näher zum Frieden führen könnten. Leider kann die Ruhe nur durch vieles Blut erkauft werden.«

Bramarbas – Prahlhans, Aufschneider.

Sardanapal – assyrischer König, für die Griechen Urbild der Schwelgerei.

21 *Anonym, Politische Klagen aller kriegsführenden Mächte, Straßburg im 6. Jahre der Freiheit*
    In: *Lieder der Freiheit gewidmet*, S. 37.

Auch als Flugschrift verbreitet: *Politische Klagen aller kriegsführenden Mächte über den glücklichen Fortgang der französischen Waffen;* aufgesetzt von einer Gesellschaft patriotischer Landleute im Niederrheinischen Departement, (Straßburg 1795).

Im Gegensatz zu der sonst üblichen Zählung nach dem französischen Revolutionskalender (Beginn: 22. September 1792), wird hier vom Jahre 1789 als 1. Jahr der Freiheit gerechnet. Das Gedicht war weit verbreitet. Vgl. Carl Haase, *Obrigkeit und öffentliche Meinung in Kurhannover*, S. 267 ff. Dort ist das Gedicht mit Änderungen abgedruckt. Es wurde 1795 auf einem Jahrmarkt bei Hannover vertrieben. 70 Exemplare wurden konfisziert. In Süddeutschland wurde das Gedicht von dem Jakobiner Joseph Rendler, der selbst politische Gedichte verfaßte, verbreitet. Diese Angabe teilte mir dankenswerterweise Friedrich Speiser aus Berndorf in Niederösterreich nach Beständen des Staatsarchivs Karlsruhe mit. Vgl. weiter: *Fliegende Blätter*, November 1794, S. 969: »Noch ein anderer, ebenso ehrenrühriger Jakobinerpendant, in Gestalt eines Gedichts, ist ihm gleichfalls, unter dem gemeinen Mann zirkulierend, zu Gesichte gekommen; er bezweckt gleiche Absicht, nämlich die Fürsten verächtlich zu machen, den gegenwärtigen Krieg von der gehässigsten Seite darzustellen, und einen Frieden zu erzwingen ... Das Gedicht hat die Überschrift: Politische Klagen aller kriegsführenden Mächte. Straßburg im 6. Jahre der Freiheit.« Die Form dieses Gesprächsliedes hat wohl auch Einfluß auf spätere Lieder der gleichen Art genommen. Vgl. das Lied *Preußens Niederlage von 1806/07*, in: Dietmar Sauermann, *Historische Volkslieder*, S. 297 f.

Gorge — gemeint ist der englische König Georg III. (1760–1820).
spanische Silberflotten — nach dem Eintritt Spaniens in den Krieg gegen Frankreich am 7. März 1793 brachte die französische Flotte einige spanische Schiffe auf, die Silber von den mexikanischen Bergwerken nach Cadiz brachten.
Stüber — holländische Münze.
Schwert des Herrn und Gideon — vgl. Richter 7, 18–20.

22 *Anonym, An Frankreich*
In: *Der Patriot C*, (November 1792), S. 1.

Auch in: *Sammlung verschiedener Gedichte*, S. 28.
zwölfter Ludewig — Ludwig XII. (1498–1515), französischer König.
vierter Heinrich — Heinrich IV. (1589–1610), er wurde als »Volkskönig« verehrt.

23 *Gottfried Jakob Schaller, Triumph der Franken*
In: *Der Patriot C*, (Dezember 1792), S. 3.

Gottfried Jakob Schaller, geb. am 17. Juni 1762 zu Obermodern im Elsaß, studierte in Erlangen Theologie und Schöne Wissenschaften. Er war von 1785 bis zu seinem Tode Pfarrer in Pfaffenhofen. Schaller, der noch 1789 in der Schrift *Gegen den bürgerlichen Aufruhr in einem Staate ... Eine Predigt gehalten den 26. Juni 1789*, (Straßburg) 1789 monarchische Grundsätze vertrat, wurde in den nächsten Jahren ein konsequenter Anhänger der Französischen Revolution. Während der Jakobinerherrschaft schrieb er zahlreiche Gedichte, die den Kult der Vernunft und den des Höchsten Wesens propagierten und gesammelt als *Festgesänge der Franken zum Tempelgebrauche*, Straßburg (1795) erschienen. Sein Eintreten für den Vernunftkult scheint zu einer kurzen Gefängnisstrafe in Weißenburg geführt zu haben. Für die Dekadenfeste, die um 1795 den Kult des Höchsten Wesens ablösten, verfaßte er einige Reden und über siebzig Gedichte, die nach altbekannten Kirchenweisen in seiner Heimat gesungen wurden. Er wurde später zum Anhänger Napoleons, den er in mehreren Gedichten feierte. Nach 1814 verfaßte er viele unpolitische belletristische Arbeiten und Predigten. Die Julirevolution begrüßte er in dem Gedicht *Hochgesang auf das Huldigungsfest Ludwig Philipps I., König der Franken*, Straßburg 1830. Er starb am 26. März 1831 in Pfaffenhofen.

Lit.: Zoepffel in: ADB, Bd. 30, S. 560 f.; Goedeke VII, S. 50 f.

Es geht — vgl. Anm. 10.
Leimenwall — Wall oder Damm aus Lehm.
Eumeniden — griechische Rachegöttinnen.

24 *Friedrich Lehne, Lied freier Landleute*
In: Friedrich Lehne, *Versuche* (1795), S. 24.

Das Gedicht Lehnes, das anläßlich der Errichtung des Freiheitsbaums in Mainz am 13. Januar 1793 geschrieben wurde, erschien erstmals als *Lied der freien Wöllsteiner* im Februar 1793 in Mainz. Vgl. Hansen II, S. 537, Anm. 4 und II, S. 567.

Johann Friedrich Franz Lehne, geb. am 8. September 1771 zu Gernsheim am Rhein, kam nach dem frühen Tode seiner Eltern 1780 nach Mainz und studierte dort Geschichte und Schöne Wissenschaften. Am 29. November 1792 wurde er Mitglied des Mainzer Jakobinerklubs und schrieb seine ersten revolutionären Gedichte. Nach der Eroberung der Stadt durch die Preußen floh er am 24. Juli 1793, verkleidet als französischer Soldat, nach Paris, diente in der Nationalgarde und in der Zivilverwaltung der besetzten Gebiete, bereiste 1797 Italien und kehrte 1798 nach der erneuten Einnahme der Stadt durch die Franzosen nach Mainz zurück. Im selben Jahre wurde er Hauptredakteur der Zeitschrift *Der Beobachter vom Donnersberg, eine Zeitschrift herausgegeben von Freunden der Freiheit in Mainz* (1798–1801). 1799 wurde er Professor der Schönen Wissenschaften. Aus Protest gegen die französische Politik nach dem 18. Brumaire und die Durchführung des Präfektursystems gab er am 22. September 1799 seine Tätigkeit als Redakteur auf. Für die revolutionären Feste von 1798–1800 schrieb er zusammen mit seinem Freund Niklas Müller zahlreiche Gedichte und Reden. 1814 wurde er Stadtbibliothekar und widmete sich in seinem Alter lokalhistorischen Forschungen. Er starb am 15. Februar 1836.

Lit.: *Friedrich Lehnes gesammelte Schriften*, hrsg. von Ph. H. Külb, 5 Bde., Mainz. 1838–1839. Vgl. H. Voegt, *Die deutsche jakobinische Literatur*, S. 183; Hansen II, S. 357 ff. und IV, S. 32*f. und passim; Goedeke VII, S. 242 f.

25 *Anonym, Trinklied der freien Männer*
Flugblatt, o. O. u. J. (vermutlich Mainz 1792/93).

Auch in: *Poetische Sammlungen*, S. 185.

Das Lied ist eine Parodie des 1776 entstandenen Rheinweinliedes von Matthias Claudius, das damals zu den beliebtesten Trinkliedern Deutschlands zählte.
Zur gleichen Zeit erschien in Mainz die *Parodie auf das bekannte Rheinweinlied, meinen lieben Mitbürgern gewidmet*, das der Klubist Martin Staudinger verfaßt hatte. Die erste Strophe lautet:
> Mit Lorbeern kränzt den wonnereichen Becher,
> Und reicht ihn froh herum.
> Itzt herrschet überall, ihr Herren Zecher!
> Das Jakobinertum.
Vgl. auch Anm. 37.

26 *Eulogius Schneider, Freiheitslied für die lieben Mainzer*
In: Mainzer National-Zeitung, 8. Dez. 1792.

Custine – vgl. Anm. 16.
Wimpffen – Louis Felix Wimpffen (1744–1814), französischer Offizier im amerikanischen Unabhängigkeitskrieg, 1788 Deputierter der Generalstände, verteidigte im September 1792 als Generalleutnant die Stadt Thionville (Diedenhofen) in Lothringen erfolgreich gegen die Preußen.

Eulogius Schneider – vgl. Anm. 6.

27 *Anonym, Bürgerlied der Mainzer*
Flugblatt, o. O. u. J. (Mainz 1792/93).
Vgl. *Verzeichnis sämtlicher . . . Revolutionsschriften*, S. 4.

Das Lied ist eine Parodie des 1787 von Schubart gedichteten und vertonten Kapliedes. Der Dichter schrieb es, als die württembergischen Soldaten, die der Herzog Karl Eugen von Württemberg an Holland verkauft hatte, zum Kap der Guten Hoffnung aufbrachen.

Vgl. auch die Gedichte 52, 56 und 90.

Diese Nachdichtung wurde am 13. Januar 1793 bei der Pflanzung des Freiheitsbaums in Mainz gesungen. Vgl. Hansen II, S. 700.

Das Eisen schmolz – Nach einer Mainzer Legende sollte ein Eisenklumpen auf dem Schloßplatz der Stadt schmelzen, sobald die Stadt ihre vom Erzbischof geraubte Freiheit wiedererhielte. Die Mainzer entfernten das Eisen, um ihre neuerrungene Freiheit zu symbolisieren.

28 *Friedrich Lehne, Waffenruf an die Bürger des Landes Mainz*
Flugschrift: *Waffenruf an die Bürger des Landes Mainz*. Von den Freunden des Vaterlandes gesungen durch Friedrich Lehne, Mainz 1792.

Das Gedicht findet sich auch unter dem Titel *Waffenruf an die deutschen Bürger* in: *Lieder der Freiheit gewidmet*, S. 57; *Freiheitsgedichte*, 1. Bd., S. 216.

Friedrich Lehne – vgl. Anm. 24.

29 *Friedrich Lehne, Gesang beim Bombardement der Stadt*
In: Friedrich Lehne, Gesänge, Mainz 1793, S. 7.

Mainz wurde vom 30. März bis zum 23. Juli 1793 von den Preußen belagert. Das Gedicht entstand Anfang Juli, kurz vor der Übergabe der Stadt.

Friedrich Lehne – vgl. Anm. 24.

30 *Karl Wilhelm Friedrich Schaber, Der Deutsche Bürger an die Deutschen Fürsten zum Neuen Jahre 1793*
Flugblatt (Mainz 1793); vgl. *Verzeichnis sämtlicher . . . Revolutionsschriften*, S. 6.

Karl Wilhelm Friedrich Schaber, geb. um 1760 in Württemberg als Sohn eines evangelischen Pfarrers. Er studierte im Tübinger Stift und wurde als untauglich für den geistlichen Stand entlassen. Schaber vervollständigte seine Ausbildung in Erlangen, wo er Magister wurde. Vorübergehend war er österreichischer Soldat, später Hauslehrer und Vikar in dem Dorfe Frankenbach bei Heilbronn. Er führte dann ein abenteuerliches Leben, das ihn nach Stuttgart, Kassel und Göttingen führte. Wegen Betrügereien wurde er bald steckbrieflich gesucht. Er wurde wieder Soldat in Leipzig und Berlin und schließlich am Anfang des Jahres 1790 Quartiermeister in Württemberg. Auch diese Stelle hatte er nicht lange inne. Ende des Jahres 1790 hielt er sich in Mainz, Heidelberg und Nürnberg auf und wurde zum landstreichenden Hochstapler. In Köln und Elberfeld gab er sich für Schiller aus. In Bonn schließlich, wo er Anfang 1791 eintraf, spielte er die gleiche Rolle, wurde aber von Eulogius Schneider erkannt, der für den mittellosen »Gelehrten« Geld sammelte. Schaber kam dann über Neuwied nach Heidelberg. Dort gab er sich als der Prediger Schulz aus Gielsdorf aus. Da der Atheist Schulz — genannt Zopfschulz — durch seine Verfolgung in Preußen damals in aller Munde war, erregte Schaber großes Aufsehen und konnte die Heidelberger, die den Betrug erst nach seiner Abreise entdeckten, hinters Licht führen. Seine abenteuerlichen Reisen durch Deutschland beschrieb er in einer 1792 in Gera erschienenen Schrift mit dem Titel: *Meine Reisen durch Deutschland; ein Pendant zur Charakteristik der Menschheit, in Briefen an mein Mädchen Lieschen.* Im Februar 1793 wurde er von den Franzosen in Alzey festgenommen und unter dem Verdacht konterrevolutionärer Umtriebe nach Mainz überführt. Während der Belagerung lebte er in Mainz und veröffentlichte 1793 die Schrift: *Mein Tagebuch der Belagerung von Mainz,* die in Frankfurt a. M. erschien und in der er an die Einsicht der Fürsten appellierte und sich gegen die Mainzer Jakobiner wandte. Schaber starb vermutlich in einem Mainzer Lazarett Anfang April 1794.

Lit.: *Nekrolog auf das Jahr 1794,* gesammelt von Friedrich Schlichtegroll, Gotha 1796, S. 319 ff.; vgl. Johann Georg Meusel, *Lexikon der ... teutschen Schriftsteller,* 12. Band, Leipzig 1812, S. 56 f.

31 *Anonym, Freiheitsgebet eines Jakobiners*
In: *Poetische Sammlungen,* S. 179.

Das Gedicht erschien erstmals in: *Niedersächsischer Merkur,* 3. Bändchen, 8. Stück, 1792, S. 115.

Brabants Söhne — die Provinz Brabant gehörte damals zu den österreichischen Niederlanden und war 1792 von den französischen Revolutionstruppen besetzt worden.
ça ira — vgl. Anm. 10.

32 *Anonym, Aufmunterung zur Freiheit*
In: *Niedersächsischer Merkur,* 3. Bändchen, 1. Stück, 1792, S. 1.

Auch in: *Poetische Sammlungen,* S. 186.

Ça ira — vgl. Anm. 10.

33 *Anonym, Aufforderung an die Völker Europens. Von einem Deutschen*
In: *Niedersächsischer Merkur,* 2. Bändchen, 11. Stück, 1792, S. 161.

34 *Anonym, (Die Menschen sind nicht alle gleich)*
In: W. Müller, *Eine hessen-darmstädtische Verordnung,* S. 120.

Die Verse, die auf Tabaksdosen aufgedruckt waren, wurden 1793 von den Behörden in Hessen-Darmstadt konfisziert. Vgl. auch das Nachwort S. 228.

35 *Anonym, Ein Deutscher an seine Brüder*
In: *Niedersächsischer Merkur,* 1. Bändchen, 1792, S. 81.

Viele Gedichte und Lieder des *Niedersächsischen Merkur* wurden später in revolutionäre Anthologien aufgenommen. Dieses Gedicht auch in: *Freiheitsgedichte,* 1. Bd., S. 28. 1799 wurden diese Verse in der in Trier erschienenen Sammlung *Lieder für Freie,* S. 152, abgedruckt. Dort ist die letzte Strophe des Gedichts ausgelassen. In erweiterter und verschärfter

Fassung erschien es auch mit dem Titel: *Ein Trinklied der Bayern, Schwaben und Franken oder in Süddeutschland,* in: *Bayerische Nationallieder,* S. 44.

36 *Anonym, Unterhaltung zwischen einem Demokraten und Aristokraten*
In: *Niedersächsischer Merkur,* 1. Bändchen, 7. Stück, 1792, S. 97.

Das Pro und Kontra der Französischen Revolution behandelt auch das 1799 in Zürich entstandene Gedicht: *Ein neues Lied über der Revolution Schreckliches und Liebliches,* in: Ditfurth, *Die historischen Volkslieder,* S. 238.
Ferdinand – Karl Wilhelm Ferdinand von Braunschweig, vgl. Anm. 15.
Roßbach – vgl. Anm. 16.
Pompadour – Mätresse des französischen Königs Ludwig XV. in den Jahren 1745–1765, sie hatte entscheidenden Einfluß auf die Kriegführung Frankreichs während des Siebenjährigen Krieges.

37 *Anonym, Freiheitslied*
In: *Lieder der Freiheit gewidmet,* S. 99.

Diese Parodie des Rheinweinliedes von Claudius war weit verbreitet. Sie entstand vermutlich 1793 in Mainz; vgl. E. Sauer, *Die Französische Revolution,* S. 42.
Auch in: *Poetische Sammlungen,* S. 193; *Sammlung verschiedener Gedichte,* S. 78. Das Lied wurde auch von Studenten in Ingolstadt gesungen. Vgl. Scheel, *Süddeutsche Jakobiner,* S. 21 f.

Ein konservativer Dichter parodierte diese revolutionären Reime. Vgl. *Deutsches Freiheitslied,* (Flugblatt, o. O. u. J.). Die ersten drei Strophen seien hier mitgeteilt:

> Umhängt mit Flor den umgestürzten Becher,
>   Und trauert um ihn her,
> Beinah' ganz Europa, ihr Herren Zecher,
>   Plagt's Freiheitsfieber sehr.
>
> Wär' es gutartig und aus reiner Quelle;
>   Woher sonst diese Wut?
> Das Toben, Hängen und Laternenpfähle,
>   Und dieser Durst nach Blut?
>
> Das Übel kommt von ganz verderbten Säften,
>   Und von verbrannten Hirn;
> Fischweiber sprechen jetzt von Staatsgeschäften
>   Mit unverschämter Stirn.

38 *Anonym, Freie Übersetzung eines französischen Freiheitsliedes*
In: *Niedersächsischer Merkur,* 2. Bändchen, 3. Stück, 1792, S. 33.

Das beliebte Gedicht war im ganzen Reichsgebiet bekannt. Vgl. für München: *Rheinwaldiana* 8, Nr. 65, S. 126 ff. (SUB); im Kanton Daun bei Bad Kreuznach wurde das Gedicht anläßlich der Feier des 21. Januars 1799 vorgetragen: *Verse auf das Fest vom 2. Pluviôse 7. Jahrs* (Staatsarchiv Koblenz, Abt. 241, Nr. 3286); in Ostböhmen wurde es handschriftlich verbreitet: A. Blaschka, *Der Widerhall,* S. 19 ff.; ferner wird es erwähnt in: Elisabeth Führer, *Die Jakobiner in der Steiermark,* (masch.-schriftl. Diss.), Wien 1965, S. 60 ff.; Walter Grab / Uwe Friesel, *Noch ist Deutschland nicht verloren*, S. 32 ff.; das Gedicht war mit Änderungen noch während der Revolution von 1848 bekannt. Vgl. Bruno Kaiser (Hrsg.), *Die Achtundvierziger*, Weimar 1953, S. 401 ff.

39 *Anonym, Hymnus der Marseiller an die Freiheit*
In: *Schleswigsches Journal*, 3. Band, 10. Stück, Oktober 1793, S. 516.

Diese das französische Original genau wiedergebende Übersetzung des Revolutionsliedes erreichte von den vielen Übersetzungen die größte Popularität.

Auch in: *Poetische Sammlungen*, S. 165; *Lieder der Freiheit gewidmet*, S. 21; *Freiheitsgedichte*, 1. Bd., S. 173; *Gesänge zur Feier der Dekaden*, S. 38; *Lieder für Freie*, S. 112.

Außer den hier abgedruckten Übersetzungen der Marseillaise seien noch erwähnt: Eulogius Schneider, *Kriegsgesang für die Soldaten der Freiheit* (Wohlan! der Freiheit traute Brüder!), in: *Der Patriot D*, (1792) S. 2; [anonym], *Aufruf an die Franken zum Streit* (Auf, Franken, eilet zum Gefechte!), in: *Freiheitsgedichte*, 1. Bd., S. 209; [anonym], *Hymne der Marseiller* (Auf! ihr Kinder des Vaterlands!), in: *Niedersächsischer Merkur*, 4. Bändchen, 3. Stück, (1792), S. 33; J. J. Pfeiffer, *Der Marseiller Marsch. Frei übersetzt aus dem Französischen* (Brecht auf, des Vaterlandes Söhne!), in: *Astrea*, 1. Heft, Messidor 6. Jahrs (Juni/Juli 1798), S. 50. Von den zahlreichen Umdichtungen der Marseillaise seien erwähnt: *Gesang für freie Bürger*, in: *Liederlese für Republikaner*, Hamburg 1797, S. 45 ff. und 50 ff. Vgl. auch die Gedichte 24 und 29.

40 *Anonym, Das Marseiller Lied. Übersetzt von einem Deutschen*
In: *Argos*, 27. November 1792, S. 337.

Nachdem Eulogius Schneider am 29. Oktober 1792 die eigene Übersetzung in seinem Journal mitgeteilt hatte (vgl. Hansen II, S. 538 u. Grab, *Die Revolutionspropaganda*, S. 135), ließ er diese Übertragung folgen. Die Aufnahme des Revolutionslieds erfolgte in Deutschland erst, als das Lied von Paris aus seinen Siegeszug angetreten hatte und in ganz Europa bekannt wurde. Eine Verbindung zwischen dem französischen Hauptmann Rouget de Lisle und dem in Straßburg lebenden Schneider konnte nicht festgestellt werden.

41 *Johann Friedrich Lucé, Deutsche Marseillaise*
In: Marie-Joseph Bopp, *Johann Friedrich Lucé*, S. 25.

Der Kriegsgesang wurde in Colmar im Oktober 1792 in französischer Sprache gesungen. Lucé übersetzte das Lied, das am 1. November in einer Colmarer Zeitschrift erschien, für seine Landsleute. Die Annahme Bopps (vgl. dort S. 24), daß es sich um die erste deutsche Übersetzung des Lieds handele, ist falsch, da Schneider bereits am 29. Oktober seine Übertragung erscheinen ließ. Vgl. auch Anm. 40.

Johann Friedrich Lucé wurde als Sohn eines Rotgerbers am 7. Juni 1752 in Münster/Elsaß geboren. Er studierte in Tübingen Theologie und war seit 1772 Lehrer am protestantischen Gymnasium in Colmar. Dort schloß er mit dem Fabeldichter Pfeffel Freundschaft, die bis zu seinem Tode währte. Die Revolution unterstützte er durch aktive und propagandistische Tätigkeit. Anfang 1794 wurde er Vizepräsident des Colmarer Jakobiner-

klubs und reiste in dieser Eigenschaft nach Paris, um die Lebensmittel-
versorgung für das oberrheinische Departement sicherzustellen. Er wurde
dann für kurze Zeit Präsident des Klubs und von den französischen Jakobinern wegen seines Beharrens, Propagandareden in deutscher Sprache
zu halten, verfolgt. Nach dem Sturz Robespierres zog er sich aus dem
politischen Leben zurück. 1795 wurde er von der Gemeinde Münster zum
Pfarrer gewählt. Er starb dort am 27. Juli 1808.

42 *Johann Heinrich Voß, Gesang der Neufranken für Gesetz und König*

Die hier mitgeteilte gekürzte Fassung der Nachdichtung ist eine spätere
Bearbeitung des Revolutionsliedes. Vgl. Johann Heinrich Voß, *Sämtliche
Gedichte*, Auswahl letzter Hand, Königsberg 1825, 3. Bd., S. 170 f.

Die ursprüngliche Fassung findet sich erstmals in: *Schleswigsches Journal*,
1. Bd., Februar 1793, S. 252. Das Gedicht erscheint dort mit dem Titel
Hymnus der Freiheit und hat radikaleren Charakter, der sich auch im
Refrain ausdrückt. Dort heißt es:
   Mit Waffen in den Kampf
   Für Freiheit und für Recht!
Diese Fassung findet sich auch in: *Poetische Sammlungen*, S. 37; *Lieder
für Freie*, S. 100; *Gesänge zur Feier der Dekaden*, S. 46. Vgl. auch A. G. F.
Rebmann, *Kosmopolitische Wanderungen durch einen Teil Deutschlands*,
Leipzig 1793, S. 15 f.:
»Es war ein schöner Herbstabend, malerisch vergoldete die Sonne die
Fluten des alten ehrwürdigen Rheins, und außer dem Emigrierten, in
dessen Adern bloß – Quecksilber zu fließen schien, war jeder von uns in
stiller entzückender Betrachtung des schönen Naturschauspiels verloren.
Plötzlich, wie abgeredet, stimmten der sächsische Offizier und ich die
schöne Freiheitshymne von Voß nach der Melodie der bekannten Carmagnole an. Nassen Auges fiel der Pole in den Schlußchor mit ein, herzlich drückte er mir am Ende des Gesanges die Hand, und eine Träne der
Wehmut rollte über seine abgehärmte Wange, die edle Träne des Mannes,
der sich zu schwach fühlt, seiner Mitbürger Ketten zu brechen. ›O, wer
auch so innig, so herzlich dies Lied mitsingen könnte‹, rief er endlich,
›aber – armes Vaterland!‹«

Johann Heinrich Voß – vgl. Anm. 2.

43 *Rudolff Suter, Marseiller Marsch. Ein Geschenk an meine Brüder*
Flugblatt (Mainz 1792). Vgl. *Verzeichnis sämtlicher ... Revolutionsschriften*, S. 6.

Das Gedicht erschien auch in: *Der Patriot B*, (Nov. 1792), S. 2. Dort
schreibt der Herausgeber der Zeitschrift, Georg Wedekind, in einer Vorbemerkung: »Die Begeisterung, mit welcher unsere französischen Brüder
den Marseiller Marsch singen, hat uns oft genug ans Herz gegriffen und
den Wunsch, dieses ihr Lieblingslied in unserer Sprache zu besitzen, in
uns allgemein rege gemacht. Schade freilich, daß dergleichen Lieder in
der Übersetzung immer verlieren müssen. Indessen hoffe ich, daß man mir
es Dank wissen wird, diese aus der Feder meines Freundes geflossene
Übersetzung hier bekannt zu machen.«

Johann Rudolff Suter wurde 1766 zu Zofingen in der Schweiz geboren.
Bis 1787 studierte er in Göttingen Schöne Wissenschaften und begann

dann in Mainz das Studium der Medizin. Während der Mainzer Revolution blieb er in der Stadt und war Mitarbeiter der Zeitschrift *Der Patriot*, die sein Freund Georg Wedekind herausgab. Seit 1794 lebte er als Arzt in Zofingen. Er spielte eine wesentliche Rolle in der helvetischen Revolution und wurde im Oktober 1798 Präsident des Helvetischen Großen Rats. Während dieser Zeit stand er auch in Verbindung mit süddeutschen Demokraten, deren Bemühungen um eine süddeutsche Republik er unterstützte. Nach der Helvetik lebte er bis 1820 als Arzt in Zofingen und wurde dann Professor für griechische Sprache in Bern. Er starb dort 1827.

Lit.: *Historisch-Biographisches Lexikon der Schweiz*, 6. Bd., Neuenburg 1931, S. 616; Trösch, S. 77 f. und S. 112; Scheel, *Süddeutsche Jakobiner*, S. 474 u. passim.

44 *Anonym, Kriegslied der Deutschen*
In: *Schleswigsches Journal*, 2. Bd., März 1793, S. 379.

Diese Nachdichtung der Marseillaise verdeutlicht anschaulich den liberalen Standpunkt vieler deutscher Schriftsteller. Vgl. dazu auch die politisch gemäßigte Sammlung: *Liederlese für Republikaner*, Hamburg 1797. Der Feststellung von Jost Hermand, daß sie »durchweg auf den Ton der Marseillaise abgestimmt« sei (Hermand, *In Tyrannos*, S. 49), muß hier widersprochen werden.

45 *Anonym, Schlachtlied der Deutschen*
In: *Fliegende Blätter*, Jänner-Heft 1794, S. 12.

In der Vorbemerkung zu dieser *konservativen* Parodie heißt es: »Ein geistvoller und ehrwürdiger deutscher Patriot hat aber zu diesem Schimpflied, wodurch ein deutscher Dichter und deutscher Journalist Vaterlandsliebe und hohen Mut in deutscher Brust vergiften, folgendes Gegenstück verfertigt, das nach der Musik des Marseillerliedes gesungen werden kann, das man dreihunderttausendmal nachdrucken, und bei allen für Gott und unser Vaterland und die Wohlfahrt der ganzen Menschheit fechtenden, deutschen Armeen austeilen und allgemein verbreiten sollte.«
Das Gedicht wurde auch in anderen konservativen Zeitschriften verbreitet. Vgl. Horner, S. 218 u. 271; Hansen III, S. 17.

46 *Isaak Maus, Lied auf die Franken*
In: *Der Patriot A*, (Januar 1793), S. 2.

Bei dem Gedicht steht folgende Vorbemerkung: »Die Nationalkonvention Frankreichs hat in einem Dekrete vom 16. Dezember 1792 nicht nur alle unter dem Schutze der fränkischen Waffen stehende Völker in den wirklichen Genuß dieser Freiheit gesetzt, sondern auch feierlich versprochen, daß die Nation nicht eher die Waffen niederlegen werde, bis die Unabhängigkeit und die Souveränität der frei gemachten Völker vollkommen gegründet sein würde. — Singt nach, befreite Deutsche! nun aus voller Brust, was bei der Ankunft der Franken, Maus Euch vorsang.«
Das Gedicht von Maus, das Anfang 1792 erstmals erschienen sein muß, erwähnt auch G. Fr. Stäudlin in seiner *Chronik* vom 3. Februar 1792: »In Straßburg sind kürzlich zwei Lieder auf die Erklärung Frankreichs an alle Nationen erschienen — das Eine von dem berühmten Bauer Isaak Maus, das Andere von dem geistvollen und aufgeklärten Schneider.«

Isaak Maus wurde am 8. September 1748 zu Badenheim in der Pfalz als Sohn wohlhabender Bauersleute geboren. In seiner Jugend war er bildungsbeflissen und blieb, obwohl Gönner ihm den Besuch des Gymnasiums ermöglichen wollten, aus Rücksicht auf seine alleinstehende Mutter Landwirt. 1786 erschien seine erste Gedichtsammlung, die ihn berühmt machte und dazu führte, daß viele Zeitgenossen ihn aufsuchten. Während der Revolution veröffentlichte er anonym mehrere politische Flugschriften, die die Mißwirtschaft pfälzischer Beamter angriffen und dafür eintraten, sich der Französischen Republik ohne Widerstreben anzuschließen. Angesichts dieser Schriften ist es schwer zu entscheiden, ob das Gedicht *An Deutschlands gute Bürger*, das 1792 als Flugblatt erschien und sich vehement gegen die Revolution wandte, von Isaak Maus stammt. Die erste und letzte Strophe des Gedichts seien hier mitgeteilt:

> Friede sei uns Erdensöhnen teuer!
> Fliehet, Brüder! Revolution,
> Ach! sie ist ein wütend Ungeheuer,
> Sie zerstört der Ruhe festen Thron!
>
> Seinen Fürsten lieben und ihn ehren,
> Und, trotz falscher Hetzung und Geschwätz,
> Auf die Friedensstimme Gottes hören,
> Sei uns deutschen Bürgern Grundgesetz!

1809 wurde Maus Maire in Badenheim, ein Amt, das er bis 1824 innehatte. Zudem war er Mitglied des Provinzialrates in Mainz. Er starb am 31. Dezember 1833 in seinem Geburtsort.

Lit.: Helmut Mathy, *Bemerkungen zum politischen Gehalt im Werk von Isaak Maus*, in: *Mitteilungsbl. z. rheinhess. Landeskunde* 15 (1966), S. 291 ff.

47 *Gotthold Friedrich Stäudlin, Todesfeier der bei Mons gefallenen Freiwilligen*
In: *Der Patriot C*, (Januar 1793), S. 6.
Vgl. die Bemerkungen bei Hansen II, S. 567. Auch in: *Sammlung verschiedener Gedichte*, S. 46.

Gotthold Friedrich Stäudlin wurde am 15. Oktober 1758 in Stuttgart als Sohn eines Regierungsrats geboren. Er studierte seit 1776 in Tübingen Rechtswissenschaften. Nach seiner Universitätszeit lebte er als Kanzleiadvokat in Stuttgart. Von 1782 bis 1793 gab er neben anderen poetischen Werken seinen Musenalmanach heraus, der auch unter dem Titel *Schwäbische Blumenlese* erschien. Seine literarische Tätigkeit 1781/82 brachte ihn in Rivalität zu dem damals in Stuttgart lebenden jungen Schiller, mit dem er sich jedoch in späteren Jahren aussöhnte. 1789 trat er mit Hölderlin in persönliche Beziehung und empfahl den jungen Dichter an Schiller. Nach Schubarts Tod übernahm er dessen *Chronik*, die wegen Parteinahme für die Revolution im Frühjahr 1793 verboten wurde. Stäudlin wurde als »Enragé« aus Württemberg ausgewiesen und lebte seitdem im nördlichen Breisgau. Aus Verzweiflung über die politischen Verhältnisse und seine eigene materielle Notlage suchte er im September 1796 bei Straßburg den Tod im Rhein.

Lit.: Hermann Fischer in: ADB, Bd. 35, S. 514 ff.; Paul Böckmann (Hrsg.), *Hymnische Dichtung*, S. 319 ff.; vgl. auch den im Herbst 1972 in dieser Reihe erscheinenden Band VI von Michael-Peter Werlein, *Oberdeutsche Jakobiner. Cotta. Posselt. Stäudlin.*

Mons — Am 6. Nov. 1792 siegten die Revolutionstruppen bei Jemappes über die Österreicher und rückten bis Mons vor. 4000 teils freiwillige französische Soldaten fanden in der Schlacht den Tod.

Thermopylä — Bei den Thermopylen fielen 480 v. Chr. im Perserkrieg der spartanische König Leonidas und seine Heerschar; der Ort gilt seither als Symbol der Aufopferung und der Todesbereitschaft für das Vaterland.

Beaurepaire — Nicolas Joseph Beaurepaire (1740–1792), Kommandant von Verdun. Goethe berichtet in seiner *Campagne in Frankreich* (Goethes Werke, Hamburger Ausgabe, Bd. 10, S. 210) über die patriotische Aufopferung des Kommandanten: »Der Kommandant Beaurepaire, bedrängt von der bedrängten Bürgerschaft, die bei fortdauerndem Bombardement ihre ganze Stadt verbrannt und zerstört sah, konnte die Übergabe nicht länger verweigern; als er aber auf dem Rathaus in voller Sitzung seine Zustimmung gegeben hatte, zog er ein Pistol hervor und erschoß sich, um abermals ein Beispiel höchster patriotischer Aufopferung darzustellen.«

Katone — gemeint sind die sittenstrengen römischen Senatoren M. Porcius Cato d. Ältere (234–183 v. Chr.) und M. Porcius Cato d. Jüngere (95–46 v. Chr.).

Brutus — der Mörder Cäsars Marcus Junius Brutus (85–42 v. Chr.).

Herrmann — besiegte den römischen Feldherrn Varus in der Schlacht im Teutoburger Wald 9 n. Chr.

Tell — sagenhafter Schweizer Freiheitsheld.

Kleist — Ewald Christian von Kleist, preußischer Dichter (1715–1759), bekannt durch seine vaterländisch-kriegerische Gesinnung, kämpfte mit Opfermut und starb an Verwundungen nach der Schlacht bei Kunersdorf 1759.

Pindar — griechischer Freiheitsdichter des 6. Jahrhunderts v. Chr.

Timoleon — siehe Anm. Nr. 68.

48   *Anonym, Ça ira*
In: Ditfurth, *Die historischen Volkslieder*, S. 73.
Ditfurth teilt das Lied aus Flugblättern ohne Jahres- und Ortsangabe mit. Es entstand vermutlich 1792.

49   *Anonym, Lärmgesang der Franzosen*
In: *Niedersächsischer Merkur*, 2. Bändchen, 5. Stück, (1792), S. 65.
Lärmgesang — Lärm hat hier die Bedeutung von Sturm, Alarm bei drohender Gefahr.
Wimpffen — vgl. Anm. 26.
Custine — vgl. Anm. 16.

50   *Anonym, Zuruf an einen französischen Krieger*
In: *Niedersächsischer Merkur*, 1. Bändchen, 3. Stück, (1792), S. 38.

51   *Anonym, Freiheitsgesang eines holländischen Patrioten*
In: *Niedersächsischer Merkur*, 4. Bändchen, 1. Stück, 1792, S. 1.
Dieses Gedicht geht auf das Kirchenlied *Dies irae, dies illa* des Thomas von Celano (1200–1255) zurück, das in einer protestantischen Fassung von Bartholomäus Ringwaldt (um 1565) sehr beliebt wurde.

Die abgedruckte jakobinische Parodie des Kirchenliedes bezieht sich auf deutsche Zustände. Der Umstand, daß es einem holländischen Patrioten zugeschrieben wurde, ist als eine bewußte Sicherheitsmaßnahme vor der Zensur zu verstehen.

Das Gedicht diente auch Friedrich von Sallet (1812–1843) als Vorlage für sein Spottlied *Lumpengericht* (1838). Vgl. Walter Grab / Uwe Friesel *Noch ist Deutschland nicht verloren*, S. 154.

52 *Anonym, Frankenmarsch*
Flugblatt, o. O. u. J.

Zur Melodie vgl. Anm. 27.

Zebaoth — (hebr. Heer) alttestamentarische Bezeichnung Jahves als Kriegsgott.

53 *Anonym, Täglicher Gesang der Franken*
In: *Poetische Sammlungen*, S. 163.

Das Gedicht, das weit verbreitet war, entstand vermutlich 1793. Vgl. den Abdruck in: F. Ch. Cotta, *Handwerker- und Bauernkalender des alten Vaters Gerhard*, (Mainz 1793), S. 101.

In den *Poetischen Sammlungen* wird das Gedicht Eulogius Schneider zugeschrieben. Demgegenüber schreibt Andreas Georg Friedrich Rebmann in einer Fußnote zu diesem Gedicht: »Dieses vortreffliche, aber wenig bekannte Gedicht, ist kein posthumes von Eulogius Schneider, wie einige geglaubt haben, sondern das Produkt eines österreichischen Offiziers und sowohl wegen des Ortes, wo es erschien, als wegen des Namens, der es verfertigte, merkwürdig. Es sind nur einige geheime Abdrücke für Freunde davon gemacht worden. Meines Wissens ist es nie öffentlich erschienen. In Prag veranlaßte es vor 3 Jahren eine Inquisition.« *(Die Geißel*, Mainz und Altona, September 1798, S. 227)

Auch in: *Freiheitsgedichte*, 1. Bd., S. 214; *Lieder für Freie*, S. 130. Vgl. ferner: H. Scheel, *Jakobinische Flugschriften*, S. 328. Die letzte Strophe des Gedichts wurde auch als Motto benutzt. Vgl. H. Scheel, *Süddeutsche Jakobiner*, S. 471.

54 *Anonym, Die Töchter Straßburgs an das neuerrichtete Freibataillon*
In: *Freiheitsgedichte*, 1. Bd., S. 204.

Das Gedicht entstand vermutlich 1792 in Straßburg.

55 *Anonym, Sieg- und Friedenslied der Jourdanschen Armee*
In: *Neuer Niedersächsischer Merkur*, 1797, S. 94.

Zur Melodie vgl. Anm. 25.

Jourdansche Armee — Jean Baptiste Jourdan (1762–1833), französischer General, siegte am 8. Oktober 1793 bei Wattignies und am 26. Juni 1794 bei Fleurus über die Österreicher und drang 1795 und 1796 mehrmals über den Rhein, ohne sich behaupten zu können. Er stand später in Napoleons Diensten und war seit 1804 Marschall; er kämpfte glücklos in Spanien.
Der Brennen König — gemeint ist Friedrich Wilhelm II., der am 6. April 1795 den Frieden von Basel mit Frankreich schloß, um freie Hand für

die 3. polnische Teilung zu haben. Benannt nach Brennus, keltischer König, der 387 v. Chr. Rom einnahm.

In Polen zugericht — Anspielung auf die dritte polnische Teilung vom 24. Okt. 1795.

56 *Anonym, National-, Sieges- und Freiheitsgesang der neugeborenen Republik der Franken*
In: *Poetische Sammlungen*, S. 172.
Das Gedicht bezieht sich auf Ereignisse des Jahres 1792 und scheint daher in dieser Zeit entstanden zu sein.
Zur Melodie vgl. Anm. 27.
Manifest — vgl. Anm. 18.

57 *Gottfried August Bürger, Entsagung der Politik*
In: *Bürgers Werke*, S. 222.
Das Gedicht entstand 1793 und wurde im *Musenalmanach auf das Jahr 1794* abgedruckt. Bürger hatte im vorausgehenden Almanach etwa vierzig politische Gedichte veröffentlicht. Infolge des Beitritts Englands zur Koalition verbot die Regierung in Hannover alle profranzösischen Veröffentlichungen. Daraufhin entschuldigte sich Bürger mit diesen Versen bei seinem Publikum. Vgl. L. Kaim-Kloock, *Gottfried August Bürger*, S. 271.
Gottfried August Bürger — vgl. Anm. 1.

58 *Friedrich Lehne, Das Lied des treuen Untertans. Ein Gegenstück zum Lied des freien Mannes*
In: Friedrich Lehne und Niklas Müller, *Republikanische Gedichte*, S. 89.
Lehne gibt hier ein Gegenstück zu seinem eigenen Lied. Vgl. auch Gedicht 72.
Friedrich Lehne — vgl. Anm. 24.

59 *Anonym, Der Nachtwächter aus dem Lande der Freiheit an die Bayern, Schwaben und Franken um Mitternacht*
In: *Bayerische Nationallieder*, S. 16.
Die 27 Gedichte umfassende Sammlung enthält, wie andere Anthologien, auch Verse, die schon älteren Datums sind. Vgl. auch die Anmerkungen 7, 35, 62, 102. Ferner wird u. a. Pfeffels 1790 entstandenes Gedicht *Der freie Mann* und Stolbergs Gedicht *Die Freiheit* (1775) abgedruckt. Ebenda, S. 57 und S. 51.
Die ganze Sammlung ist neuerdings wieder leicht zugänglich in: Scheel, *Jakobinische Flugschriften*, S. 332 ff.

60 *Gottfried Jakob Schaller, Fluch der Tyrannei*
In: Gottfried Jakob Schaller, *Gesänge*, S. 31.
Gottfried Jakob Schaller — vgl. Anm. 23.

61 *Josephe, An mein Vaterland*
In: *Das neue graue Ungeheuer*, 6. Stück, 1796, S. 51.
Abgeändert auch in: *Freiheitsgedichte*, 1. Bd., S. 67.
Das Pseudonym Josephe konnte nicht aufgelöst werden.

62 *Anonym, Deutsches Freiheitslied*
In: *Neuer Niedersächsischer Merkur*, 1. Heft, Altona 1797, S. 122.

63 *Anonym, Das Erwachen der Deutschen. Lied fürs Jahr 1800*
In: *Die Geißel*, 1. Heft, 1797, S. 121.

Mit Abweichungen auch in: Hedwig Voegt, *Die deutsche jakobinische Lite-
ratur*, S. 189, dort nach: *Die Schildwache*, hrsg. von Georg Friedrich Reb-
mann, Paris 1797, S. 46.
Hermann — der Befreier Germaniens, 17 v. Chr. — 21 n. Chr.
Varus — Publius Quinctilius Varus wurde 9 n. Chr. von Hermann dem
Cherusker im Teutoburger Wald geschlagen und beging Selbstmord.
Ister — lateinischer Name für die Donau.
Thuiskon — bei den Germanen als Ahnherr des Menschengeschlechts ver-
ehrt.
Bostons Felder — viele von den deutschen Fürsten an England verkaufte
Hessen, Braunschweiger und Württemberger fielen im amerikanischen
Unabhängigkeitskrieg (1775—83).
Sarato — gemeint ist die Schlacht bei Saratoga am 17. Oktober 1777, wo
der amerikanische General Gates den britischen General Burgoyne besiegte.

64 *Anonym, Die blinden Menschen. Gegenstück zu Gleims Gedicht*
In: *Die Geißel*, 1797, 1. Heft, S. 90.

Dies Gedicht ist eine Parodie auf die Verse des Dichters und erbitterten
Revolutionsgegners Johann Wilhelm Ludwig Gleim (1719—1803) *An die
Franzosen*, veröffentlicht in: *Minerva. Ein Journal historischen und poli-
tischen Inhalts*, hrsg. von J. W. v. Archenholtz, 1794, 2. Bd., S. 189/90:

> Für Freiheit streitet ihr, Franzosen! nicht, ihr streitet
> Für dreier Teufel Tyrannei!
> Ihr werdet, alle gleich, am Narrenseil geleitet,
> Von euch ist keiner frei!
>
> Ach! wenn ihr's einst erwägt, wie werdet ihr euch schämen,
> Daß ihr, so sehend sonst, so blind gewesen seid!
> Ach! möchte, möcht ein Gott euch eure Blindheit nehmen!
> Wer Mensch noch ist, dem graut vor eurer Tigerheit!
>
> So blind seid ihr gemacht! Ihr opfert den Tyrannen,
> Die eure Könige sich opferten, die Blut
> Wie Wasser trinken, euch ins Joch der Knechtschaft spannen,
> Ihr opfert ihnen euch und euren Heldenmut!
>
> O wie so blind seid ihr! Die Nachwelt wird's nicht glauben!
> Ihr wart einmal ein Volk voll Leben und voll Licht!
> Jetzt aber laßt ihr euch Gott, Geld und Leben rauben,
> Die Räuber sehen euch, ihr seht die Räuber nicht!
>
> O wie so blind seid ihr! Das Seil, an dem geleitet
> Ihr alle werdet, ist so sichtbar! Wer es sieht,
> Beklagt euch, daß ihr noch für die Tyrannen streitet
> Und schon ins dritte Jahr in ihrem Joche zieht!

Vgl. Georg Friedrich Rebmann, *Hans Kiekindiewelts Reisen in alle vier
Weltteile und andere Schriften*, hrsg. von Hedwig Voegt, Berlin 1958,
S. 570 f.

65 *Ludwig August Gülich, Der Menschheit Erwachen*
In: *Der neue Mensch,* 1. Bd., S. 277.

Ludwig August Gülich wurde am 20. November 1773 zu Plön in Hol-
stein geboren. Er war mit dem Jakobiner Georg Conrad Meyer befreundet und schrieb als Gelegenheitsdichter mehrere Gedichte für dessen
Zeitschrift. Seit 1805 war er Ober- und Landesgerichtsadvokat in Flensburg. Das Todesdatum Gülichs konnte nicht ermittelt werden.

Lit.: D. L. Lübker u. H. Schröder, *Lexikon der Schleswig-Holstein-Lauen-
burgischen und Eutinischen Schriftsteller von 1796–1828,* Altona 1829,
S. 202.

66 *Friedrich Lehne, Die Reisen der roten Kappe*
In: Friedrich Lehne, *Versuche,* S. 40.

Dies Gedicht ist eine Übersetzung eines französischen Freiheitsliedes.
Französischer Text in: Gerd Semmer (Hrsg.), *Ça ira,* S. 155.

Friedrich Lehne – vergl. Anm. 32.

67 *Franz Theodor Biergans, Die Freiheit dem Volke gewidmet*
In: *Brutus oder der Tyrannenfeind, (1795),* S. 53.

Franz Theodor Matthias Biergans wurde am 21. Mai 1768 als Sohn wohlhabender Eltern in Aldenhoven bei Jülich geboren und trat 1786 in das
Kreuzherrenkloster Schwarzenbroich bei Düren ein. Unter den Eindrücken
der Französischen Revolution verließ er im Sommer 1789 das Kloster
und machte den Türkenfeldzug Kaiser Josephs II. mit. 1790 kehrte er über
Stuttgart, wo er die Dichter Schubart, Bürger und Stäudlin kennenlernte,
in das Kloster zurück und empfing dort 1793 die Priesterweihe. Als das
Kloster von den Franzosen aufgehoben wurde, propagierte er mit Begeisterung in seinem seit dem 9. Mai 1795 erscheinenden radikalen Blatt
Brutus oder der Tyrannenfeind die neuen Ideen und griff die Geistlichkeit Kölns scharf an. Seine publizistische Tätigkeit führte im Januar 1796
zur Verhaftung. Biergans wurde nach Aachen überführt, wo er nach
seiner Freilassung die Zeitschrift unter dem Namen *Brutus der Freie*
weiter herausgab. Infolge von Repressionen mußte er seine Tätigkeit
schon im Mai einstellen. Er erhielt von den Franzosen Anstellungen als
Kommissar in Maastricht und Altenahr und war von 1798–1800 Kommissar in Brühl. Das Amt eines Notars bekleidete er seit 1800 in Mont-
joie und von 1806–1837 in Aachen. Schließlich wurde er Staatsprokurator in Köln und starb dort am 18. Januar 1842.

Lit.: J. Gotzen, *Der erste Kölner Musenalmanach von 1795 und sein
Verfasser F. Th. M. Biergans,* in: *Jahrbuch des Kölner Geschichtsvereins,*
Köln 1925, S. 155 ff.; Hansen I, S. 587 ff. und III, S. 450 ff. und 720 ff.
und passim.

Thermopyla – vgl. Anm. zu Gedicht 47.
Xerxes – der persische König Xerxes I. (485–465) kämpfte im Großen
Perserkrieg (480–477) gegen die Griechen.
Paterbornia – Paderborn, Anspielung auf die Schlacht im Teutoburger
Wald.
Siegmars Sohn – gemeint ist Hermann (Arminius), der Befreier Ger-
maniens.

Temixocles — der griechische Feldherr und Politiker Themistokles schlug 480 v. Chr. mit seiner Flotte die Perser bei Salamis. Wie Hermann gilt er hier als Vorbild freiheitlicher und aufopfernder Kampfbereitschaft.
Brennus — vgl. Anm. 55.
Ossian — sagenhafter keltischer Held, Sohn Fingals. Der schottische Dichter James MacPherson (1736–1796) gab Ossian als Urheber seiner empfindsamen Dichtungen aus. Sie hatten große Wirkung auf den Sturm und Drang.
Wilhelms Taten — gemeint ist der sagenhafte Schweizer Freiheitsheld Wilhelm Tell.

68 *Anonym, Timoleons Lied auf Syrakus*
In: *Freiheitsgedichte*, 1. Bd., S. 128.

Das Gedicht findet sich erstmals in: *Schleswigsches Journal*, Oktober 1793, S. 512.
Timoleon — Timoleon von Korinth gestaltete 337 v. Chr. Syrakus zur gemäßigten Demokratie um und beseitigte sämtliche Tyrannenherrschaften in Sizilien. Danach verzichtete er auf die ihm übertragene Gewalt.

69 *Anonym, Hohes Lied von der Gleichheit*
In: *Der neue Mensch*, hrsg. von G. C. Meyer, 1. Band, 24. Stück, Flensburg 1796, S. 369.

Meyer schreibt zu diesem Gedicht in einer Fußnote: »Der Herausgeber hält es für ganz unnötig, die Einrückung dieses Liedes in sein Journal, das ja in den dänischen Staaten herauskommt, zu entschuldigen. Sein Glaubensbekenntnis findet sich unter anderem in dem Glaubensbekenntnisse der Dänen (*Neuer Mensch*, S. 292) — und, wie in der physischen, so zündet auch in der moralischen Welt nur da die Flamme, wo sie Brennstoffe vorfindet.«

70 *Niklas Müller, An die Gleichheit*
In: Friedrich Lehne und Niklas Müller, *Republikanische Gedichte*, S. 16.

Es handelt sich um eine Imitation von Schillers Hymne *An die Freude* (1786). Schillers Gedicht findet sich auch in der Jakobinersammlung *Lieder für Freie*, (1800), S. 15.

Nikolaus (Niklas) Müller wurde am 14. Mai 1770 in Mainz als Sohn eines Kaufmanns geboren, studierte dort Philosophie und beendete sein Studium 1788. Während seiner Studienjahre hielt er enge Verbindung zum Mainzer Theater. In der Mainzer Revolution trat er dem Jakobinerklub bei und schrieb für das Mainzer National-Bürgertheater mehrere Stücke. Am 24. Juli 1793 konnte er sich der Klubistenverfolgung entziehen, flüchtete nach Paris und studierte dort Malerei. Seit 1794 lebte er in Straßburg, wo er seine literarischen und künstlerischen Arbeiten fortsetzte. Als Mainz erneut französisch wurde, kehrte er 1798 dorthin zurück und betätigte sich bei den republikanischen Festen als Redner, Dichter und Dekorateur. 1802 wurde er Professor der artistischen Ästhetik und Zeichenkunst am dortigen Lyceum und 1805 Konservator der dortigen Gemäldegalerie. Seit 1814 war er Professor der Zeichenkunst am neu organisierten Gymnasium. Neben seinen beruflichen Pflichten publizierte er zahlreiche Arbeiten, vor allem auf dem Gebiet der Altertumskunde. Weiterhin beschäftigte er sich mit Theaterfragen und schrieb

Gedichte und andere belletristische Werke. Er starb im Alter von 81 Jahren am 14. Juni 1851.
Lit.: Goedeke VII, S. 236 ff., 238; Gerhard Steiner, *Theater und Schauspiel*, 1964, S. 137 ff.

71 *Rudolff Suter, Freiheitslied*
In: *Die Geißel*, November 1798, S. 167.
Dort mit folgender Fußnote: »Der Verfasser dieses Gedichts ist der nämliche, der, bei seiner ehemaligen Verbannung, im nördlichen Deutschland und namentlich in Hamburg unter dem Namen Herrmann lebte.« Erstmals erschienen in: *Helvetischer Revolutionsalmanach für das Jahr 1799*, Zürich, S. 194.
Zur schweizerischen Revolutionslyrik vgl. auch: Ernst Trösch, *Die helvetische Revolution im Lichte der deutsch-schweizerischen Dichtung*, Leipzig 1911.
Ein ausführliches Verzeichnis der politischen Flugblattlyrik der Schweiz findet sich in: Goedeke VIII, S. 15 ff.
Rudolff Suter — vgl. Anm. 43.

72 *Friedrich Lehne, Freiheitslied*
In: *Sammlung verschiedener Gedichte*, S. 64.
Dort erscheint das Gedicht anonym. Es kursierte vermutlich vorher als Flugschrift. In Lehnes Anthologie *Versuche republicanischer Gedichte* (1795) findet sich das Lied noch nicht. Der Flensburger Jakobiner Georg Conrad Meyer rückte es mit folgender Bemerkung in seine Zeitschrift ein: »Beifolgendes, mir kürzlich mitgeteiltes Freiheitslied, hat, wenn es gleich auf große ästhetische Schönheit keinen Anspruch machen kann, doch immer nicht geringen Wert. Die darin herrschenden Grundsätze sind vortrefflich, und die Versifikation ist nicht schlecht. Gesang wirkt bekanntlich nicht wenig, besonders auf den fühlenden Menschen, und so wird auch dieses Lied, im Kreise freiheitsliebender Männer gesungen, seines Zwecks nicht verfehlen. Es wird die Herzen erwärmen, die Gemüter zur sittlichen Freude, dieser Tochter der alles belebenden Freiheit, erwecken und zu großen Taten für die gute Sache entflammen.« (*Der neue Mensch*, hrsg. von G. C. Meyer, 15. Stück, 1797, S. 230 f.) Anläßlich des Festes des Ackerbaus am 10. Messidor des Jahres 6 der Republik (28. 6. 1798) erweiterte Lehne sein Gedicht und merkte dazu an: »Ich lasse dieses schon mehreremale gedruckte Volkslied hier einrücken, weil ich verschiedene Änderungen gemacht habe, die in keiner der vorhergehenden Ausgaben enthalten sind.« (*Der Beobachter vom Donnersberg, den 13ten Messidor im 6ten Jahre der fränkischen Republik*) In dieser Form erschien es auch in Lehnes und Müllers Sammlung von 1799 (*Republikanische Gedichte*, S. 71). Es trägt dort den Titel *Das Lied des freien Mannes*. Das Gedicht war auch handschriftlich in Siebenbürgen bekannt.
Vgl. *Valjavec*, S. 425.
Friedrich Lehne — vgl. Anm. 24.

73 *Anonym, Allgemeine Freiheit des 19ten Jahrhunderts. Eine prophetische Vision*
In: *Lieder für Freie*, S. 196.
Kronos — Griechischer Gott der Zeit.

74 *Franz Hebenstreit von Streitenfeld, Eipeldauerlied*
In: Walter Grab / Uwe Friesel, *Noch ist Deutschland nicht verloren*, S. 44.

Dieses Gedicht ist u. a. handschriftlich erhalten in: Haus-, Hof- und Staats-
Archiv Wien (HHStAW), vertr. Akten 3, 375. Hebenstreit verfaßte es zusammen mit dem Hauptmann Beck 1793 in Wien (ebda, 895). Es wurde
erstmals abgedruckt in der obengenannten Sammlung.

Das Gedicht war auch in der Steiermark unter den dortigen Jakobinern
bekannt (HHStAW, vertr. Akten 3, 966). Vgl. auch Elisabeth Führer: *Die
Jakobiner in der Steiermark*, S. 60. Band III dieser Reihe (Alfred Körner,
Die Wiener Jakobiner. Schriften und Dokumente) bringt ausführlich die
Dokumente und Quellen über Hebenstreit und die österreichische Jakobi-
nerbewegung.

Franz Hebenstreit von Streitenfeld, geb. 1747 zu Prag als Sohn eines
Professors, studierte in seiner Heimatstadt Philosophie und Rechtswissenschaften. Er schlug 1768 die militärische Laufbahn ein und wurde 1790
Platzoberleutnant in Wien. Zusammen mit dem Revolutionär Andreas
Riedel (1748–1837) bildete er den Mittelpunkt eines Wiener Jakobiner-
zirkels. Hebenstreits lateinisches Gedicht *Homo Hominibus* vertrat die
Idee der Gütergemeinschaft und setzte sich für die Aufhebung des Privat-
eigentums ein. Nach der Aufdeckung der österreichischen Jakobinerver-
schwörung wurde er am 8. Januar 1795 in Wien hingerichtet.

Lit.: Ernst Wangermann, *Von Joseph II. zu den Jakobinerprozessen*, Wien
1966, S. 156 ff. und passim; Alfred Körner, *Andreas Riedel*. Diss. Köln
1969, S. 143 ff. Über andere revolutionäre Dichtungen vgl. ebenda,
S. 162 ff.

Eipeldauer – Im Wiener Dialekt wurde die bei Wien gelegene Ort-
schaft Leopoldau „Eipeldau" genannt.
Russisch Kathel – Katharina II. von Rußland, die 1762 ihren Gemahl
Peter II. absetzen ließ, der vermutlich auf ihren Befehl hin ermordet
wurde.
Kaiser Kind – gemeint ist der Sohn Leopolds II., Franz II., der 1792
deutscher Kaiser wurde.

75 *Anonym, Belagerung von Landau 1793*
In: Dietmar Sauermann, *Historische Volkslieder*, S. 229.

Die seit dem Ende des 17. Jahrhunderts französische Stadt und Festung
Landau in der Pfalz wurde 1793 von einem preußischen Korps unter dem
General Ernst Wilhelm Rüchel (1754–1823) sechs Monate lang belagert.
Am Ende des Jahres wurde die Belagerung ergebnislos abgebrochen.

Kronprinz – gemeint ist der spätere preußische König Friedrich Wilhelm III. (1797–1840).
Prinz Louis – Louis Ferdinand, eigentl. Ludwig Friedrich Christian Prinz
von Preußen (1772–1806).

76 *Anonym, Bekanntmachung an alle Brüder*
In: H. Scheel, *Jakobinische Flugschriften*, S. 56.

Das Pasquill, das nur handschriftlich erhalten ist, wurde erstmals gedruckt in: Ditfurth, *Die historischen Volkslieder*, S. 159 ff. Es entstand
im September 1794 in Nürnberg. Vgl. auch: Anton Ernstberger, *Nürnberg*

im Widerschein der Französischen Revolution, S. 458; H. Scheel, *Süddeutsche Jakobiner*, S. 65 f.

Umgelder — das Umgeld — eine indirekte Verbrauchssteuer für Getränke — wurde von dem Umgelder erhoben.

pampeln — baumeln, hängen.

Lärmenstangen — Die Lärmenstange mit einem daran befestigten Feuerkorb zeigte eine drohende Gefahr an.

Vgl. ferner die Anmerkungen von Heinrich Scheel in: *Jakobinische Flugschriften*, S. 56 ff.

77 *Anonym, An Ulms Bürger*
In: Scheel, *Jakobinische Flugschriften*, S. 70.

Das Pasquill war im Frühjahr 1798 in Ulm verbreitet. Es ist nur handschriftlich erhalten. (GLA Karlsruhe, Abt. 79, Nr. 1382.)

Wain — Dorf bei Ulm.

78 *Anonym, Republikanischer Bruderkuß im ersten Jahre deutscher Freiheit*
In: Scheel, *Jakobinische Flugschriften*, S. 330.

Das Gedicht, das als Flugschrift gedruckt wurde, erschien vermutlich Ende 1800 in München.

79 *Anonym, Sehnsucht*
In: *Bayerische Nationallieder*, S. 33.

Max — gemeint ist Maximilian VI. Joseph, geb. 1756, Kurfürst von Pfalz-Bayern 1799, als Maximilian I. Joseph König von Bayern 1806, gest. 1825.

80 *Anonym, Die Bayern an die Neufranken*
In: *Bayerische Nationallieder*, S. 9.

Waffenstillstand — gemeint ist der Waffenstillstand zu Parsdorf vom 15. Juli 1800.

Gesandtenmord — nach dem Friedenskongreß von Rastatt wurden die französischen Gesandten Bonnier und Roberjot am 28. April 1799 von kaiserlichen Husaren ermordet.

Decaen — Charles Mathieu Isidore Decaen (1769–1832), französischer General, besetzte am 28. Juni 1800 München.

Törring — Johann August Graf von Törring-Gutenzell (1753–1826), bayerischer Minister, hatte im Frühjahr 1800 eine reaktionäre Hetzschrift verfaßt.

Mailand ... republikanisieren — Bonaparte schuf 1796 die lombardisch-cisalpinische Republik, deren Hauptstadt Mailand war. Diese Republik wurde im 2. Koalitionskrieg von den Österreichern erobert und 1800 neu etabliert.

Moreau — Jean Victor Moreau (1763–1813), Oberkommandierender der Rhein-Mosel-Armee. Die bayerischen Revolutionäre hofften, daß der General ihre Pläne für eine süddeutsche Republik unterstützen würde, wurden aber enttäuscht.

81 *Eulogius Schneider, (Es sterbe der Tyrann, der Volksverräter)*
In: *Argos*, 29. Jänner 1793, S. 64.

Eulogius Schneider — vgl. Anm. 6.

Hans Heinrich Ludwig von Held, geb. am 15. November 1764 in Auras bei Breslau, studierte in Frankfurt an der Oder, Halle und Helmstedt die Rechte und die Staatswirtschaft und wurde 1793 Zollrat in Posen. Dort gründete er zusammen mit dem damaligen Kriegsrat Zerboni di Sposetti (1760–1831) und dem aus Österreich geflüchteten Exkapuziner und Publizisten Ignaz Aurelius Feßler (1756–1839) unter dem Eindruck der Französischen Revolution einen revolutionären Klub. Als sein Freund Zerboni di Sposetti 1796 scharfe Kritik an dem preußischen Minister Graf von Hoym übte, wurde die Vereinigung entdeckt und die Mitglieder des Bundes verhaftet. H. v. Held und die anderen Mitglieder des Klubs wurden erst 1798 mit dem Beginn der Herrschaft Friedrich Wilhelms III. wieder auf freien Fuß gesetzt. Als von Held abermals in der Schrift *Die wahren Jakobiner im Preußischen Staate* (1801) den Minister von Hoym angriff, wurde er zu einer Festungshaft in Kolberg verurteilt. Nach seiner Entlassung im Jahre 1803 wurde er ein erbitterter Feind Bonapartes, den er in der Schrift *Patriotenspiegel für die Deutschen in Deutschland. Ein Angebinde für Bonaparte bei seiner Kaiserkrönung, Teutoburg 1804* heftig befehdete. Erst 1812 erhielt er wieder eine Staatsstellung als Salzfaktor in Berlin. Außerstande einen durch Diebstahl entstandenen Schaden der Salzkasse zu ersetzen, schied er am 30. Mai 1842 freiwillig aus dem Leben.

Lit.: Karl August Varnhagen von Ense, *Hans von Held. Ein preußisches Charakterbild*, Leipzig 1845; C. Grünhagen, *Zerboni und Held in ihren Konflikten mit der Staatsgewalt 1796–1802*, Berlin 1897; Otto Tschirch, *Geschichte*, 2. Bd., S. 33 ff. und passim. Zur Rezeption Rousseaus in Deutschland vgl. auch Bernhard Weißel, *Von wem die Gewalt in den Staaten herrührt*, Berlin 1963. Weitere Gedichte über Rousseau s. dort S. 276 f.

vitam impendere vero — (lat.) das Leben dem Wahren weihen. Aus Juvenal, 4. Satire, Vers 91.

83 *L. F. Melsheimer, Gesang für das Fest des 1sten Vendemiaire 7*
Flugblatt, o. O.

Das Gedicht ist anläßlich des siebten Jahrestages der Gründung der Französischen Republik, dem Neujahrstag des französischen Revolutionskalenders, dem 22. September 1798, verfaßt worden. Es entstand vermutlich in einem kleineren Ort des Departements Donnersberg. Zum Ablauf dieses Festes in Aachen, Bonn, Koblenz, Köln, Mainz und Trier vgl. Hansen IV, S. 935 ff.

Diese Verse gehören ebenso wie die folgenden zu jenen, die für die Dekadenfeste und zur Erinnerung der großen Tage der französischen Revolution verfaßt wurden. Die Feste wurden durch eine Verfügung vom 26. April 1798 in den vier rheinischen Departements obligatorisch (Hansen IV, S. 642) und seitdem mit großem Aufwand der staatlichen Stellen begangen. Bei fast allen Festen wurden Gedichte verlesen oder »patriotische« Lieder gesungen. Am 31. Januar 1800 (vgl. Hansen IV, S. 1288, Anm. 2) wurden die Feiern bis auf zwei abgeschafft. Hansen verzeichnet zwar die Standorte eines Großteils der Verse, druckt aber fast keines dieser Gedichte ab. Zahlreiche Gedichte und Lieder der kleinen Orte der Pfalz sind handschriftlich erhalten geblieben und finden sich in StA Speyer, Bestand Dep. Donnersberg, Nr. 1, sowie in StA Koblenz, Abt. 241, Nr. 3286.

84 *Johann Jakob Stammel, Zweites Lied auf die Hinrichtung des Königs*
In: Jakob Marx, *Geschichte des Erzstifts Trier*, 5. Bd., S. 564.

Das Gedicht ist anläßlich des 6. Jahrestages der Hinrichtung Ludwigs XVI. am 21. Januar 1799 in Trier gedichtet worden. Vgl. Hansen IV, S. 1012, Anm. 3.

Johann Jakob Stammel, geb. 1769 in Trier, besuchte dort das Priesterseminar und empfing 1794 die Priesterweihe. Schon während seiner Studienzeit wurde er wegen einiger Schriften von orthodoxen Katholiken in Trier befehdet. Diese Angriffe verstärkten sich nach dem Erscheinen seiner populären Geschichte von Trier, der *Trierischen Chronik für den Bürger und Landmann* (1797). Inzwischen war Stammel Pfarrer in Gusterat bei Trier geworden. Als im Frühjahr 1798 die alte Ordnung in den linksrheinischen Gebieten aufgehoben wurde, verließ er den geistlichen Stand und begab sich in den Dienst der neuen Regierung. In Reden und Gedichten für die republikanischen Feste und durch seine Mitarbeit für den *Trierischen Ankündiger für das Saardepartement* (1799–1803) propagierte er die neuen Ideen. Am 28. März 1798 wurde er zum Kommissar der Munizipalverwaltung in Konz ernannt. Unter dem Konsulat erhielt er eine Stelle am Bezirksgericht zu Prüm. Seit 1811 war er Staatsprokurator am Kreisgericht zu Bonn und seit 1819 in gleicher Funktion am Landgericht in Köln. Er starb am 3. April 1845 in Bonn.

Lit.: Jakob Marx, *Geschichte des Erzstifts Trier*, 5. Bd., Trier 1864. (Dort auch weitere politische Gedichte von ihm, S. 561 ff.) Hansen IV, S. 596 ff. u. passim; Guido Gross, *Trierer Geistesleben*, S. 37 ff.

85 *Gottfried Jakob Schaller, Am Feste der Thronesumstürzung*
In: Gottfried Jakob Schaller, *Gesänge* (1798), S. 125.

Gottfried Jakob Schaller — vgl. Anm. 23.

86 *Karl Hadermann, Gesang für den 10ten Thermidor*
Flugblatt, o. O. u. J.

Das Gedicht wurde vermutlich für das Fest der Freiheit am 28. Juli 1798 oder 1799 im Departement Donnersberg geschrieben.

Am 9. und 10. Thermidor (27. und 28. Juli) 1798 und 1799 wurde in den vier rheinischen Departements nach einer Verordnung des Direktoriums das Fest der Freiheit gefeiert. Am 9. Thermidor gedachte man des Sturzes Robespierres, während der 10. Thermidor an den Sturm auf die Bastille und an die Befreiung von monarchischer Bevormundung erinnerte. Vgl. Hansen IV, S. 902 ff. u. 1149 ff.

Über die Person Hadermanns, der noch einige andere Gedichte für die Revolutionsfeste schrieb, konnte nichts ermittelt werden.

87 *Eulogius Schneider, Am zehnten August 1793*
In: *Argos*, 10. August 1793, S. 137.

Das Gedicht ist anläßlich des ersten Jahrestages des 10. August 1792 verfaßt worden, an dem das Volk von Paris die Tuilerien stürmte und Ludwig XVI. gestürzt wurde.

Eulogius Schneider – vgl. Anm. 6.

88 *Anonym, Republikanischer Gesang vom 10. August*
In: *Freiheitsgedichte*, 1. Bd., S. 192.

Das Gedicht entstand vermutlich schon 1793. Der 10. August wurde auch in anderen Gedichten besungen. Vgl. das anonyme Gedicht: *Pariser Totenfeier am 10ten August*, in: *Niedersächsischer Merkur*, 1. Bändchen, 9. Stück, (1792), S. 129. Dasselbe findet sich auch in den *Freiheitsgedichten*, 1. Bd., S. 196.

Des 10. August wurde auch seit 1798 in den besetzten Gebieten des Rheinlandes gedacht. Vgl. Hansen IV, S. 906 f. Friedrich Lehne verfaßte anläßlich der Feier des 23. Thermidor des 6. Jahres der Französischen Republik (10. August 1798) in Mainz das Gedicht *Lied der Republikaner zur Feier des 10. August*, abgedruckt in: Lehne/Müller, *Republikanische Gedichte*, S. 38. Vgl. auch Hansen IV, S. 907.

89 *August Lamey, Lied von der Republik*
in: August Lamey, *Dekadische Lieder* (1795), S. 42.

August Lamey – vgl. Anm. 10.

90 *August Lamey, Freiheit und Gleichheit*
In: August Lamey, *Dekadische Lieder*, S. 75.

August Lamey – vgl. Anm. 10.

91 *Josephe, An Buonaparte. Nach der Schlacht bei Faenza am 2. Februar*
In: *Journal der neuesten Weltbegebenheiten*, 3. Heft, März 1797, S. 177.

Seit seinen militärischen Erfolgen in Oberitalien wurde Bonaparte von den deutschen Demokraten als republikanischer Feldherr gepriesen. Hölderlin begrüßte zur Zeit des ersten italienischen Feldzugs den französischen Feldherrn in seiner Hymne *Buonaparte*:

Heilige Gefäße sind die Dichter,
  Worin des Lebens Wein, der Geist
    Der Helden sich aufbewahrt,

Aber der Geist dieses Jünglings,
  Der schnelle, müßt' er es nicht zersprengen
    Wo es ihn fassen wollte, das Gefäß?

Der Dichter laß ihn unberührt wie den Geist der Natur,
  An solchem Stoffe wird zum Knaben der Meister.

Er kann im Gedichte nicht leben und bleiben,
  Er lebt und bleibt in der Welt.

Vgl. auch die Ode von Biergans *Der Sieg in Italien*, in: *Brutus der Freie*, (April 1796), S. 43; Joseph Görres veröffentlichte 1798 in seinem Journal *Das rote Blatt* die anonyme *Ode auf Bonaparte*, in: J. Görres, *Gesammelte Schriften*, Bd. 1, S. 259. Aus der Flut der späteren Napoleongedichte, die bis 1800 erschienen, seien noch erwähnt: Anonym, *An Bonaparte*, in: *Bayerische Nationallieder*, S. 74; Friedrich Lehne, *Dem Helden Napoleon Buonaparte*, in: Lehne/Müller, *Republikanische Ge-*

dichte, S. 81. Vgl. auch Hansen III, S. *773*; Walter Klein, *Der Napoleonkult in der Pfalz*, München und Berlin 1934.

Schlacht bei Faenza — Am 2. Februar 1797 besiegte eine französische Armee die Truppen des Kirchenstaates und nahm die Stadt Faenza ein.

92 *Anonym, Einladung zur Freude.*
In: *Der Freund der Freiheit*, 38. Stück, am 24. Floreal 6ten Jahrs (13. Mai 1798).

Hildebrand — Mönchsname des späteren Papstes Gregor VII. (1073—1085). *Dubarry* — Die Gräfin Du Barry war die Geliebte Ludwigs XV. Sie wurde 1793 vom Revolutionstribunal zum Tode verurteilt und hingerichtet.

93 *Franz Theodor Biergans, Bundeslied der Cisrhenanen*
In: *Der Freund der Freiheit*, 16ten Frimaire 6ten Jahrs (6. Dez. 1797).

Dies Gedicht erschien zu einem Zeitpunkt, als sich die Hoffnungen der »Patrioten« auf eine selbständige cisrhenanische Republik zerschlagen hatten. Schon am 16. September 1797 hatte das Direktorium die Einverleibung der linksrheinischen Gebiete beschlossen. Trotzdem hofften die Cisrhenanen, daß nun die linksrheinische Bevölkerung nicht als die eines eroberten Gebiets, sondern als freies, mündiges und befreundetes Volk behandelt würde. Daß sich die Cisrhenanen als *deutsche* Republikaner verstanden wissen wollten, verdeutlicht dies Gedicht von Biergans besonders gut. Vgl. auch Biergans Gedichte *Über Titulaturen* und *An Teutschlands Bardenvolk*, in: *Taschenbuch der Ubier*, Köln, S. 57 u. 184. Zu Biergans starker Abhängigkeit von deutschen Dichtern vgl. Zeim, *Die rheinische Literatur*, S. 116 f.

Franz Biergans — vgl. Anm. 67.

grüne Fahne — Die Cisrhenanen erschienen bei ihrer Agitationstätigkeit in grünen Uniformen und demonstrierten ihre Selbständigkeit durch eine grünblaurote Trikolore.
tarquinsche Herrschbegier — nach Tarquinius Superbus, dem letzten der sieben sagenumwobenen Könige Roms.

94 *Anonym, Freiheitslied*
In: *Lieder für Freie*, S. 51.

Diese Gedichtsammlung, die im Brumaire VIII (November 1799) erschien, enthält fast nur Gedichte, die als Affront gegen die französische Besatzungspolitik gedeutet werden können. Die meisten Lieder (von Schubart, Lavater, Huber, Schiller, Matthisson u. a.) betonen die kulturelle und nationale Zugehörigkeit zum Deutschtum und sind von humanistischem, zeitlosem Idealismus erfüllt.

95 *Karl Anton Zumbach, Schwur der Vereinigten*
In: *Lieder für Freie*, S. 189.

Das Gedicht erschien im April 1799 im *Rübezahl*. Vgl. J. Görres, *Gesammelte Schriften*, Bd. 1, S. 449; auch in: *Liederlese für Republikaner*, Nr. 7.

Karl Anton Zumbach wurde am 3. Februar 1769 in Mainz geboren und studierte seit 1788 in seiner Heimatstadt und in Erfurt und Jena Rechtswissenschaften. Nach Reisen durch die Schweiz und Deutschland wurde er nach der Rückeroberung von Mainz durch die Preußen Advokat am kurfürstlichen Hofgericht. Als die Stadt am 30. Dez. 1797 an die Franzosen übergeben wurde, ernannte ihn die französische Verwaltung zum Richter in Köln. Neben einigen politischen Gedichten schrieb er ein revolutionäres Theaterstück, das in Köln aufgeführt wurde. Nach 1815 war er preußischer Oberlandesgerichtsadvokat in Köln. Sein Todesjahr konnte nicht ermittelt werden.

Lit.: Hansen IV, S. 1010, Anm. 3.

96   *Karl Anton Zumbach, Proskription an Rübezahl*
In: *Der Rübezahl*, (April 1799), in: J. Görres, *Gesammelte Schriften*, Bd. 1, S. 467.

Kremnitz und Potosi — Kremnitz ist ein Städtchen in der Slowakei, das ebenso wie Potosi in Bolivien durch seinen Bergbau bekannt war. Hier als Metapher für weit entlegene Städte gebraucht (»am Ende der Welt«).

Karl Anton Zumbach — vgl. Anm. 95.

97   *Anonym, Das Reichsherkommen*
In: *Das rote Blatt*, (Mai 1798), in: J. Görres, *Gesammelte Schriften*, Bd. 1, S. 163.

Gegenüber den zahllosen Freiheitsgedichten finden sich Verse, die wie in diesem Gedicht die Ohnmacht des Reiches besingen, sehr selten. Vgl. auch das Gedicht: *Grimassen des Heiligen Römischen Reichs: eine Epistel an Franz Habsburg, den letzten deutschen Kaiser von G. S — p —*, Mainz 1793.

Hibernien — lateinische Bezeichnung Irlands.

98   *August Lamey, Der Bauer an seinen aristokratischen Pastor*
In: August Lamey, *Gedichte eines Franken*, S. 97.

Der Titel des Gedichtes ist dem bekannten Gedicht Bürgers nachgebildet. Vgl. Gedicht Nr. 1.

August Lamey — vgl. Anm. 10.

99   *Franz Theodor Biergans, Rückblick der geretteten Nonne, da sie an ihrer ehemaligen Bastille vorbeireiste*
In: *Brutus der Freie*, (1796), 1. Heft, S. 210.

Der Austritt von Nonnen, Mönchen und Priestern aus dem geistlichen Stand, ist ein Lieblingsthema in den Gedichten des ehemaligen Mönches. Vgl. auch die Gedichte: *Klagelied einer Nonne*, in: *Brutus der Freie*, (1796), 1. Heft, S. 14; *Abschiedslied einer Nonne*, in: *Brutus der Freie*, 1. Heft, S. 141; *Abschied an die Theologie*, in: *Brutus oder der Tyrannenfeind*, (1795), 8. Stück, S. 191. Zur Frage der entlaufenen Mönche und Geistlichen vgl. Robert Schmitt, *Simon Joseph Schmitt*, Koblenz 1966, S. 61 ff. Schmitt teilt dort eine Liste von 123 katholischen Geistlichen mit, die während der Revolutionsepoche aus dem geistlichen Stand austraten.

Franz Theodor Biergans — vgl. Anm. 67.

100 *Friedrich Lehne, Der Republikaner im Kreise seiner Familie über die Entbehrlichkeit der Pfaffen*
In: Friedrich Lehne und Niklas Müller, *Republikanische Gedichte*, S. 202.

Friedrich Lehne — vgl. Anm. 24.

101 *Anonym, Das neueste Credo*
In: *Die Geißel*, Juli 1799, 3. Jahrgang, 7. Heft, S. 180.

102 *Anonym, Französisches Religionslied*
In: *Lieder der Freiheit gewidmet*, S. 5.

Das französische Original und eine weitere Übersetzung finden sich ebenda, S. 3 und S. 9. Auch in: *Freiheitsgedichte*, 1. Band, S. 170. Dasselbe mit dem Titel *Bayerischer Kirchengesang an Gott den Allmächtigen*, in: *Bayerische Nationallieder*, S. 46. Auch Pfeffel verfaßte eine Nachdichtung dieses Religionslieds an das Höchste Wesen. Vgl. *Lieder für Freie*, S. 84.

103 *Gottlieb Konrad Pfeffel, Das Fest der Vernunft*
In: *Argos*, 22ten Frimaire im 2ten Jahr der Republik (12. Dez. 1793), S. 553.

Pfeffel verfaßte dieses Lied anläßlich der Feier des Kultus der Vernunft, die am 6. Dez. 1793 im Colmarer Münster stattfand. Ein Augenzeuge berichtete: »Nachdem sich eine unglaubliche Menge fremden und auch hiesigen Volkes im Vernunfttempel versammelt hatte, begann eine Musik, und eine französische ›hymne à la raison‹ wurde von vielen angestimmt. Dann hielt Hérault, von einer Tribüne auf dem Berge, eine französische Rede über die Abschaffung des Aberglaubens, welche der Gemeindeprokurator, Dr. Gloxin, darauf verdeutschte. Es redeten auch noch zwei andere und darauf ein Mädchen. Ein römischer Priester von hier, d'Aigrefeuille, schwur seine bisherigen Religionsmeinungen ab. Zuletzt sangen die Jungfrauen am Fuße des Berges das von Herrn Hofrat Pfeffel auf diesen Anlaß verfertigte Lied. Während der Zeremonie brannte immerwährend auf dem Berg ein Feuer, so in einem eisernen Geschirr war, und verbreitete Weihrauch.« (Zit. nach: E. Guhde, *Gottlieb Konrad Pfeffel*, S. 74.) Pfeffel nahm dieses Gedicht nicht in seine Werke auf und distanzierte sich 1794 von dem Kult mit dem Gedicht *Auf Robespierre's Staatsbericht über das höchste Wesen*:

> Darfst, lieber Gott, nun wieder sein;
> So wills der Schach der Franken.
> Laß flugs durch ein paar Engelein
> Dich schön bei ihm bedanken.

Gottlieb Konrad Pfeffel — vgl. Anm. 4.

104 *Friedrich Lehne, An die Vernunft*
In: Friedrich Lehne, *Versuche republikanischer Gedichte*, S. 11.

Friedrich Lehne — vgl. Anm. 24.

Nachwort

I

Bei der regen politischen Auseinandersetzung mit den Ideen der Französischen Revolution, die in Deutschland eine Flut von publizistischen und literarischen Produkten auslösten, waren Gedichte und Lieder von zentraler Bedeutung. Diese politische Lyrik aus dem letzten Jahrzehnt des 18. Jahrhunderts ist bisher noch nie im Zusammenhang ausführlich vorgestellt oder untersucht worden. In der Regel setzt die Forschung den Beginn einer agitatorischen Lyrik erst mit den Befreiungskriegen X an. [1]

Es erscheint unverständlich, daß man bis heute die politische Poesie dieser Jahre, die für oder gegen die Ereignisse in Frankreich leidenschaftlich Partei nahm, fast völlig übersehen hat. Sicherlich gehört nicht viel Phantasie zu der Feststellung, daß die Französische Revolution auch in den Versen deutscher Zeitgenossen ein vielfältiges Echo finden mußte. Besonders hart traf die Ignorierung der politischen Lyrik während der Revolutionszeit jene Gedichte und Lieder, die die Errungenschaften der Umwälzung in Frankreich begrüßten.

Da die historische Entwicklung eine ganz andere Bahn nahm, als es die Freiheitsfreunde erhofften, wurde ihr Wirken und Eintreten für eine deutsche Republik nur zu bald vergessen. Zur Zeit des Bürgerkönigtums in Frankreich weist Heinrich Heine auf diese geächteten und verfolgten Männer hin:

Da diese Republikaner eine sehr keusche, einfache Lebensart führen, so werden sie gewöhnlich sehr alt, und als die Julirevolution ausbrach, waren noch viele von ihnen am Leben, und nicht wenig wunderten wir uns, als die alten Käuze, die wir sonst immer so gebeugt und fast blödsinnig schweigend umherwandeln gesehen, jetzt plötzlich das Haupt erhoben und uns Jungen freundlich entgegenlachten und die Hände drückten und lustige Geschichten erzählten. Einen von ihnen hörte ich sogar singen; denn im Kaffeehaus sang er uns die Marseiller Hymne vor, und wir lernten da die Melodie und die schönen Worte, und es dauerte nicht lange, so sangen wir sie besser als der Alte selbst; denn

[1] Vgl. Hans Georg Werner, *Geschichte des politischen Gedichts in Deutschland von 1815 bis 1840,* Berlin 1969, S. 18: »Mitreißende politische Massenlieder hatte es in der deutschen Literatur des 18. Jahrhunderts kaum gegeben. Eine Ausnahme bildeten Nachdichtungen der Marseillaise, von denen einige etwas von der zündenden Kraft des französischen Originals übertragen konnten. Erst in der Periode der Befreiungskriege entstand eine Vielzahl wirkungskräftiger Massenlieder, die von Mund zu Mund gingen und überall bekannt wurden.« Diese Feststellung Werners bedarf sicherlich einer Differenzierung. Vgl. auch Helmut Lamprecht, *Deutschland Deutschland. Politische Gedichte vom Vormärz bis zur Gegenwart,* Bremen 1969. Die Anthologie beginnt ihre Dokumentation mit Gedichten des Jahres 1812.

er hat manchmal in der besten Strophe wie ein Narr gelacht oder geweint wie ein Kind. Es ist immer gut, wenn so alte Leute leben bleiben, um den Jungen die Lieder zu lehren. Wir Jungen werden sie nicht vergessen, und einige von uns werden sie einst jenen Enkeln einstudieren, die jetzt noch nicht geboren sind. [2]

Heines Hoffnungen erfüllten sich nicht. Die Lieder, die die deutschen Revolutionsfreunde sangen und die Gedichte, die in ihren Kreisen zirkulierten und rezitiert wurden, blieben vergessen und harren immer noch in den Bibliotheken und Archiven einer Wiederentdeckung. Die wissenschaftliche Bearbeitung der jakobinischen Protestpoesie dieses Dezenniums ist von der traditionellen deutschen Volksliedforschung, der Germanistik und der Geschichtswissenschaft vernachlässigt worden.

Die Volksliedforschung beschäftigte sich nur am Rande mit politischen Liedern. Selbst jene Sammlungen, die Zeugnisse gereimter Tagespublizistik aufnahmen, druckten in ihrer nationalen Einseitigkeit fast nur jene Lieder, die Heldenverehrung und Untertanengeist erkennen ließen. [3] Erst zwei neuere Arbeiten zeichnen ein objektiveres Bild des historischen Volksliedes. Da aber weder Wolfgang Steinitz [4] noch Dietmar Sauermann [5] auf die kurzlebige Flugblatt- und Zeitungslyrik eingehen und ihre Untersuchungen einen sehr weiten Zeitraum umfassen, finden sich in ihren Publikationen nur wenige Belege von Volksliedern zur Zeit der Französischen Revolution.

Nicht viel besser ist es mit der hergebrachten Germanistik bestellt. Sie beschränkte sich gerade für unseren Zeitraum auf eine Gratwanderung und wertete die umfangreiche Publizistik der Spätaufklärung — wenn sie sie überhaupt wahrnahm — als tendenziös oder trivial ab. Es entstanden zwar einige Arbeiten über den „Trivialroman" dieser Zeit [6], aber das

[2] Heinrich Heine, *Zur Geschichte der Religion und Philosophie in Deutschland*, hrsg. und eingeleitet von Wolfgang Harich, Frankfurt a. M. 1966, S. 187 f.
[3] Von den zahlreichen Sammlungen seien erwähnt: Fr. Leonhard Soltau, *Einhundert deutsche historische Volkslieder*, Leipzig 1845; Franz Wilhelm Frh. von Ditfurth, *Die historischen Volkslieder vom Ende des Siebenjährigen Krieges, 1763 bis zum Brande von Moskau, 1812. Aus fliegenden Blättern, handschriftlichen Quellen und dem Volksmunde gesammelt*, Berlin 1871; H. R. Ferber, *Das Volkslied in Hamburg während der Franzosenzeit*, in: *Aus Hamburgs Vergangenheit. Kulturhistorische Bilder aus verschiedenen Jahrhunderten*, hrsg. von Karl Koppmann, 1. Folge, Bd. 2, Hamburg u. Leipzig 1886, S. 1 ff.; August Hartmann, *Historische Volkslieder und Zeitgedichte vom 16. bis 19. Jahrhundert*, 3 Bde., München 1907–1913; Karl Steiff und Gebhard Mehring, *Geschichtliche Lieder und Sprüche Württembergs*, Stuttgart 1912.
[4] Wolfgang Steinitz, *Deutsche Volkslieder demokratischen Charakters aus sechs Jahrhunderten*, 2 Bde., Berlin 1954–1962.
[5] Dietmar Sauermann, *Historische Volkslieder des 18. und 19. Jahrhunderts. Ein Beitrag zur Volksliedforschung und zum Problem der volkstümlichen Geschichtsbetrachtung*, Münster 1968. Das Werk bietet eine ausführliche Bibliographie über das historische Volkslied.
[6] Vgl. etwa: Martin Greiner, *Die Entstehung der modernen Unterhaltungsliteratur. Studien zum Trivialroman des 18. Jahrhunderts*, Hamburg 1964; Wolf-

traditionelle deutsche Lyrikverständnis bewirkte bisher, daß viele Literaturwissenschaftler selbst politischer Lyrik von künstlerischem Rang mit Mißtrauen oder Ablehnung begegneten. [7] Auch jene vereinzelten Untersuchungen und Materialzusammenstellungen, die die Tagespoesie mitberücksichtigten, übergingen bisher die revolutionsfreundliche Gebrauchslyrik dieses Zeitabschnitts. [8] Ein anschauliches Zeugnis für diese Haltung vermittelt eine Zusammenstellung von politischen Gedichten, die Emil Horner 1930 herausgab. [9] Horners Einführung und Auswahl lassen den Eindruck entstehen, als ob die revolutionären Aktionen in Frankreich nur einen einhelligen Entrüstungssturm bei den deutschen Dichtern und Literaten hervorgerufen hätten. Die revolutionsfreundlichen Gedichte namhafter Schriftsteller, die bis 1792 geschrieben wurden, werden als Zeugnisse verirrter Idealisten abgetan. Jakobinergedichte sucht man in dieser Sammlung vergebens. Einseitig werden dagegen die Reime der erbittertsten Revolutionsgegner, wie die der Wiener Hofpoeten Leopold Alois Hoffmann, Lorenz Leopold Haschka und des Preußen Johann Wilhelm Ludwig Gleim, neben zahlreichen antirevolutionären »Volksliedern«, abgedruckt. Wie wenig bekannt noch heute Jakobinerpoesie ist, verdeutlicht eine neuere Edition, die »die ganze Breite der jeweils zeitgenössischen Produktion« zu berücksichtigen verspricht. [10] Obgleich auch hier wieder Verse der konservativen Antipoden der Französischen Revolution erscheinen, vermißt man Gedichte von jenen Poeten, die kompromißlos für die revolutionären Ideen eintraten.

Eine Abkehr von der herkömmlichen literaturwissenschaftlichen Betrachtungsweise läßt die Arbeit von Hans-Wolf Jäger, *Politische Kategorien in Poetik und Rhetorik der zweiten Hälfte des 18. Jahrhun-*

gang Promies, *Die Bürger und der Narr oder das Risiko der Phantasie. Sechs Kapitel über das Irrationale in der Literatur des Rationalismus*, München 1966; Kurt-Ingo Flessau, *Der moralische Roman*. Studien zur gesellschaftskritischen Trivialliteratur der Goethezeit, Köln und Graz 1968; Marion Beaujean, *Der Trivialroman in der zweiten Hälfte des 18. Jahrhunderts*, Bonn 1969. Eine umfassende Darstellung, die stärker die politischen Intentionen der Romanliteratur berücksichtigt, steht noch aus.

[7] Vgl. die berechtigte Kritik von Theodor Karst in seinem Aufsatz: *Politischsoziale Gedichte*. Beispiele zu einem thematischen Längsschnitt vom Mittelalter bis zur Gegenwart, in: Der Deutschunterricht, 19. Jg., Heft 4, 1967, S. 65 ff.

[8] Vgl. E. Sauer, *Die französische Revolution von 1789 in zeitgenössischen Flugschriften und Dichtungen*, Weimar 1913. Sauers Feststellung, daß »kein Vorgang aus der Revolutionsgeschichte Gegenstand eines Gedichts gewesen« sei (S. 41), ist unhaltbar und abwegig. Allerdings hat sich der Autor nur mit der revolutionären Lyrik von Mainz und den einseitigen Belegen Ditfurths begnügt.

[9] Emil Horner, *Vor dem Untergang des alten Reichs. 1756–1795*, Leipzig 1930. (Deutsche Literatur in Entwicklungsreihen, Reihe Politische Dichtung, Bd. 1.)

[10] Gerhart Pickerodt, *Gedichte 1770–1800*. Nach den Erstdrucken in zeitlicher Folge, München 1970. (Epochen der deutschen Lyrik, Bd. 6.)

derts [11] erhoffen. Anhand zahlreicher Belege weist Jäger die Politisierung der Literatur für das Ende des Jahrhunderts nach und fordert eine intensivere Beschäftigung der Literaturwissenschaft mit den Wechselbeziehungen von Politik und Literatur dieser Epoche. Jägers Schrift, wie den Arbeiten der Literaturwissenschaftler Pierre Bertaux [12], Jost Hermand [13] und Peter Stein [14] ist die Vertrautheit mit der historischen Forschung deutlich anzumerken. Die einschlägigen geschichtswissenschaftlichen Darstellungen sind in der Einleitung dieser Reihe gewürdigt worden. Die vorliegende Anthologie hätte ohne diese historischen Untersuchungen und insbesondere ohne die verdienstvolle Jakobinerforschung der DDR nicht zustandekommen können. [15]

Zahlreiche Schwierigkeiten stehen dem Aufspüren von politischen Gedichten und Liedern der Zeit entgegen. Die bibliographischen Hilfsmittel versagen oft, wenn es gilt, die Flugblattlyrik der Zeit zu ermitteln. Viele Zeugnisse revolutionärer Propaganda finden sich nur noch in den Archiven. Dies trifft besonders für jene politische Untergrundlyrik zu, die nur

[11] Hans-Wolf Jäger, *Politische Kategorien in Poetik und Rhetorik der zweiten Hälfte des 18. Jahrhunderts*, Stuttgart 1970.

[12] Pierre Bertaux, *Hölderlin und die Französische Revolution*, Frankfurt a. M. 1969.

[13] Jost Hermand, *In Tyrannos*. Über den politischen Radikalismus der sogenannten »Spätaufklärung«, in: Jost Hermand, *Von Mainz nach Weimar (1793 bis 1919)*. Studien zur deutschen Literatur, Stuttgart 1969, S. 9 ff.

[14] Peter Stein, *Politisches Bewußtsein und künstlerischer Gestaltungswille in der politischen Lyrik 1780–1848*, Hamburg 1971. Stein betont in seiner Dissertation »die innere Einheit der politischen Dichtung der zweiten Hälfte des 18. Jahrhunderts mit der ersten Hälfte des 19. Jahrhunderts« (S. 35). Die historische Kontinuität der Befreiungsbewegungen dieser Epoche ist bisher noch wenig untersucht worden. Es mag hier kurz darauf verwiesen sein, daß sich viele Männer des Vormärz wie z. B. Bruno Bauer, Robert Prutz, Georg Gottfried Gervinus und Emil Ottokar Weller mit ihren jakobinischen Vorgängern beschäftigten. Vgl. auch Hans-Wolf Jäger, *Politische Metaphorik im Jakobinismus und im Vormärz*, Stuttgart 1971, S. 8 ff.; Kurt Baumann, *Die Kontinuität der revolutionären Bewegungen in der Pfalz 1792 bis 1849*, in: *Hambacher Gespräche 1962*, Wiesbaden 1964, S. 1 ff.; für Weller, der schon 1847 die jakobinische Publizistik intensiv erforschte, vgl. Rolf Weber, *Emil Ottokar Weller*, in: *Männer der Revolution von 1848*, hrsg. von Karl Obermann u. a., Berlin 1970, S. 149 ff.

[15] Auf die Pionierleistung von Hedwig Voegt: *Die deutsche jakobinische Literatur und Publizistik*, Berlin 1955, sei für den hier untersuchten Themenkreis ausdrücklich verwiesen. Das Werk enthält einen Materialanhang, der auch viele jakobinische Gedichte vorstellt. Zahlreiche Belege der Jakobinerpoesie finden sich auch in den Quellensammlungen von Heinrich Scheel und Claus Träger. (Vgl. die Einleitung dieses Bandes, Anm. 8 und 10.) Ferner sei auf die Hinweise in Arbeiten von Walter Grab verwiesen. (Vgl. Einl., Anm. 7.) Speziell: Walter Grab und Uwe Friesel, *Noch ist Deutschland nicht verloren*. Eine historisch-politische Analyse unterdrückter Lyrik von der Französischen Revolution bis zur Reichsgründung, München 1970.

handschriftlich erhalten geblieben ist und in der vorliegenden Sammlung leider nicht die Berücksichtigung finden konnte, die ihr gebührt. Intensive Forschung ist noch zu leisten, um ein genaueres Bild von der Bedeutung der revolutionären Lyrik des Jahrzehnts zu gewinnen. Bei der heutigen Forschungslage kann die vorliegende Anthologie keinen Anspruch auf Vollständigkeit erheben. Sie möchte sich jedoch als Beginn einer eingehenderen Beschäftigung mit der revolutionsfreundlichen Lyrik verstanden wissen.

II

Die vorliegende Zusammenstellung von Gedichten und Liedern berücksichtigt einen Teil jener politischen Lyrik, die zwischen 1789 und 1800 in Deutschland publiziert wurde. [16] Die Kriterien der Auswahl bilden eine bewußte Alternative zu den bisher erschienenen Sammlungen politischer Lyrik dieser Zeit. Betrachtet man die Vielfalt politischer Meinungsäußerungen in Versform im letzten Jahrzehnt des 18. Jahrhunderts, so lassen sich Gedichte mit konservativen, liberalen und jakobinischen Forderungen und Inhalten unterscheiden. [17] Den jakobinischen Anteil dieser politischen Poesie vorzustellen, ist die Aufgabe dieser Sammlung.

Im Gegensatz zu den revolutionären Demokraten und den Liberalen konnten die Verfechter der Privilegienordnung bei ihrer Kampagne gegen die freiheitlichen Ideen auf die Hilfe der Herrschenden rechnen und waren durch keine Zensurmaßnahmen daran gehindert, ihre Propaganda unters Volk zu bringen. Die französische Religionspolitik und die Hinrichtung Ludwigs XVI. gaben den Konterrevolutionären ein Propagandamittel an die Hand, das sie gründlichst ausnutzten. Eine Flut von Gedichten und Soldatenliedern rief seit 1793 gegen die »Königsmörder« und die Jakobiner in Frankreich zum Kampf auf und schilderte breit ausholend ihre Ausschreitungen. [18] Die Anzahl dieser Gedichte steigerte sich noch dadurch, daß auch viele liberale Dichter, von der Entwicklung in Frankreich enttäuscht, in den Entrüstungssturm miteinstimmten.

Als die massive Propaganda der Revolutionsgegner einsetzte, hatte jene liberale Poesie, die hoffnungsvoll die Anfangsphase der Revolution

[16] Die politische Lyrik Österreichs und der deutschsprachigen Schweiz konnte nicht berücksichtigt werden. Die Forschungssituation ermöglichte es leider auch nicht, auf die Untergrundlyrik in Preußen, Sachsen und Schlesien einzugehen.
[17] Die Terminologie folgt hier der Einleitung. Vgl. dort Anm. 2 und 11.
[18] Obgleich viele Zeugnisse konservativer Poesie bereits in den deutschnationalen Volksliedsammlungen abgedruckt wurden, sind längst nicht alle Gedichte und Lieder erfaßt. Vor allem wäre die Zeitschriftenlyrik mitheranzuziehen. Vgl. Klaus Epstein, *The Genesis of German Conservatism*, Princeton 1966. Eine beträchtliche Zahl antirevolutionärer Gedichte und Lieder befindet sich in der Stadtbibliothek zu Mainz.

geschildert hatte, ihren Höhepunkt längst überschritten. Liberale Dichter, zu denen Namen wie Klopstock, Wieland, Voß, Pfeffel, Jenisch, Stäudlin, Halem, Hölderlin und Conz zu zählen sind [19], hatten den Beginn der Revolution mit Jubel begrüßt und diese Begeisterung auch in Versen zum Ausdruck gebracht. Seit dem Herbst 1792 verurteilten sie aber die Radikalisierung der französischen Umwälzung, ignorierten in ihren Gedichten politische Themen oder gingen gar in das Lager der Revolutionsfeinde über. Daher werden im vorliegenden Band nur wenige Gedichte dieser Autoren vorgestellt. [20]

Der Beginn der Jakobinerpropaganda, die auf den Sturz der monarchischen, aristokratischen und klerikalen Herrschaft zielte, setzte im Herbst 1792 ein und kann bis zum Ende des Jahrhunderts durch literarische und publizistische Zeugnisse belegt werden. Gedichte und Lieder spielten bei dem Versuch der fortschrittlichen demokratischen Schriftsteller, die hergebrachte Ordnung zu erschüttern, eine wesentliche Rolle.

Wenn die progressiven und revolutionären Gedichte und Lieder mit dem Attribut jakobinisch belegt werden, so ist es notwendig, die Dehnbarkeit dieses Begriffs besonders im Bereich der Revolutionslyrik zu betonen. Ist es schon sonst nicht leicht, die deutschen Jakobiner auf eindeutige und festumrissene politische Ansichten und Forderungen festzulegen, so bereitet die unmißverständliche Abgrenzung und Erläuterung eines »Jakobinergedichts« besondere Schwierigkeiten. [21] Nicht nur die konservativen Zeitgenossen sahen in jenen Gedichten, die in allegorischer Darstellung das Ideengut der Aufklärung vertraten, Anzeichen rebellischen Aufruhrs. Eine Sammlung des Jahres 1793 etwa, die kein einziges Freiheitsgedicht enthält, nennt sich *Gedichte eines deutschen Jakobiners*. [22] Auch jene Gedichte, die in den jakobinischen Organen veröffentlicht oder von deutschen Jakobinern geschrieben wurden, sind nicht immer von revolutionärem Schwung geprägt.

[19] Inwieweit die genannten Autoren »liberale« oder »jakobinische« Grundsätze vertreten haben, kann hier nicht erörtert werden und wäre bei jedem Dichter zu überprüfen. Allen ist gemeinsam, daß sie die französische Jakobinerherrschaft und ihre politische Praxis verurteilt haben.
[20] Eine Arbeit, die sich mit der liberalen Poesie des Jahrzehnts beschäftigte, wäre eine lohnende Aufgabe und dürfte besonders für den Literaturwissenschaftler wichtige Erkenntnisse ergeben. Vgl. dazu die Anthologie von Paul Böckmann, *Hymnische Dichtung im Umkreis Hölderlins*, Tübingen 1965.
[21] Auf die Problematik des inzwischen allgemein gebräuchlichen Begriffs kann hier nicht näher eingegangen werden. Für die vorliegende Sammlung ist der Begriff allgemeiner gefaßt worden und betrifft nicht nur die konsequenten Anhänger der französischen Bergpartei, sondern alle jene, die bis zum Beginn der Napoleonischen Herrschaft politische und demokratische Rechte für das ganze Volk anstrebten. Vgl. Einleitung, Anm. 2.
[22] Vgl. die anonyme Sammlung *Gedichte eines deutschen Jakobiners*, Paris 1793.

Ein zeitgenössisches politisches Journal stellt fest, daß man unter einem Jakobiner gewöhnlich einen Menschen verstehe, »der Freiheit und Gleichheit liebt, und sie so weit ausdehnt, als möglich ist«. Der Verfasser fährt dann fort: »Dies ist freilich eine Antwort, aber keine befriedigende. Wir sagen: ein Jakobiner ist derjenige, der die Souveränität in den Volkswillen setzt, und nach dieser Maxime die bestehenden Staatsformen umzubilden sich bestrebt.« [23] Bezieht man diese auf Rousseau zurückgehende Definition auf die Freiheitslyrik der Zeit, so entsprechen nicht alle Gedichte und Lieder der Jakobiner dieser Forderung. Viele Gedichte beschränken sich darauf, die politischen Schlagworte der Epoche in allgemeinen Wendungen zu beschwören, ohne daß die politischen Intentionen an Deutlichkeit gewinnen. Andererseits muß berücksichtigt werden, welche Assoziationen und welche Anziehungskraft von diesen Formeln ausgingen. Viele Zeitgenossen empfanden selbst Gedichte und Lieder als revolutionär, die uns heute zahm erscheinen. Daher erhielt mancher »Bardengesang« der vorrevolutionären Jahrzehnte nur durch die Zeitereignisse revolutionäre Sprengkraft.

Die Sammlung bemüht sich, vor allem jene Gedichte und Lieder aufzunehmen, deren Aussage die Bezeichnung »jakobinisch« ohne Einschränkung verdient. Zeugnisse, die ihre Freiheitsforderungen unmißverständlich ausdrücken und keinen Zweifel an der revolutionären Gesinnung der Poeten lassen, sind daher jenen Gedichten vorgezogen worden, die die revolutionären Ideale nur verschlüsselt und abstrakt schildern. Die außerordentliche Fülle der Dokumente — etwa dreitausend Gedichte und Lieder konnten ermittelt werden — stellten den Herausgeber vor besondere Probleme. Auf den Nachweis der Verbreitung des revolutionären Agitationsmaterials wurde gesteigerter Wert gelegt.

Ein weiterer Gesichtspunkt der Auswahl sei ausdrücklich betont. Sämtliche Belege sollen in erster Linie als *historische* Dokumente jakobinischer Propaganda gesehen werden. Bei der Auswahl waren daher nicht formale oder ästhetische Aspekte, sondern überwiegend die politischen Inhalte und die Wirksamkeit der Verse als jakobinische Agitation maßgebend. Den Dichtern kam es weniger darauf an, künstlerisch ausgereifte Werke zu schreiben — dazu fehlte ihnen meist wegen der Verfolgungen und Polizeischikanen seitens der herrschenden Mächte Ruhe und Gelassenheit —, sondern sie waren vielmehr davon überzeugt, ihre Auffassungen mit den Mitteln der Kunst am wirkungsvollsten artikulieren zu können. »Die reine Absicht, durch die Herausgabe dieser Versuche zur Verbreitung der heiligen Flamme der Vaterlandsliebe und erhabenen Grundsätze der Freiheit, die endlich alle Throne in Asche legen wird, das meinige beizu-

[23] (Anonym), *Was ist ein Jakobiner?* in: *Fliegende Blätter.* Dem französischen Krieg und dem Revolutionswesen unserer Zeiten gewidmet, Nr. 50, O. O., November 1794, S. 1029.

tragen, mag diesen Blättern in euern Augen einigen Wert geben«, schrieb der deutsche Republikaner Friedrich Lehne im Vorwort seiner Gedichtsammlung im Juli 1794. [24]

III

Die jakobinischen Poeten wandten in ihren Gedichten alle damals gebräuchlichen Vers- und Strophenmaße an. Die Skala der Möglichkeiten reicht von Zweizeilern, die an heutige politische Slogans erinnern, bis zu langatmigen erzählenden Gedichten und Balladen. Die feierliche Ode und Hymne war ebenso verbreitet wie die politische Verssatire.

Gegenüber der Freiheitslyrik der vorrevolutionären Zeit, die in der Regel nur in elitären Zirkeln bürgerlicher und adliger Literaturfreunde gewürdigt wurde, wird die politische Lyrik nach 1789 zunehmend volkstümlicher und konkreter. Allerdings gilt dies nicht für alle poetischen Produkte dieser Zeit. Viele Dichter — zu ihnen zählt etwa der Mainzer Jakobiner Niklas Müller — wandten sich dem klassisch-republikanischen Erbe zu, um die neuen Ideale zu verherrlichen. Diese Haltung wird verständlich, wenn man weiß, daß diese Dichter geringe Verbindung mit den rebellierenden Kleinbauern und Handwerkern hatten und sehr stark von der literarischen Tradition abhängig waren. Neben dieser literarischen Rebellion, die ihre Kritik am Feudalabsolutismus in entfernten historischen und geographischen Räumen ansiedelte, waren auch jene Hymnen und Oden an die Vernunft, die Freiheit, die Menschheit kaum geeignet, vom Volk aufgenommen und begriffen zu werden.

Trotz dieser Einschränkung ist das Streben der jakobinischen Poeten nach Volkstümlichkeit deutlich zu erkennen. Sie waren bemüht, die Gedichte und Lieder zu Waffen der Unterprivilegierten gegen ihre Unterdrücker werden zu lassen. Sehr eindringlich bekundet sich diese Absicht der jakobinischen Agitatoren darin, daß viele Gedichte im Versmaß damals beliebter Melodien abgefaßt sind. Volkslieder, Trink- und Tanzlieder, Gassenhauer und Kirchenlieder, die jedem bekannt waren und die man in Kneipen und geselligen Kreisen sang, dienten den Dichtern als Vorlage für ihre revolutionäre Poesie. Einige Weisen, wie das zündende Ça ira und die Melodie der Marseillaise, wurden aus Frankreich übernommen. Kaum zu übertreffen an Popularität und Wirksamkeit war die Marseillaise, die von den deutschen Revolutionsfreunden unzählige Male nachgedichtet, übersetzt und abgewandelt wurde. Die Melodie dieses Marschliedes war so beliebt, daß selbst die Widersacher der Revolution sie für ihre Zwecke nutzten. [25]

[24] Friedrich Lehne, *Versuche republikanischer Gedichte*, Straßburg im 3ten Jahr der fränkischen Republik (1795), S. 3.
[25] Vgl. oben Gedichte Nr. 44 und 45.

Die Sprache der revolutionären Gedichte und Lieder ist in ihren Bildern und Aussagen konkret und anschaulich. In den kräftigen, oft derben Worten der Umgangssprache spiegelt sich der Haß der oft anonymen Verfasser gegen ihre Unterdrücker wider. Zeigen viele Reime nur die angestaute Wut des Volkes, die sich in kompromißlosen, radikalen und unbeholfenen Versen Luft macht, so verwenden einige Dichter — unter ihnen Gottfried August Bürger und der Jakobiner Friedrich Lehne [26] — bewußt die Sprache des Volkes, um auch von den nichtgebildeten Schichten verstanden zu werden. Sie unterscheiden sich damit von jenen Poeten, die nur in allgemeinen und neutralen Worten gegen die »Tyrannen« wetterten.

Selbst die Art der Propagierung der revolutionären Poesie verdeutlicht die Absicht der jakobinischen Schriftsteller, nicht nur die gebildete bürgerliche und antifeudale Intelligenz anzusprechen. Es sind nicht so sehr die Musenalmanache der Zeit, deren Hauptinteresse der unpolitischen Poesie galt und die eher in den exklusiven Kreisen gebildeter Damen und Schöngeister geschätzt waren, als vielmehr die Journale, Flugblätter und eigenen Anthologien politischer Lyrik, die die Freiheitspoesie verbreiteten. Diese berücksichtigt die vorliegende Sammlung, um eine Vorstellung von der ganzen Breite der jakobinischen lyrischen Produktion zu vermitteln, die sowohl Gedichte gebildeter Literaten als auch Verse von Reimdilettanten umfaßt.

Das bedeutendste Mittel, die zündenden revolutionären Verse in die Lesegesellschaften und die Stuben der Bauern und Handwerker gelangen zu lassen, war ihr Abdruck in den vielgelesenen jakobinischen Zeitschriften. Für die revolutionsfreundliche Presse waren Gedichte und Lieder eines der wirksamsten Mittel im tagespolitischen Kampf. Gegenüber der nüchterneren Prosa dieser Blätter, die die Mißstände der Privilegienordnung kritisierten und die Ziele der deutschen Jakobiner erklärten, hatten Gedichte und Lieder die Aufgabe, das Volk für die revolutionären Ideale zu begeistern. Sehr oft gaben Dichter und Schriftsteller selbst die fortschrittlichen Zeitschriften heraus und versuchten dadurch wirtschaftliche Unabhängigkeit zu erlangen. Neben liberalen Dichtern wie Wieland, Schubart und Stäudlin propagierten auch die jakobinischen Poeten Eulogius Schneider, Franz Theodor Biergans, Friedrich Freiherr von der Trenck, Friedrich Lehne und Joseph Görres ihre Gedichte in ihren eigenen Presseorganen. Aber auch jene Publizisten, die selbst nicht dichteten, wie der aktivste jakobinische Schriftsteller Andreas Georg Friedrich Rebmann, der Hamburger Friedrich Wilhelm von Schütz, der Flensburger Georg Conrad Meyer, der Mainzer Georg Wedekind, neben gemäßigteren Männern wie August von Hennings und Johann Friedrich Reichardt,

[26] vgl. Lore Kaim-Kloock, *Gottfried August Bürger*. Zum Problem der Volkstümlichkeit in der Lyrik, Berlin 1963.

förderten in ihren Zeitschriften die Verbreitung jakobinischer Poesie. Zahlreiche anonyme Gedichte beweisen sowohl den engen Kontakt der Herausgeber mit ihren Lesern als auch die weit verbreitete Sympathie mit der Französischen Revolution. Der Abdruck von Gedichten, deren Verfasser weit entfernt vom Verlagsort der Zeitschrift lebten, verdeutlicht, daß die deutschen Jakobiner untereinander in Verbindung standen.

Ebenso effektvoll für die Verbreitung revolutionärer Poesie waren die in Umlauf gesetzten Flugschriften. Weit eher als die umfangreicheren Broschüren und Zeitschriften entgingen die wenige Seiten zählenden Flugschriften den strengen Zensurschikanen. Zudem sicherte ihnen ihr geringer Preis einen beträchtlichen Absatz. Nicht selten wurden diese Verse mit der Hand abgeschrieben und weitergereicht. Infolge des Analphabetismus breiter Bevölkerungsschichten erwiesen sich Vers und Reim als besonders einprägsam. Wandernde Handwerksburschen und Studenten konnten die Flugblätter leicht in ihrem Gepäck verstecken. Auch umherziehende fliegende Händler vertrieben revolutionäre Verse. Oft war es nicht nur Papier, das mit aufrührerischen Parolen bedruckt wurde. Eine hessen-darmstädtische Verordnung vom 27. März 1793 verbot sogar, Waren des täglichen Gebrauchs mit Revolutionsversen zu verkaufen. Dieses kuriose Zeugnis der damals herrschenden Revolutionsangst lautet:

Liebe Getreue! Da sich an einigen Orten Teutschlands Krämer einschleichen sollen, die unter dem Vorwand des Handelsverkehrs vielmehr die Absicht haben, durch die auf ihren Waren z. B. Tabaksdosen etc. befindliche höchst gefährliche und aufwiegelnde Verse, den französischen Revolutionsgrundsätzen auf einem solchen Weg, bei dem gemeinen Mann Eingang zu verschaffen, und den Geist des Aufruhrs auch in Teutschland zu verbreiten, wie Ihr aus der abschriftlichen Beilage in mehrerem zu ersehen habt; so habt Ihr die Euch untergebene Geistlichkeit auf dergleichen Leute und Verbreitung solcher Ware ein wachsames Auge zu haben, und diejenige, so sich damit betreten lassen, sogleich Unsern Beamten anzuzeigen.[27]

Eine weitere Möglichkeit, durch Gedichte und Lieder auf die öffentliche Meinung einzuwirken und damit das politische Bewußtsein der Deutschen zu heben, sahen die Jakobiner in der Veröffentlichung der Freiheitsgedichte in eigenen politischen Liederbüchern. Die Herausgeber solcher Sammlungen, die wegen der Repressionen der Behörden anonym bleiben mußten, trugen die verstreute Revolutionspoesie zusammen und bewahrten so viele Gedichte vor dem Vergessenwerden. Ein Herausgeber einer solchen Sammlung, dessen Inkognito gelüftet werden konnte, ist der Magister Friedrich Christian Laukhard, der mehr durch seinen abenteuerlichen Lebenslauf als durch seine publizistische Tätigkeit bekannt geworden ist. Der Magister, der Soldat wurde, sammelte vor allem die um-

[27] Zitiert nach: Wilhelm Müller, *Eine hessen-darmstädtische Verordnung von 1793 wider die Revolutionspoesie*, in: *Hessische Chronik*, Heft 3, Darmstadt 1914, S. 119.

fangreiche liberale Poesie, die an die Mächtigen appellierte, Reformen durchzuführen. In seinem ausführlichen Vorwort wandte er sich nicht nur scharf gegen die konservativen Schriftsteller, die er »politische Vampyrs« nannte — »sie schweifen im Dunkeln herum und saugen aus« [28] —, sondern polemisierte auch gegen die Verfasser der *Horen*, Goethe und Schiller, die in der Vorrede ihrer Zeitschrift proklamierten, sich aus dem politischen Streit der Zeit heraushalten und nur der Wahrheit und Schönheit dienen zu wollen. Laukhard forderte dagegen vehement das politische Engagement des Schriftstellers und Dichters, dessen Aufgabe es sein solle, durch seine Tätigkeit Mißstände und Ungerechtigkeiten anzuprangern und so die Gesellschaft zu verändern:

> Hört erst alle Usurpation, aller Despotismus auf, eröffnet oder erweitert man die Brotquellen durch verbesserten Ackerbau, Manufakturen, Fabriken, Kommerz, Preßfreiheit u.d.gl., werden die Rechte auch des Geringsten erst allgemein beachtet, erhält jeder Würdige ohne Unterschied der Geburt, freien Zutritt zu Dienststellen und Pachtungen, hebt man die Fronen, übertriebene Steuern, Wildhegungen, kurz all das auf, was die Menschen zur Sklavenarbeit zwingt, ohne die Früchte der Arbeit je in Ruhe zu genießen — dann bedarf es nur eines Winkes durch Beispiel, um sie dahin zu bringen, wohin die Horen es sollen. Geschieht das nicht, wie werden die Horen es erreichen, die politisch-geteilte Welt unter der Fahne der Wahrheit und Schönheit zu vereinigen? Wie gesagt, der hungrige Bauch hat keine Ohren, keine Augen! [29]

Daß es in Deutschland zahlreiche Dichter und Schriftsteller gab, die durch Kritik an den Herrschenden die politischen Verhältnisse verbessern wollten, zeigen die 535 Gedichte des *Zuchtspiegels*, die aus den liberalen Zeitschriften und Almanachen übernommen wurden.

Wie bedeutsam lange vor 1789 eine politische Lyrik war, die gegen die Willkür und Unmenschlichkeit der Fürsten, den Glaubensterror der Kirche und den Dünkel der Adligen zu Felde zog, läßt sich an den poetischen Zeugnissen, die Laukhard vorstellt, besonders gut ablesen. Gedichte von Schriftstellern wie Pfeffel, Bürger, Schubart, Herder, Thümmel, ja sogar Logau und vieler unbekannter Dichter, erlangten durch den Umsturz in Frankreich und die daraus resultierende Gärung in Deutschland eine neue Aktualität. Diese Erkenntnis gilt nicht nur für den *Zuchtspiegel* des Magisters, sondern auch für die anderen Sammlungen von Gedichten und Liedern des Jahrzehnts. Fast alle Anthologien und selbst viele Flugblätter berücksichtigen bei ihrer Auswahl Gedichte der vorrevolutionären Epoche. [30] Wie der Herausgeber der *Poetischen Sammlungen zur Erweckung des Gefühls für Menschenwürde* sahen viele Jakobiner in

[28] (Friedrich Christian Laukhard), *Zuchtspiegel für Adelige*, Paris 1799, S. XIV.
[29] Ebenda, S. XXIII.
[30] Die zweibändige, 150 Gedichte umfassende Sammlung *Freiheitsgedichte, Paris auf Kosten der Republik 5.* (1797) enthält außer 34 anonymen revolu-

den von der Aufklärung beeinflußten Dichtern der siebziger und achtziger Jahre Vorkämpfer für ihre Postulate und betonten dies ausdrücklich:

Diese Sammlungen können auch, wenn man die älteren Stücke mit denen vergleicht, die nach der Französischen Revolution verfertigt sind, ein redender Beweis sein, daß Gleichheit, Freiheit, Haß gegen gekrönte und ungekrönte Tyrannen keine durch die Neufranken ersonnenen Hirngespinste sind, daß im Gegenteil so mancher Edlere lange schon stark fühlte für Wahrheit und Recht, und kein Sklavensinn ihn bewog, der Wahrheit Feuer in die engen Grenzen seines Busens zu verschließen. [31]

IV

Angesichts der Zersplitterung des Reiches und den sich daraus ergebenden Problemen, die in den einzelnen Teilen Deutschlands den politischen Alltag bestimmten, angesichts des Fehlens populärer Führer und der geringen Verbindung der jakobinischen Intelligenz mit den Unterschichten, war eine Revolution, die das ganze Reichsgebiet umfaßte, undurchführbar. Die vielen Revolten, Aufstände und Unruhen, denen es oft an politischer Zielsetzung mangelte, blieben örtlich begrenzt. Hatten die Volksaktionen und Rebellionen gegen den Druck des Feudalabsolutismus auch verschiedenen Ursprung, die Gedichte und Lieder, die sie begleiteten, blieben dieselben. Die Revolutionspoesie war im Gegensatz zu der auf die Behebung von konkreten Mißständen abzielenden Prosa auf unterschiedliche Anlässe hin übertragbar. Nur sie brachte oft zum Ausdruck, daß die Unruhen auch von den Prinzipien der Französischen Revolution mitverursacht wurden.

Von einem Aufstand in Helgoland im Herbst 1794, dessen Ursache wirtschaftlich und nicht politisch war, berichtete ein Landvogt: Wir »kamen für diesesmal mit heiler Haut nach Hause, nachdem die Menge uns, indem wir über das Unterland gingen, mit schallenden Triumphliedern von Freiheit und Gleichheit noch zu guter Letzte gehöhnet, und die Landes Ältesten mit den anzüglichsten Scheltworten namentlich gelästert hatte.« [32]

Das aus dem Französischen übersetzte Gedicht *Zerbrecht das Joch, zerreißt die Ketten*, das trotz seiner Länge oft abgeschrieben und von

tionären Gedichten nur noch 10 von dem Jakobiner August Lamey und zwei von Friedrich Lehne. Demgegenüber erscheinen dort 17 Gedichte von Pfeffel, 10 von Voß, 6 von Uz, je 4 von Gleim und Goeckingk und außerdem unter anderem Gedichte von Alxinger, Blumauer, Bürger, von Halem, Held, Herder, Hölty, Huber, Kleist, Klopstock, Lavater, Lessing, Schiller, Seume und Stolberg.

[31] (Anonym), *Poetische Sammlungen zur Erweckung des Gefühls für Menschenwürde*, O. O. Im 4. Jahr der Frankenrepublik. 1795, S. 7.
[32] Zit. nach: R. Erhardt-Lucht, *Die Ideen der Französischen Revolution in Schleswig-Holstein*, Neumünster 1969, S. 199.

Hand zu Hand weitergereicht wurde, ist von Wien bis nach Hamburg, vom Rheinland bis nach Ostböhmen nachweisbar. [33]

Das Spottgedicht *Politische Klagen aller kriegsführenden Mächte*, das 1795 in Straßburg gedichtet wurde, kursierte nicht nur in Süddeutschland, sondern wurde auch im gleichen Jahre auf einem Jahrmarkt bei Hannover vertrieben. [34]

Das *Lied des freien Mannes* von Friedrich Lehne wurde 1796 in der Zeitschrift des Flensburgers Georg Conrad Meyer abgedruckt und war handschriftlich auch in Siebenbürgen bekannt. [35]

Wenn man bedenkt, daß es sich bei den genannten Zeugnissen nur um Gedichte handelt, die von den Behörden beschlagnahmt wurden, und der Großteil der in Umlauf gesetzten Verse überhaupt nicht aktenkundig wurde, läßt sich eine Vorstellung von der weiten Verbreitung dieser revolutionären Gebrauchspoesie gewinnen. [36]

Freilich dürfen die oppositionellen Verse in ihrer Bedeutung für die Versuche einer Revolutionierung in Deutschland nicht überschätzt werden. Im Gegensatz zu den Liedern der Franzosen begleiteten sie nur selten die Aktionen des Volkes, wurden vielmehr von den Machthabern und den Behörden selbst schon als revolutionäre Tat gewertet.

Die versifizierte Revolutionspropaganda erreichte nicht nur eine beträchtliche räumliche Dimension, sie blieb auch zeitlich weit über das Ende der französischen Jakobinerherrschaft hinaus lebendig. Außer den Gedichten und Liedern, die sich allgemein gegen die feudalen Lasten richteten und bürgerliche Freiheitspostulate aufstellten, hatten jene Produkte, die die Franzosen anspornten, die Deutschen von der Bevormundung des Adels und der Fürsten zu befreien, bis zum Ende des Jahrhunderts unmittelbare Wirkung.

Die reichsweite Verbreitung der Jakobinerlyrik weist auf die agitatori-

[33] Vgl. oben Anm. zu Gedicht 38.
[34] Vgl. oben Anm. zu Gedicht 21.
[35] Vgl. oben Anm. zu Gedicht 72.
[36] Die revolutionäre deutschsprachige Poesie breitete sich teilweise über den deutschsprachigen Raum hinaus aus. Vgl. Fritz Valjavec, *Die Entstehung der politischen Strömungen in Deutschland 1770–1815*, München 1951, S. 187 f. Kálmán Benda, *Die ungarischen Jakobiner*, in: Walter Markov (Hrsg.), *Maximilien Robespierre 1758–1794*, Berlin, DDR, 2. Aufl. 1961, S. 411 ff.; Hans-Joachim Schreckenbach, *Kotzebues »Memoire über den Revolutionsgeist«*, in: *Weimarer Beiträge*, 3. Jg., 1957, S. 87 ff.
Über die Verbreitung jakobinischer Propagandaschriften im Deutschen Reich vgl. neben den in der Einleitung Anm. 32 genannten Arbeiten weiter: Anton Blaschka, *Der Widerhall der französischen Revolution in Ostböhmen*, in: *Jahrbuch des deutschen Riesengebirgsvereins*, 13, 1924, S. 18 ff.; Karl Heidrich, *Preußen im Kampf gegen die französische Revolution*, Stuttgart und Berlin 1908; Ernst Consentius, *Die Berliner Zeitungen während der französischen Revolution*, in: *Preußische Jahrbücher*, 117. Band, Berlin 1904, S. 449 ff.

schen Zentren zurück. Von Beginn der Revolution bis zum Machtantritt Bonapartes war die französische Stadt Straßburg von entscheidender Bedeutung für die Revolutionspropaganda und die revolutionäre Poesie. Dort lebte seit 1791 der Dichter und Theologe Eulogius Schneider, der zahlreiche radikale Gedichte schrieb und sie in seiner Zeitschrift *Argos, oder der Mann mit hundert Augen* veröffentlichte. Dort begrüßten die Elsässer Gottlieb Konrad Pfeffel, August Lamey und Gottfried Jakob Schaller die Revolution in mitreißenden Versen.

Als am 21. Oktober 1792 die französischen Revolutionstruppen Mainz einnahmen, konnten auch dort die Revolutionsanhänger eine rege publizistische Wirksamkeit entfalten, die sich auch auf kulturelles Gebiet erstreckte. [37] Wenn auch die dortige demokratische Agitation nicht länger als neun Monate währte, so entwickelten doch die Mainzer Jakobiner eine intensive Aktivität, die sich in zahlreichen Reden, Flugschriften, Journalen, Gedichten und Liedern niederschlug.

Als die Mainzer Republik gescheitert war, flohen einige Jakobiner, die den Verfolgungen der wiedereingesetzten Machthaber entgehen konnten, nach Straßburg. Unter ihnen befand sich der junge Friedrich Lehne, der hier seine erste Gedichtsammlung, die *Versuche republikanischer Gedichte* im Jahre 1795 erscheinen ließ. Außer den namentlich bekannten Revolutionsfreunden, deren Gedichte auch in Anthologien der Altonaer Jakobiner aufgenommen wurden, übersetzten viele anonyme Poeten in Straßburg die französischen Hymnen und Lieder und verfaßten eigene Verse, die wie die Publikationen aus Mainz im ganzen Reich Verbreitung fanden. [38]

Nach den Rückschlägen des Frühjahrs und Sommers 1793 drangen die französischen Revolutionsarmeen wiederum am Rhein vor. Seit dem Herbst 1794 wurde fast das ganze linksrheinische Gebiet von den alliierten Truppen geräumt. Damit war die Voraussetzung für eine Publizistik geschaffen, die sich bemühte, die neuen republikanischen Grundsätze und Ideen im Bewußtsein der Bevölkerung zu festigen. Die jungen Poeten, die nun erstmals hervortraten, bewiesen, wie stark auch in den Jahren der Thermidorianer- und Direktorialherrschaft die Ideen von Freiheit und Gleichheit die Gemüter bewegten und zur dichterischen Gestaltung drängten.

---

[37] Innerhalb dieser Sammlung kann nur ein Teil der Mainzer Revolutionslyrik vorgestellt werden. Weitere Gedichte finden sich in: Claus Träger (Hrsg.), Mainz *zwischen Rot und Schwarz.* Die Mainzer Revolution 1792–1793 in Schriften, Reden und Briefen, Berlin 1963. Vgl. weiter den zweiten Band dieser Reihe.
[38] Ein ausführliches Verzeichnis der in Straßburg erschienenen Revolutionsschriften, das auch viele Gedichtsammlungen und Flugblattlyrik aufzählt, bietet Ernst Marckwald, Ferdinand Mentz u. Ludwig Wilhelm, *Katalog der Elsass-Lothringischen Abteilung,* 1. Bd., Straßburg 1908, S. 149 ff.

Im Gegensatz zu den linksrheinischen Republikanern war es den revolutionären Demokraten im Süden des Reiches kaum möglich, ihre Ideen in Flugschriften, Zeitschriften und Gedichten offen zu verbreiten. Da das Land aber durch den Koalitionskrieg unmittelbar in die politischen Auseinandersetzungen gerissen wurde, entstand in den süddeutschen Territorien und vor allem in den Reichsstädten eine beträchtliche jakobinische Untergrundlyrik. [39] Während die linksrheinischen Poeten oft nur abstrakt Freiheit und Gleichheit priesen, waren die süddeutschen Reime stärker durch den Unmut gegen die Unterdrückung der Adligen und Reichen geprägt.

Erschien in den Rheinlanden und in Süddeutschland vielen Jakobinern die Errichtung einer Republik mit Hilfe der Franzosen als eine realisierbare Möglichkeit, so trat im Norden des Reiches mit dem Baseler Frieden 1795 eine Situation ein, die eine demokratische Entwicklung beträchtlich erschwerte. Trotzdem konnte sich gerade in Hamburg, das die Pressezensur sehr liberal handhabte, und in dem zu Dänemark gehörenden nahegelegenen Altona, wo weitgehend Pressefreiheit herrschte, seit dem Beginn der Revolution eine rege publizistische Tätigkeit für die revolutionären Grundsätze entfalten. Hier war gleichsam eine Insel, wo die demokratischen Schriftsteller sich sammelten, um ihre fortschrittlichen Vorstellungen ungehindert propagieren zu können. In der Kampfliteratur Altonaer und Hamburger Jakobiner fällt der relativ hohe Anteil von revolutionären Gedichten und Liedern auf. In der Zeitschrift von Friedrich Wilhelm von Schütz, dem *Hamburger Merkur*, und den unter anderem Namen verlegten Folgen dieser Zeitschrift erhielten die Verse die Funktion politisch-poetischer Leitartikel. Ihre Publikation war den konservativen Gegnern des Demokraten ein Dorn im Auge. [40] Als das Blatt wegen eines erneuten Verbots wieder seinen Namen ändern mußte, versprach Schütz, gemäßigter zu schreiben. *Der neue Protheus* verzichtete daher darauf, allzu radikale Gedichte und Lieder abzudrucken. Der Herausgeber stellte fest:

Wir haben abermals eine Menge Gedichte zugeschickt erhalten (...) Sie sind in der gewöhnlichen Manier solcher Freiheitsdichter, frei und beißend geschrieben. Nur einige, die gegen die andern in sehr gemäßigten Tone abgefaßt sind, wollen wir hier anführen, (...) weil wir uns fest vorgenommen haben, alles so viel möglich zu vermeiden, was gewissen Lesern zur Ärgernis gereichen könnte. [41]

[39] Vgl. Heinrich Scheel, *Süddeutsche Jakobiner*. Klassenkämpfe und republikanische Bestrebungen im deutschen Süden Ende des 18. Jahrhunderts, Berlin 1962; ders., *Jakobinische Flugschriften aus dem deutschen Süden Ende des 18. Jahrhunderts*, Berlin 1965; Anton Ernstberger, *Nürnberg im Wiederschein der Französischen Revolution 1789–1796*, in: *Zeitschrift für bayerische Landesgeschichte*, Bd. 21, 1958, S. 409 ff.
[40] Vgl. Walter Grab, *Demokratische Strömungen in Hamburg und Schleswig-Holstein zur Zeit der ersten Französischen Revolution*, Hamburg 1966. S. 57 f.

Aber selbst diese Zurückhaltung des Publizisten Schütz verhinderte nicht das erneute Verbot der Zeitschrift. Mit ihrer Einstellung im April 1793 und der immer strenger werdenden Zensur war ein erster Höhepunkt der publizistischen Aktivität in Hamburg und Altona überschritten. Erst die Gründung der »Altonaer Verlagsgesellschaft« im Jahre 1795, wo neben den Veröffentlichungen Rebmanns auch die Publikationen vieler anderer Jakobiner erschienen, brachten der jakobinischen Publizistik einen neuen Aufschwung. Gedichte und Lieder wurden nun wieder in den Zeitschriften propagiert, und eigene Anthologien stellten die Revolutionslyrik der vorausgegangenen Jahre vor. Die Fülle von Altonaer Publikationen führte dazu, daß diese Stadt zum wichtigsten Zentrum der jakobinischen Agitation im rechtsrheinischen Deutschland wurde. [42] Von dort aus gelangten viele revolutionäre Schriften nach Preußen und Sachsen.

V

Die politische Hochspannung des letzten Jahrzehnts des 18. Jahrhunderts hatte sich in der deutschen Literatur und Dichtung der vorrevolutionären Epoche längst verbreitet. Fürstenhaß und Freiheitsverlangen gehörten zu einem festen thematischen Bestandteil jener Lyrik, die seit etwa 1770 immer schärfere Töne fand und von einer Stimmung vieler Dichter und Schriftsteller zeugte, die als »Revolutionsbereitschaft« bezeichnet werden kann. [43] Es wurde bereits erwähnt, daß diese vor der Französischen Revolution entstandene Poesie seit 1789 eine Renaissance erlebte. Vor allem die Gedichte Pfeffels, Schubarts, Bürgers, Voß' und sogar die Verse Friedrich Leopold Stolbergs aus dessen Göttinger Zeit erreichten durch jakobinische Neudrucke breite Leserkreise. Sieht man von einigen Ausnahmen ab — der Befreiungskampf der Amerikaner und die Verherrlichung der republikanischen Schweiz gehören dazu —, so bleiben die meisten Gedichte Appelle an die Mächtigen.

Als die Kunde des revolutionären Geschehens in Frankreich zu den deutschen Gelehrten und Dichtern drang, traten neben jene Gedichte, die die antiken Republiken preisen und die Helden der Vorzeit beschwören,

[41] (Friedrich Wilhelm von Schütz), *Der Neue Protheus*, 8. Stück, (1793), S. 65.
[42] Die zahlreichen Altonaer Publikationen sind bisher nur zum Teil untersucht worden. Vgl. W. Grab, *Demokratische Strömungen*, a.a.O., S. 162 ff.; Otto Tschirch, *Geschichte der öffentlichen Meinung in Preußen im Friedensjahrzehnt vom Baseler Frieden bis zum Zusammenbruch des Staates* (1795–1806), 2 Bände, Weimar 1933–34; E. Weller, *Die falschen und fingierten Druckorte*, (Neudruck der 2. Auflage, Hildesheim 1960/61). Dort findet sich auf den Seiten 161–170 eine Liste Altonaer Publikationen.
[43] Vgl. Werner Krauss, *Zur Konstellation der deutschen Aufklärung*, in: Werner Krauss, *Perspektiven und Probleme. Zur französischen und deutschen Aufklärung und andere Aufsätze*, Berlin 1965, S. 143 ff., hier S. 172.

Verse, die das Aufbegehren des französischen Volkes begeistert begrüßten. Der Sturm auf die Bastille am 14. Juli 1789 ließ viele deutsche Poeten hoffen, daß in Europa das Ende des monarchischen Despotismus nahe sei und die besungenen Ideale der Dichter verwirklicht werden könnten. Einer der ersten, der diesem Ereignis poetische Form verlieh, war der spätere Jakobiner Eulogius Schneider, der sein Gedicht *Auf die Zerstörung der Bastille* vor Bonner Studenten vom Katheder rezitierte.

Wie in diesem Fall wurden auch andere Gedichte und Lieder nicht nur in Büchern und Broschüren verbreitet, sondern von den Revolutionsanhängern in größerem Kreise gelesen oder gesungen. Das bekannteste Beispiel war die aufwendige Revolutionsfeier des Hamburger Kaufmanns Georg Heinrich Sieveking am 14. Juli 1790, die er in Anwesenheit von Klopstock, Knigge und anderen Persönlichkeiten in seinem Gartenhaus in Harvestehude veranstaltete. Eine Augenzeugin berichtet darüber:

Die jungen Mädchen, alle weiß gekleidet, hatten große Schleifen in den Nationalfarben am Hut und über die Schulter schräge Schärpen von dunkelblau, ponceau und weiß gestreiftem Bande – die jungen Frauen trugen sie um die Taille. Zum Frühstück versammelte sich alles in Harvestehude, und um 12 Uhr 30 Min., nach der Pariser Uhr um Mittag, wurde dreimal geschossen. Die jungen Damen stellten sich im Halbkreise, und das Lied, welches ich Dir mitschicke, wurde gesungen. Erst sangen wenige im Chor mit, bald aber alle, und es war fast kein Auge ohne Tränen. [44]

Auch im nächsten Jahre minderte sich kaum der »allgemeine Enthusiasmus« [45] für die revolutionären Errungenschaften unter den deutschen Schriftstellern und Dichtern. Vor allem die französische Verfassung von 1791 wurde oft zum Thema der Gedichte gewählt. Der Elsässer August Lamey und der Schweizer Friedrich Müller konnten sogar ihre Gedichte über die Revolutionsereignisse in kleinen Anthologien vereinigen. [46]

Waren die deutschen Freiheitsfreunde 1791 noch unbeteiligte Zuschauer der Geschehnisse in Frankreich, so änderte sich diese Situation im nächsten Jahre. Am 20. April 1792 erklärte die Gesetzgebende Nationalversammlung den Krieg gegen Österreich, dessen Bündnispartner Preußen war. Als Ende Juli das Manifest des Herzogs von Braunschweig in Paris bekannt wurde, stärkte sich die Kampfbereitschaft des französischen Volkes. Am 10. August kam es zum Sturm der Volksmassen auf die Tuilerien und zur Gefangennahme des Königs. Einen Tag nach der Kanonade von Valmy vom 20. September, mit dem der Rückzug der alliierten

[44] Heinrich Sieveking, *Georg Heinrich Sieveking.* Lebensbild eines Hamburgischen Kaufmanns aus dem Zeitalter der französischen Revolution, Berlin 1913, S. 48.
[45] August Lamey, *Gedichte eines Franken am Rheinstrom*, Straßburg 1791, Vorerinnerung, o. S.
[46] Vgl. oben Anm. 45 und Fr. Müller, *Lieder den freien Franken gewidmet von einem Schweizer*, Zürich 1791.

Streitkräfte aus Frankreich begann, wurde in Frankreich die Monarchie abgeschafft, kurz darauf ein Teil des Rheinlands durch die Franzosen erobert.

Die Ereignisse von 1792/93 führten zu einer Propagandakampagne aller politischen Richtungen. Kaum ein Schriftsteller blieb bei dem intensiven Federkrieg unbeteiligt. Die fast einmütige Begeisterung des Jahres 1791 wurde durch differenziertere Stellungnahmen ersetzt. Selbst die konservativen Ideologen fanden sich nun zu einer früher nicht erreichten Geschlossenheit zusammen.

Das politische Gedicht erlebte in diesen entscheidenden Monaten eine ungeahnte Blüte. Die liberalen und jakobinischen Poeten verurteilten einmütig den preußisch-österreichischen Interventionskrieg als ungerecht und appellierten an die alliierten Befehlshaber, nicht gegen die »Neufranken« zu kämpfen. Klopstock sandte seine Ode *Der Freiheitskrieg* an den Herzog von Braunschweig.

Der Sturz des französischen Königtums am 10. August 1792 und die Septembermorde markierten die Abwendung vieler Dichter von der Französischen Revolution. Neben den hier abgedruckten Versen von Conz zeigt diese Haltung besonders eindrücklich das Gedicht Stäudlins *An Gallien,* das »vorzüglich durch die empörenden Eindrücke, welche die ersten Nachrichten vom 10. August bei dem Verfasser machten, veranlaßt« [47] wurde. Jedoch wurde gerade die Errichtung der Französischen Republik von den radikalen jakobinischen Poeten als Beginn der wahren Freiheit angesehen.

Zahlreich waren jene Lieder und Gedichte, die den französischen Revolutionstruppen galten. Die Dichter und Übersetzer dieser Verse konnten es in Deutschland nicht mehr wagen, ihre Zurufe und Aufmunterungen an die Freiheitskrieger mit ihrem Namen zu unterzeichnen. Sie blieben anonym, und selbst die Identität vieler Übersetzer der Marseillaise, des zündendsten Kampfgesangs der Revolutionsarmeen, wird vermutlich niemals aufgedeckt werden können. Zu den Zurufen an die Freiheitskrieger gesellten sich Verssatiren, die das zügellose Treiben der französischen Emigranten und ihre Untaten schilderten. Die Gedichte, die den

[47] (Gotthold Friedrich Stäudlin), *Fortgesetzte Schubartsche Chronik für 1792,* (Stuttgart), 2. Halbj., S. 639.
Zwei Strophen, die für dieses Gedicht kennzeichnend sind, lauten:
Die Tafeln des Gesetzes schlägt in Trümmer
    Des Pöbels Wut: die neue Despotie
Hebt hoch ihr Haupt und Schwüre gelten nimmer
    Im Chaos deiner Anarchie.

Wohin? Wohin? — Von Fanatismus trunken
    Unsel'ge, taumelst du dem Abgrund zu —
Und ach! zu spät, wenn du hinabgesunken
    Am Grunde liegst — bereuest du!

Franzosen Glück wünschten und ihre Kampfbereitschaft anfeuerten, blieben ein Hauptthema der revolutionären Poesie dieses Jahrzehnts. Die außerordentlich große Zahl solcher Gedichte und Lieder, die während der ersten beiden Koalitionskriege ihre Aktualität behielten, ist ein Indiz für die Tatsache, daß sich die deutschen Jakobiner ihrer politischen Ohnmacht bewußt waren. Einige Gedichte fordern dazu auf, sich mit den Franzosen zu verbünden, die Waffen zu ergreifen und sich von der Bevormundung des Adels und der Fürsten zu lösen.

Als im Januar 1793 der Kopf des »Bürgers Capet« durch die Guillotine gefallen war und sechs Monate später Mainz von den alliierten Truppen zurückerobert wurde, setzte in Deutschland eine Jakobinerhetze ein, die nicht nur in der Verschärfung der Zensur bestand. Viele führende Propagandisten demokratischer Ideen wurden eingekerkert oder entzogen sich der Verfolgung durch die Flucht. Die rigorosen Maßnahmen der Machthaber erschwerten die Publikation revolutionären Gedankenguts erheblich. Die Verbreitung jakobinischer Verse war nur noch illegal möglich. Zu jener Untergrundlyrik zählt etwa das in Nürnberg entstandene Gedicht *Bekanntmachung an alle Brüder* und das in Wien kursierende *Eipeldauerlied*, das zu den volkstümlichsten Jakobinergedichten gezählt werden darf.

Erneuten Aufschwung nahm die jakobinische Literatur und Publizistik erst wieder im Jahre 1795. Inzwischen war Preußen und damit das ganze nördliche Deutschland aus dem Krieg ausgeschieden und das linke Rheinufer fast ganz von den Österreichern geräumt worden. Zu den früheren Zentren der jakobinischen Propaganda, Altona und Straßburg, traten nun die linksrheinischen Gebiete. In Köln begann 1795 der ehemalige Mönch Franz Theodor Biergans seine Zeitschrift *Brutus oder der Tyrannenfeind* erscheinen zu lassen, die ebenso wie die früheren jakobinischen Organe zahlreiche Gedichte in ihre Seiten einrückte. Er eröffnete damit den Reigen jener kurzlebigen franzosenfreundlichen Zeitschriften, die in den kommenden Jahren in Köln, Bonn, Koblenz, Aachen, Bingen, Trier, Mainz und Altona weiter für die Ideale der Revolution eintraten. [48]

Biergans gehörte zu jenen Cisrhenanen, die im Herbst 1797 für eine selbständige rheinische Republik warben. Ihre Propaganda, die sich auch des Verses und Reimes bediente, wurde jedoch gegenstandslos, als sich die französische Außenpolitik im September 1797 für die Einverleibung des Rheinlandes entschied.

An die Stelle der cisrhenanischen Lyrik trat nun eine Flut von Auf-

[48] Vgl. dazu Joseph Hansen, *Quellen zur Geschichte des Rheinlandes im Zeitalter der Französischen Revolution 1780–1801*, 4 Bände, Bonn 1931–1938, besonders die Einleitungen zu Band 3, S. 12* ff. und zu Band 4, S. 9* ff.; Justus Hashagen, *Entwicklungsstufen der rheinischen Presse bis 1848*, Essen 1925.

tragsversen, die für die Dekadenfeiern verfertigt werden mußten. Die französischen Beamten achteten streng darauf, daß seit der offiziellen Einführung des Revolutionskalenders im Rheinland (Anfang 1798) die Dekaden feierlich begangen wurden. Die Feste dienten sowohl der Erinnerung der »Journées révolutionnaires«, nämlich des 14. Juli, 10. August, 21. Januar und 22. September, als auch dem Bestreben, »die rostigen Vorurteile, die ausgearteten Traditionen, die verjährten Gebräuche, und alles, was aus dem vorigen verdorbenen Wesen herrührt« [49] zu beseitigen. Für diesen Zweck feierte man u. a. das Fest der Jugend, der Ehegatten, des Alters und des Ackerbaus. Bei allen Feierlichkeiten wurden nicht nur Reden gehalten, sondern dafür wurden auch Gedichte und Lieder verfaßt. Die deutschen Poeten, die diese Aufgabe übernahmen, waren aber keineswegs nur Handlanger der französischen Behörden, sondern sahen in ihrer Tätigkeit einen »kulturrevolutionären« Auftrag. Die Festlichkeiten feierte man mit großem Aufwand. Glockenläuten und Schießen leiteten sie ein. Umzüge wurden veranstaltet, ein Freiheitsaltar errichtet, Reden gehalten und Lieder unter Musikbegleitung gesungen. Die Sinnbilder der alten Herrschaft, Throne, Galgen, Halseisen und Wappen, wurden zertrümmert und durch die Symbole der Republik ersetzt. [50] Das Echo, das die Feste bei der Bevölkerung fanden, war geteilt. Nur ein Teil der bürgerlichen Intelligenz, vor allem frühere Mainzer und andere cisrhenanische Jakobiner unterstützten die Feierlichkeiten tatkräftig. Die Beliebtheit der Feste wurde dadurch gemindert, daß man die idealistischen Forderungen der Dichter und Agitatoren mit den herrschenden Zuständen verglich. Das Volk besang daher eher die Taten des Räuberhauptmanns und Sozialrebellen Schinderhannes, als daß es die hymnenartigen Gedichte und Lieder aufgenommen hätte. Die revolutionären Inhalte der republikanischen Gedichte, die den Kampf gegen den Despotismus betonten, waren seit dem Machtantritt Bonapartes selbst den Franzosen suspekt, da sie leicht auf den Militärdiktator übertragbar waren. Daher wurden schon im Jahre 1800 alle republikanischen Feste bis auf den 14. Juli und den 22. September von der französischen Regierung verboten. [51]

In den vorausgegangenen Jahren hatten allerdings die Freiheitsfreunde Bonaparte als republikanischen Feldherrn und Retter der Freiheit gepriesen. Nach dem 18. Brumaire sang fast kein deutscher Jakobiner mehr sein Lob.

Vergleicht man die Verse, die seit 1795 in Deutschland gedichtet wurden, mit denen der Jahre 1792/93, so fällt auf, daß sie in ihrem revolutionä-

---

[49] August Lamey, *Dekadische Lieder für die Franken am Rhein*, Straßburg, 3. Jahr der Republik (1795), Vorrede (S. 3).
[50] Ausführliche Schilderungen der Dekaden und Revolutionsfeste finden sich bei Hansen, 4. Bd., S. 641 ff., S. 822 ff., S. 877 ff. u. passim.
[51] Hansen, 4. Bd., S. 1288, Anm. 2.

ren Schwung erlahmten. Eine Ausnahme bildeten jene Gedichte und Lieder, die in der Schweiz und im Süden des Reiches erschienen. Die Sammlung *Bayerische Nationallieder am Ende des 18. Jahrhunderts und im letzten Jahre der Sklaverei*, die 1800 in München verlegt wurde, unterschied sich wohltuend von den oft schon zu Phrasen gewordenen Gedichten der linksrheinischen Gebiete. Die sehr volkstümlichen Gedichte dieser Anthologie zeigten die letzten publizistischen Kraftanstrengungen deutscher Jakobiner.

VI

Betrachtet man das ganze Spektrum der jakobinischen Poesie, so fällt auf, daß sich die meisten Gedichte und Lieder nicht auf historische Ereignisse beziehen. Nur selten werden einzelne Repräsentanten der herrschenden Ordnung angegriffen, vielmehr üben die Gedichte am Privilegiensystem an sich heftige Kritik. Die Thematik reicht von der Schilderung der gedrückten Lage der Bauern, über Angriffe gegen Fürsten, Adel und Klerus, bis zur Formulierung naturrechtlicher Gedanken und allgemeiner Freiheits- und Gleichheitsforderungen. Das Hauptthema der Revolutionspoesie ist der Kampf des französischen Volkes gegen innere und äußere Feinde. Die deutschen Jakobiner wiesen in den Gedichten immer wieder auf die »Neufranken« und ihre Taten hin. Das begeisterte Anspornen der Franzosen und die Hoffnung einer dauernden französischen Republik ließ sie auch auf ihre Befreiung hoffen.

Noch wichtiger als die wechselnden politischen Ereignisse waren für die deutschen Freiheitsfreunde die Ideale der Revolution. Die Losungsworte der Revolution, »Freiheit, Gleichheit und Brüderlichkeit«, bilden einen thematischen Kernpunkt jakobinischer Lyrik. Vor allem jene Gedichte, die um den Begriff der Freiheit kreisen, übertrafen an Zahl alle anderen. Kein Begriff erscheint so oft in den Titeln der Sammlungen und in den Überschriften der Gedichte und Lieder. Die Aussage all dieser Freiheitslieder ist nicht einheitlich und umschließt sowohl politischziellosen Tyrannenhaß als auch Preisgesänge an die »Göttin Freiheit« und zündende Aufrufe an die Bevölkerung, für die Freiheit zu siegen oder zu sterben. Oft werden Freiheitshelden und Sagengestalten der Vorzeit beschworen und Timoleon, Brutus, Hermann, Wilhelm Tell und sogar Klopstock als Vorläufer der Freiheit gepriesen. Daß die Begrifflichkeit der Verse nicht die Klarheit politisch-didaktischer Prosa erreichte, liegt in der Natur der lyrischen Sprechweise. Der bildhafte Stil, die assoziative Diktion und die abkürzende Verssprache zielten mehr auf die Phantasie der Leser und Hörer ab. Die Dichter beabsichtigen, die Bevölkerung aufzuklären und den Geist der Revolution, »in Seelen, wo er noch schlummert, zu wecken, und wo er bereits erwacht ist, neu zu kräftigen und zu stärken«, wie es der unbekannte Herausgeber der *Freiheitsgedichte* ausdrückte. [52]

Seltener als die in allen Varianten erscheinenden Freiheitsforderungen findet sich das Schlagwort »Gleichheit«. In der Regel wird die Formel »Freiheit und Gleichheit« von den französischen Vorlagen übernommen. Wenn auch das Wort selbst nicht so oft erscheint, so wird doch vor allem der Wunsch nach *Gleichheit vor dem Gesetz* immer wieder formuliert. Die Gedichte und Lieder wenden sich drastisch gegen die hierarchisch gegliederte Ständeordnung und fordern die Abschaffung der Geburtsvorrechte.

Das Wort »Brüderlichkeit« wird man hingegen vergebens in den Versen der Revolutionsgedichte suchen. Ein Gedicht prägt die Formel »Freiheit, Gleichheit, Brüderschaft«. [53] Das idealistische Bestreben einer Verbrüderung aller Menschen und Völker stand jedoch im Vordergrund der Freiheitslyrik. Viele Poeten träumten von einer Weltrepublik, in der die Völker friedlich und glücklich miteinander leben und die Menschenrechte verwirklicht sein würden. »Brüder« wurde zum Kampfgruß in den Jakobinerkonventikeln und drückte die Verbundenheit der fortschrittlichen Kreise in Deutschland aus. Das gemeinsame Ziel der revolutionären Kräfte in Deutschland, Frankreich, Polen und anderen Ländern wurde stärker betont als die nationale Zugehörigkeit. Der Begriff »Patriot« war für die Zeitgenossen identisch mit den Bezeichnungen Demokrat, Jakobiner und Republikaner. [54] Die Verachtung anderer Nationen, wie sie in der Lyrik der Befreiungskriege zutage trat, war den deutschen Freiheitsfreunden unbekannt.

Besonders heftig und intensiv war der Kampf der Demokraten gegen die Dogmen der Kirche. Erbittert wandten sich die deutschen Dichter und Publizisten gegen die orthodoxen Vertreter der christlichen Religion, ohne noch einen Unterschied zwischen Katholiken und Protestanten zu machen. Da es die Anhänger der herrschenden Kirchen waren, die die vorhandene Ordnung als gottgewollt hinstellten und die neuen Ideen als Teufelswerk diffamierten, war die politische Auseinandersetzung fast immer durch religiöse Fragen mitbestimmt. Der Kampf um eine »natürliche Religion« wurde nun nicht mehr in gelehrten und dickleibigen Büchern ausgetragen, sondern Broschüren, Gedichte und Spottlieder trugen die neuen Grundsätze der »Religionsumwälzung« zu den Bürgern und Bauern. [55]

[52] (Anonym), *Freiheitsgedichte*, Paris auf Kosten der Republik. 5, 1. Bd., S. 4.
[53] Vgl. oben Gedicht Nr. 78.
[54] Vgl. Anmerkung 2 der Einleitung. Ebenfalls: Friedrich Christian Laukhard, *Leben und Schicksale*. Von ihm selbst beschrieben, hrsg. von Wolfgang Becker, Leipzig 1955, S. 317. Laukhard nennt das Kapitel über die Verfolgung der Anhänger der Franzosen: *Patriotenjagd im Speyerischen.* Vgl. auch Hansen IV, S. 54*.
[55] Vgl. zu der Frage materialistischer Strömungen in Deutschland: Otto Fin

Die Namen der meisten jakobinischen Dichter sind nicht mehr zu er- *X*
mitteln. Daß ihre Verse überhaupt gedruckt und verbreitet wurden, ist
jenen deutschen Publizisten und Propagandisten zu verdanken, die persönliche Opfer nicht scheuten, um für ihre Forderungen einzutreten. Viele
dieser Männer bezahlten ihren Mut mit Verfolgungen oder der Emigra-
tion.

Daß nicht alle Jakobiner diesen Mut aufbrachten und sich nur unter *Adolof*
Decknamen für die Sache der Freiheit und Gleichheit einsetzten, ist allzu
verständlich. In der Regel waren sie durch ihre Berufe von den herrschenden Gewalten abhängig. Jakobinische Zeitgenossen, denen durch die französischen Revolutionstruppen größere Freiheit zuteil wurde, erkannten
diese Abhängigkeit der Schriftsteller. Der Mainzer Georg Wedekind erklärte diese Situation mit folgenden Worten:

> Zu einiger Entschuldigung unserer deutschen Gelehrten dient der Umstand,
> daß sie fast alle in den Diensten irgend eines Regenten stehen, und daß wenige
> von ihnen Vermögen genug haben, um ihre Ämter niederlegen zu können. (...)
> Der Schriftsteller muß seine Ideen zu modifizieren versuchen, wie es der gnädige
> Herr wünscht! Ein Philosoph, ein Volkslehrer, sollte durchaus ein freier Mann
> sein. [56]

Die wenigen Dichter, die ihre Verse mit vollem Namen unterzeichneten,
vermochten dies in der Regel nur in den linksrheinischen Gebieten. Keiner
dieser Poeten ist in die Annalen der Literaturgeschichte eingegangen. Ihre
Namen sucht man in den Registern literaturgeschichtlicher Werke vergebens. Diese Tatsache erklärt sich keinesfalls aus der mangelnden Qualität
ihrer Verse — die Poesie unpolitischer Gelegenheitsdichter und ihrer konservativen Antipoden ist mindestens ebenso durch Unbeholfenheit und Di-
lettantismus gekennzeichnet wie die Jakobinerpoesie —, sondern allein dadurch, daß die Forschung sich bisher dieser Poesie und ihrer Repräsentanten verschlossen hat.

Diese Sammlung soll dazu anregen, an die Poesie anonymer und namentlich bekannter jakobinischer Dichter zu erinnern, die nicht nur papierne Proteste artikulierten, sondern sich für die Revolutionsideale aktiv
einsetzten. Damit soll ein Beitrag zu den bisher noch wenig erforschten
Wechselbeziehungen von Poesie und Politik in diesem entscheidenden
Jahrzehnt deutscher Geschichte und Literatur geleistet werden.

ger, *Von der Materialität der Seele.* Beiträge zur Geschichte des Materialismus
und Atheismus im Deutschland der zweiten Hälfte des 18. Jahrhunderts, Ber-
lin/DDR 1961; A. W. Gulyga, *Der deutsche Materialismus am Ausgang des
18. Jahrhunderts*, Berlin/DDR, 1966; Fritz Valjavec, *Geschichte der abendländi-
schen Aufklärung*, Wien-München 1961.
[56] Georg Wedekind (Hrsg.), *Der Patriot C*, Mainz 1792, S. 2.

Bibliographie

1. Zeitgenössische Anthologien, Flugschriften und Flugblätter.

Allgemeines Liederbuch des deutschen Nationalgesanges. Altona 1798.

An die bewaffneten Franken. O. O. u. J.

Aufruf zur Freiheit von einem jungen Mainzer Bürger, den 19. November 1792.

Bayerische Nationallieder am Ende des achtzehnten Jahrhunderts und im letzten Jahre der Sklaverei. O. O. u. J.

Bergsträßer, J. A. B. (Hrsg.), Oden, Lieder und Gedichte. Hanau und Leipzig 1794.

Blum, P. C., Sieg der Freiheit über die Knechte der Despoten in den Rheinischen Departmenten. Straßburg 1793.

Brömbsen, F. A., Versuche prosaischer und poetischer Aufsätze. (Lübeck) 1795.

Bürgerlied der Mainzer. O. O. u. J.

Cheniers Freiheitshymnen. A. d. Franz. von N. Müller. Paris (vielm. Straßburg) 1793.

Conz, Karl Philipp, Gedichte. 2 Bde. Zürich 1806.

Dekadengesänge der Ingweiler Volksgesellschaft. O. O. 1799.

Dekadische Lieder für die Rheinländer. Frankenthal o. J.

Die Konterrevolution in einem scherzhaften Scherzgedichte in extrafeinen Knittelversen gesungen von M. Jodocus Agreabilis. P. L. und p. t. Schulmeister zu Freihausen. O. O. u. J.

Drei neue Lieder. Am Feste des Ackerbaus. Frankenthal o. J.

Frankenmarsch. O. O. 1793.

Frankenrechte, Frankenglück. O. O. u. J.

Freiheitsgedichte. 2 Bde. Paris, auf Kosten der Republik, im Jahre V (1797).

Für die Franken am Rhein. O. O. u. J.

Gedichte eines deutschen Jakobiners. Paris 1793.

Gesänge am Feste der Volkssouveränität. Mainz, im 6. Jahr der fränk. Republik (1798).

Gesänge bei Gelegenheit der Pflanzung des Freiheitsbaumes zu Sobernheim den 23. Pluvios 6. J. den patriotischen Bürgern dieser Stadt gewidmet, von N. M . . . r.

Gesänge für Freunde der Aufklärung und geselligen Freuden. Philadelphia. 1798.

Gesänge zur Feier der Dekaden und republikanischen Festtage. Bingen. O. J.

Grimassen des Heiligen Römischen Reichs: eine Epistel an Franz Habsburg, den letzten deutschen Kaiser von G. S- p-. Mainz 1793.

Lamey, August, Dekadische Lieder für die Franken am Rhein. Straßburg, 3. Jahr der Republik.

Lamey, August, Gedichte eines Franken am Rheinstrom. Straßburg 1791.

Laukhard, Friedrich Christian (Hrsg.), Zuchtspiegel für Fürsten und Hofleute, Paris 1799; Zuchtspiegel für Adliche, Paris 1799; Zuchtspiegel für Theologen und Kirchenlehrer, Paris 1799; Zuchtspiegel für Eroberungskrieger, Advokaten und Ärzte, Paris 1799.

Lehne, Friedrich, Waffenruf an die Bürger des Landes Mainz. Von den Freunden des Vaterlandes gesungen. Mainz 1792.

Lehne, Friedrich, Gesänge der belagerten freien Deutschen in Mainz, den Freunden der Freiheit und Gleichheit gesungen. Mainz 1793.

Lehne, Friedrich, Versuche republikanischer Gedichte. Strasburg. Im 3. Jahr der fränkischen Republik.

Lehne, Friedrich, und Niklas *Müller*, Republikanische Gedichte. Mainz 1799.

Lehne, Friedrich, An das Befreiungsheer Italiens nach seiner Schlacht bei Marengo. Mainz o. J.

Lieder für Freie. Trier. Brumaire VIII. Jahrs [Heute in: Stadtbibliothek Trier].

Lieder welche am Fest des 9. und 10. Thermidors im 6. Jahr der Republik in der Gemeinde Germersheim gesungen wurden. O. O. u. J.

Lieder der Freiheit gewidmet. Beitrag zur Unterhaltung für gebildetere Stände. Altona 1795.

Liederlese für Republikaner. Hamburg 1797 [heute in: Bibliothek des Staatsarchivs Hamburg].

Liederlese für Republikaner zur Feier der Dekaden und republikanischen Festtage. Koblenz Ventôse VII [Heute in: St A Koblenz, Abt. 1 C, Nr. 9372.]

Müller, F., Lieder den freien Franken gewidmet von einem Schweizer. Zürich 1791.

Neue Lieder zum gesellschaftlichen Vergnügen. 2 Bde. Hamburg o. J.

Poetische Sammlungen zur Erweckung des Gefühls für Menschenwürde. O. O. Im 4. Jahr der Frankenrepublik. 1795.

Politische Klagen aller kriegführenden Mächte über den glücklichen Fortgang der französischen Waffen; aufgesetzt von einer Gesellschaft patriotischer Landleute im Niederrheinischen Departement. O. O. (vermutl. Straßburg) u. J. (1795).

Reden welche am 14. Ventos im 6. Jahre der einen und untheilbaren Frankenrepublik bei Pflanzung des Freiheitsbaums in Lambsheim gesprochen wurden, nebst einem auf diese Feierlichkeit verfertigten Freudengesang. (4. März 1798) Frankenthal. [Heute in: St A Speyer, Bestand Dep. Donnersberg, Nr. 1.]

Reichardt, Johann Friedrich (Hrsg.), Lieder geselliger Freude. Leipzig 1796–97.

Republikanischer Bruderkuß im ersten Jahre deutscher Freiheit, O. O. u. J.

Rheinweinlied, gesungen von einem Cisrhenanen. O. O. u. J.

Sammlung verschiedener Gedichte und Freiheitslieder gesammelt von einem Freund der Freiheit. Landau. Im 5. Jahr der Republik.

Schaber, Karl Wilhelm Friedrich, Der Deutsche Bürger an die Deutschen Fürsten zum neuen Jahre 1793. O. O. u. J.

Schaller, Gottfried Jakob, Festgesänge der Franken zum Tempelgebrauche. Straßburg (1795).

Schaller, Gottfried Jakob, Gesänge auf alle Dekaden- und Volksfeste der Franken. Straßburg 1798.

Schneider, Eulogius, Gedichte. Frankfurt 1790.

Staudinger, M. C., Parodie auf das bekannte Rheinweinlied meinen lieben Mitbürgern gewidmet. O. O. u. J.

Suter, R., Marseiller Marsch ein Geschenk an meine Brüder. O. O. u. J.

Taschenbuch der Ubier auf 1800. Deutz, jenseits Köln 1800.

Taschenbuch für Freunde des Gesanges. Stuttgart 1796.

Tempelgesang auf das Fest, dem höchsten Wesen gewidmet. O. O. u. J.

Trinklied der Freien Mainzer. O. O. u. J.

Zwei neue patriotische Lieder. O. O. u. J.

2. Zeitgenössische Periodika.

Annalen der leidenden Menschheit. Herausgegeben von August von Hennings. Altona 1795–1799.

Argos, oder der Mann mit hundert Augen. Herausgegeben von Eulogius Schneider. Straßburg 1792–1793.

Astrea. Eine Monatsschrift von J. B. Geich. Bonn 1798.

Brutus der Freie, eine Zehntagsschrift von Brutus Biergans (d. i. Franz Theodor Matthias Biergans). Aachen (später Köln) 1796.

Brutus oder der Tyrannenfeind, eine Zehntagsschrift um Licht und Patriotism zu verbreiten. Herausgegeben von Franz Theodor Biergans. Köln im 3. Jahr der einigen unzerteilbaren Republik (1795).

Das neue graue Ungeheuer. Herausgegeben von Einem Freunde der Menschheit. (Herausgegeben von Andreas Georg Friedrich Rebmann.) 1.–10. Stück. Upsala (vielm. Altona) 1795–1798.

Der Beobachter vom Donnersberg, eine Zeitschrift herausgegeben von Freunden der Freiheit in Mainz. (Herausgegeben von Friedrich Lehne u. a.) Mainz 1798–1801.

Der Freund der Freiheit, eine patriotische Zeitung für das Land zwischen Maas und Rhein von J. B. Geich. Bonn 1797–1798.

Der neue Mensch. Herausgegeben von Georg Conrad Meyer. Flensburg 1796 bis 1797. [Heute in: Bibliothek des Stadtarchivs Flensburg].

Der neue Protheus, sehr vermischten Inhaltes. (Herausgegeben von Friedrich Wilhelm von Schütz.) Altona (vielm. Hamburg) 1793.

Der Patriot. (Herausgegeben von Georg Wedekind.) Mainz 1792–1793.

Die Geißel. Herausgegeben von Freunden der Menschheit. (Herausgegeben von Andreas Georg Friedrich Rebmann.) Upsala (vielm. Altona) 1797–1799.

Die neue Schildwache. Herausgegeben von Andreas Georg Friedrich Rebmann. Paris (vielm. Altona) 1797–1798.

Die Schildwache. Herausgegeben von Andreas Georg Friedrich Rebmann. Paris (vielm. Altona) 1796–1797.

Fliegende Blätter. Dem französischen Krieg und dem Revolutionswesen gewidmet. O. O. 1794.

Frankreich im Jahre ... Aus den Briefen deutscher Männer aus Paris. (Herausgegeben von Johann Friedrich Reichardt.) Altona 1795–1806.

Genius der Zeit. Herausgegeben von August von Hennings. Altona 1794–1800.

Hamburger Merkur, historisch, politisch und literarischen Inhaltes. (Herausgegeben von Friedrich Wilhelm von Schütz.) Hamburg 1792.

Helvetischer Revolutionsalmanach für das Jahr 1799. Zürich.

Journal der neuesten Weltbegebenheiten. Herausgegeben von Joachim Lorenz Evers. Altona 1795–1800.

Musen-Almanach. Herausgegeben von Johann Heinrich Voß. Hamburg 1777 bis 1800.

Neuer Niedersächsischer Merkur als Beilage zum Neuen Grauen Ungeheuer. Upsala (vielm. Altona) 1797.

Niedersächsischer Merkur, als Einleitung zum Neuen Grauen Ungeheuer. (Herausgegeben von Friedrich Wilhelm von Schütz.) Upsala (vielm. Altona) 1797.

Niedersächsischer Merkur, sehr vermischten Inhaltes. (Herausgegeben von Friedrich Wilhelm von Schütz.) Altona (vielm. Hamburg) 1792.

Obskuranten-Almanach auf das Jahr 1798, 1799, 1800. (Herausgegeben von Andreas Georg Friedrich Rebmann.) Paris 1798–1800.

Proserpina. Trencks Monatsschrift für das Jahr 1793. (Herausgegeben von Friedrich Freiherr von der Trenck.) Mainz und Altona 1793.

Satirischer Almanach 1799. Herausgegeben von Janus Eremita (d. i. Johann Christoph Gretschel.) Hohnstadt auf Kosten der Leer- und Querköpfe (vielm. Altona) 1799.

Schleswigisches, ehem. Braunschweigisches Journal. (Herausgegeben von August von Hennings.) Altona 1792.
Schleswigisches Journal. (Herausgegeben von August von Hennings.) Altona 1793.
Trencks Monatsschrift für das Jahr 1792. (Herausgegeben von Friedrich Freiherr von der Trenck.) Altona.

3. Quellensammlungen, Anthologien, Werkausgaben.

Bab, Julius (Hrsg.), Die deutsche Revolutionslyrik. Eine gedruckte Auswahl. Wien und Leipzig 1919.
Böckmann, Paul (Hrsg.), Hymnische Dichtung im Umkreis Hölderlins. Eine Anthologie. Tübingen 1965.
Bürger, Gottfried August, Werke in einem Band. Ausgewählt und eingeleitet von Lore Kaim-Kloock und Siegfried Streller. Berlin und Weimar 1965.
Der Göttinger Hain. Herausgegeben von Alfred *Kelletat*. Stuttgart 1967.
Ditfurth, Franz Wilhelm Freiherr von, Die historischen Volkslieder vom Ende des siebenjährigen Kriegs, 1763 bis zum Brande von Moskau, 1812. Aus fliegenden Blättern, handschriftlichen Quellen und dem Volksmunde gesammelt und herausgegeben. Berlin 1872.
Drahn, Ernst (Hrsg.), Gift und Galle. Unterirdische Lyrik aus zwei Jahrhunderten. Hamburg und Berlin 1919.
Görres, Joseph, Gesammelte Schriften. Herausgegeben von Max Braubach. Bd. 1, Köln 1928.
Hansen, Joseph, Quellen zur Geschichte des Rheinlandes im Zeitalter der Französischen Revolution. 4 Bde. Bonn 1931–1938 (zit. Hansen).
Hartmann, August, Historische Volkslieder und Zeitgedichte vom 16. bis 19. Jahrhundert. 3 Bde. München 1907–1913.
Horner, Emil (Hrsg.), Vor dem Untergang des alten Reichs. 1756–1795. Leipzig 1930. (Deutsche Literatur in Entwicklungsreihen. Reihe Politische Dichtung. Bd. 1.)
Jakobinische Flugschriften aus dem deutschen Süden Ende des 18. Jahrhunderts. Eingeleitet und herausgegeben von Heinrich Scheel. Berlin 1965.
Kaiser, Bruno (Hrsg.), Die Achtundvierziger. Ein Lesebuch für unsere Zeit. Weimar 1953.
Klopstock, Friedrich Gottlieb, Gedichte. Hrsg. v. Peter Rühmkorf. Frankfurt a. M. 1969.
Lamprecht, Helmut (Hrsg.), Deutschland Deutschland. Politische Gedichte vom Vormärz bis zur Gegenwart. Bremen 1969.
Lehne, Friedrich, Gesammelte Schriften. Herausgegeben von Ph. H. Külb. 5 Bde. Mainz 1838–1839.
Mainz zwischen Rot und Schwarz. Die Mainzer Revolution 1792–1793 in Schriften, Reden und Briefen. Herausgegeben von Claus Träger. Berlin 1963.
Marggraff, Hermann, Politische Gedichte aus Deutschlands Neuzeit. Von Klopstock bis auf die Gegenwart. Leipzig 1843.
Pfeffel, Gottlieb Conrad, Poetische Versuche. 10 Teile. Tübingen 1802–1810.
Pickerodt, Gerhart (Hrsg.), Gedichte 1770–1800. Nach den Erstdrucken in zeitlicher Folge. München 1970. (Epochen der deutschen Lyrik. Bd. 6.)
Semmer, Gerd (Hrsg.), Ça ira. 50 Chansons, Couplets und Vaudevilles aus der Französischen Revolution 1789–1795. Ahrensburg 1961.
Soltau, Fr. Leonhard von, Einhundert deutsche historische Volkslieder. Leipzig 1845.

Steiff, Karl, und Gebhard Mehring, Geschichtliche Lieder und Sprüche Württembergs. Stuttgart 1912.

Steinitz, Wolfgang, Deutsche Volkslieder demokratischen Charakters aus sechs Jahrhunderten. 2 Bde. Berlin 1952–1962.

Voegt, Hedwig (Hrsg.), Georg Friedrich Rebmann, Hans Kiekindiewelts Reisen in alle vier Weltteile und andere Schriften. Berlin 1958.

Von deutscher Republik. 1775–1795. Herausgegeben von Jost *Hermand*. 2 Bde. Frankfurt a. M. 1968.

Voß, Johann Heinrich, Werke in einem Band. Ausgewählt und eingeleitet von Hedwig Voegt. Berlin und Weimar 1966.

4. Darstellungen.

Allgemeine Deutsche Biographie. Hrsg. durch die historische Commission bei der Königlichen Akademie der Wissenschaften. Leipzig 1875–1912 (zit. ADB).

Andreas, Willy, Das Zeitalter Napoleons und die Erhebung der Völker. Heidelberg 1955.

Aris, Reinhold, History of Political Thought in Germany from 1789 to 1815. London 1936.

Benda, Kálmán, Die ungarischen Jakobiner. In: Maximilien Robespierre 1758–1794. Herausgegeben von Walter Markov. Berlin ²1951. S. 401 ff.

Bertaux, Pierre, Hölderlin und die Französische Revolution. Frankfurt a. M. 1969.

Blanning, T. C. W., The Nobility and Revolution in Mainz. 1792/93. In: Gedenkschrift Martin Göhring. Studien zur europäischen Geschichte, Hrsg. von Ernst Schulin. Wiesbaden 1968. S. 107 ff.

Blaschka, Anton, Der Widerhall der französischen Revolution in Ostböhmen. In: Jahrbuch des deutschen Riesengebirgsvereins, 13. Jg., 1924. S. 18 ff.

Bopp, Marie-Joseph, Johann Friedrich Lucé aus Münster. Ein Beitrag zur Geistesgeschichte des Elsaß im 18. Jahrhundert. In: Jahrbuch des Geschichtsvereins für Stadt und Tal Münster, Bd. III, 1929, S. 9 ff.

Brandes, Ernst, Betrachtungen über den Zeitgeist in Deutschland in den letzten Dezennien des vorigen Jahrhunderts. Hannover 1808.

Conrady, Alexander, Die Rheinlande in der Franzosenzeit (1750 bis 1815). Stuttgart 1922.

Consentius, Ernst, Die Berliner Zeitungen während der französischen Revolution. In: Preußische Jahrbücher, 117 Bd. (1904), S. 449 ff.

Dlugoborski, Waclaw, Die Klassenkämpfe in Schlesien in den Jahren 1793 bis 1799. In: Beiträge zur Geschichte Schlesiens. Hrsg. von E. Maleczynska. Berlin, DDR, 1958, S. 401 ff.

Dittler, Erwin, Johann Georg Friedrich List. In: Ekkart-Jahrbuch der Badischen Heimat. Freiburg 1970, S. 51 ff.

Droz, Jacques, Deutschland und die Französische Revolution. Wiesbaden 1955.

Droz, Jacques, La pensée politique des Cisrhénans. Paris 1940.

Eisner, Kurt, Das Ende des Reichs. Deutschland und Preußen im Zeitalter der großen Revolution. Berlin 1907.

Ehrhard, Leo, Eulogius Schneider. Sein Leben und seine Schriften. Straßburg 1894.

Erhardt-Lucht, Renate, Die Ideen der Französischen Revolution in Schleswig-Holstein. Neumünster 1969. (Quellen und Forschungen zur Geschichte Schleswig-Holsteins, Band 56.)

Ernstberger, Anton, Nürnberg im Widerschein der Französischen Revolution 1789–1796. In: Zeitschrift für bayerische Landesgeschichte. Bd. 21, S. 409 ff., 1958.

Epstein, Klaus, The Genesis of German Conservatism. Princeton, New Jersey 1966.

Faber, Karl Georg, Johann Andreas Georg Friedrich Rebmann. In: Pfälzer Lebensbilder. Speyer 1964, S. 191 ff.

Ferber, H. R., Das Volkslied in Hamburg während der Franzosenzeit. In: Aus Hamburgs Vergangenheit. Kulturhistorische Bilder aus verschiedenen Jahrhunderten, hrsg. von Karl Koppmann. Bd. 1, Hamburg u. Leipzig 1886, S. 27 ff.

Fryklund, Daniel, La Marseillaise en Allemagne. Hälsingborg 1936.

Goedeke, Karl, Grundriß zur Geschichte der deutschen Dichtung aus den Quellen, fortgesetzt von E. Goetze, Bd. 1–14, Dresden ²1884–1959 (zit. Goedeke).

Gooch, George Peabody, Germany and the French Revolution. London 1920.

Grab, Walter, Norddeutsche Jakobiner. Demokratische Bestrebungen zur Zeit der Französischen Revolution. Frankfurt a. M. 1967. (Hamburger Studien zur Neueren Geschichte, Band 8.)

Grab, Walter, Die Revolutionspropaganda der deutschen Jakobiner, 1792/93. In: Archiv für Sozialgeschichte, Band 9. Hannover 1969.

Grab, Walter, Uwe Friesel, Noch ist Deutschland nicht verloren. Eine historisch-politische Analyse unterdrückter Lyrik von der Französischen Revolution bis zur Reichsgründung. München 1970.

Grab, Walter, Demokratische Strömungen in Hamburg und Schleswig-Holstein zur Zeit der ersten französischen Republik. Hamburg 1966. (Veröffentlichungen des Vereins für Hamburgische Geschichte, Band 21.)

Gross, Guido, Trierer Geistesleben unter dem Einfluß von Aufklärung und Romantik (1750–1850). Trier 1956.

Guhde, Edgar, Gottlieb Konrad Pfeffel. Ein Beitrag zur Kulturgeschichte des Elsaß. Winterthur 1964.

Gulyga, A. W., Der deutsche Materialismus am Ausgang des 18. Jahrhunderts. Berlin 1966.

Haase, Carl, Obrigkeit und öffentliche Meinung in Kurhannover 1789–1803. In: Niedersächsisches Jahrbuch für Landesgeschichte, Bd. 39, 1967, S. 192 ff.

Haferkorn, Hans Jürgen, Der freie Schriftsteller. Eine literatur-soziologische Studie über seine Entstehung und Lage in Deutschland zwischen 1750–1800. In: Börsenblatt für den Deutschen Buchhandel. Frankfurt 1963. 19. Jg., Nr. 8a. S. 125 ff.

Hashagen, Justus, Das Rheinland und die französische Herrschaft. Beiträge zur Charakteristik ihres Gegensatzes. Bonn 1908.

Hashagen, Justus, Entwicklungsstufen der rheinischen Presse bis 1848. Essen 1925.

Hauser, Arnold, Sozialgeschichte der Kunst und Literatur. München ³1969.

Heidrich, Karl, Preußen im Kampf gegen die französische Revolution. Stuttgart und Berlin 1908.

Heine, Heinrich, Zur Geschichte der Religion und Philosophie in Deutschland. Herausgegeben und eingeleitet von Wolfgang Harich. Frankfurt a. M. 1966.

Hermand, Jost, In Tyrannos. Über den politischen Radikalismus der sogenannten »Spätaufklärung«. In: Jost Hermand, Von Mainz nach Weimar (1793 bis 1919). Studien zur Deutschen Literatur. Stuttgart 1969. S. 9 ff.

Hirschstein, Hans, Die französische Revolution im deutschen Drama und Epos nach 1815. Stuttgart 1912. (Breslauer Beiträge zur Literaturgeschichte. Neuere Folge, 31. Heft.)

Hölzle, Erwin, Das alte Recht und die Revolution. Eine politische Geschichte Württembergs in der Revolutionszeit 1789–1805. München und Berlin 1931.

Jäger, Hans-Wolf, Politische Metaphorik im Jakobinismus und im Vormärz. Stuttgart 1971.

Jäger, Hans-Wolf, Politische Kategorien in Poetik und Rhetorik der zweiten Hälfte des 18. Jahrhunderts. Stuttgart 1970.

Julku, Kyösti, Die revolutionäre Bewegung im Rheinland am Ende des 18. Jahrhunderts. 2 Bde. Helsinki 1965–1969.

Just, Leo, Der Mittelrhein im Zeitalter der französischen Revolution und Napoleons. In: Jahrbuch der Geschichte und Kunst des Mittelrheins. 10. Jg. 1958.

Just, Leo, Franz von Lassaulx. Ein Stück rheinischer Lebens- und Bildungsgeschichte im Zeitalter der großen Revolution und Napoleons. Bonn 1926. (Studien zur Rheinischen Geschichte, XII.)

Kaim-Kloock, Lore, Gottfried August Bürger. Zum Problem der Volkstümlichkeit in der Lyrik. Berlin 1963.

Karst, Theodor, Politisch-Soziale Gedichte. Beispiele zu einem thematischen Längsschnitt vom Mittelalter bis zur Gegenwart. In: Der Deutschunterricht, 19. Jg., Heft 4, 1967, S. 64–92.

Kersten, Kurt, Der Weltumsegler. Johann Georg Adam Forster 1754–1794. Bern 1957.

Klein, Karl, Georg Forster in Mainz 1788–1793. Mainz 1863.

Klein, Karl, Geschichte von Mainz während der ersten französischen Occupation 1792/93. Mainz 1861.

Kofler, Leo, Zur Geschichte der bürgerlichen Gesellschaft. Versuch einer verstehenden Deutung der Neuzeit. 3. Aufl. Neuwied und Berlin 1966.

Koselleck, Reinhart, Kritik und Krise. Ein Beitrag zur Pathogenese der bürgerlichen Welt. Freiburg, München 1959.

Kozlowski, F. v., Die Stellung Gleims und seines Freundeskreises zur französischen Revolution. In: Euphorion 11, 1904. S. 464 ff. u. S. 723 ff.

Körner, Alfred, Andreas Riedel. Ein politisches Schicksal im Zeitalter der Französischen Revolution. Phil. Diss. Köln 1969.

Krauss, Werner, Zur Konstellation der deutschen Aufklärung. In: Perspektiven und Probleme. Zur französischen und deutschen Aufklärung und andere Aufsätze. Neuwied und Berlin 1965. S. 193–265.

Lüdtke, Wilhelm, Friedrich Wilhelm II. und die revolutionäre Propaganda. In: Forschungen zur Brandenburgisch-Preußischen Geschichte. 44. Bd. Leipzig 1932. S. 70 ff.

Lütje, Annedore, Das Echo auf die Französische Revolution in Hamburger und Altonaer Zeitschriften und Zeitungen. Hamburg 1968. (Staatsexamensarbeit.)

Mathy, Helmut, Als Mainz französisch war. Studien zum Geschichtsbild der Franzosenzeit am Mittelrhein 1792/93 und 1798/1814. Mainz 1968.

Mathy, Helmut, Anton Joseph Dorsch (1758–1819). Leben und Werk eines rheinischen Jakobiners. In: Mainzer Zeitschrift. Mittelrheinisches Jahrbuch für Archäologie, Kunst und Geschichte. 62. Jg. Mainz 1967, S. 5 ff.

Mathy, Helmut, Georg Wedekind. Die politische Gedankenwelt eines Mainzer Medizinalprofessors. In: Festschrift Ludwig Petry. Wiesbaden 1968, S. 177 ff.

Markov, Walter, Babeuf in Deutschland. In: Literaturgeschichte als geschichtlicher Auftrag. Werner Krauss zum 60. Geburtstag. Hrsg. von Werner Bahner. Berlin, DDR, 1961, S. 61 ff.

Marx, Jakob, Geschichte des Erzstifts Trier. 5 Bde. Trier 1858–1864.

Müller, W. Eine hessen-darmstädtische Verordnung von 1793 wider die Revolutionspoesie. In: Hessische Chronik, Heft 3, 1914, S. 118–121.

Nacken, Edmund, Studien über Eulogius Schneider in Deutschland. Bonn 1933.

Palmer, R. R., The Age of the Democratic Revolution. 2 Bde. Princeton 1959 bis 1964.

Prutz, Robert E. Die politische Poesie der Deutschen. Leipzig 1845.

Reintjes, Heinrich, Weltreise nach Deutschland. Johann Georg Forsters Leben und Bedeutung. Düsseldorf 1953.

Rödel, Wolfgang, Forster und Lichtenberg. Ein Beitrag zum Problem deutsche Intelligenz und französische Revolution. Berlin 1960.

Sauer, Eberhard, Die französische Revolution von 1789 in zeitgenössischen deutschen Flugschriften und Dichtungen. Weimar 1913. (Forschungen zur neueren Literaturgeschichte, 44.)

Sauermann, Dietmar, Historische Volkslieder des 18. und 19. Jahrhunderts. Ein Beitrag zur Volksliedforschung und zum Problem der volkstümlichen Geschichtsbetrachtung. Münster 1968. (Schriften der Volkskundlichen Kommission des Landesverbandes Westfalen-Lippe, Heft 18.)

Scheel, Heinrich, Die Mainzer Republik im Spiegel der deutschen Geschichtsschreibung. In: Jahrbuch für Geschichte, 4. Jg., 1969, S. 9 ff.

Scheel, Heinrich, Deutsche Jakobiner. In: Zeitschrift für Geschichtswissenschaft, 17. Jg., Heft 9, 1969, S. 1130 ff.

Scheel, Heinrich, Süddeutsche Jakobiner. Klassenkämpfe und republikanische Bestrebungen im deutschen Süden Ende des 18. Jahrhunderts. Berlin 1962. (Deutsche Akademie der Wissenschaften zu Berlin. Schriften des Instituts für Geschichte. I, 13.)

Schildhauer, Johannes, Auswirkungen der Französischen Revolution auf Mecklenburg. 1789–1800. In: Wiss. Zeitschr. der Ernst-Moritz-Arndt-Univ. Greifswald 1958.

Schmitt, Robert, Simon Joseph (Gabriel) Schmitt (1766–1855). Mönch der Aufklärungszeit — Französischer Funktionär — Deutscher Beamter — Dozent der Philosophie und Gutsbesitzer. Koblenz 1966.

Schneider, Franz, Pressefreiheit und politische Öffentlichkeit. Studien zur politischen Geschichte Deutschlands bis 1848. Neuwied 1966.

Schwering, Julius, Zur Geschichte der politischen Dichtung im 18. Jahrhundert. In: Literarische Streifzüge und Lebensbilder. Münster 1930. S. 1–22 (Universitäts-Archiv 2).

Sieveking, Heinrich, Georg Heinrich Sieveking. Lebensbild eines Hamburgischen Kaufmanns aus dem Zeitalter der französischen Revolution. Berlin 1913.

Springer, Max, Die Franzosenherrschaft in der Pfalz 1792–1814. Berlin und Leipzig 1926.

Stamm, Edith, A. G. F. Rebmann und die Ausbildung des bürgerlichen Geistes im Umbruch vom 18. zum 19. Jahrhundert. (Diss.) Erlangen 1955.

Stammler, Wolfgang, Politische Schlagworte in der Zeit der Aufklärung. In: Stammler, Kleine Schriften zur Sprachgeschichte. Berlin 1954. S. 48–100.

Steiner, Gerhard, Franz Heinrich Ziegenhagen und seine Verhältnislehre. Ein Beitrag zur Geschichte des utopischen Sozialismus in Deutschland. Berlin 1962.

Steiner, Gerhard, Theater und Schauspiel im Zeichen der Mainzer Revolution. Ein Beitrag zur Geschichte des bürgerlich-revolutionären Theaters in Deutschland. In: Studien zur neueren deutschen Literatur. Berlin 1964. S. 95–163.

Steiner, Gerhard, Der Traum vom Menschenglück. Leben und literarische Wirksamkeit von Carl Wilhelm und Henriette Frölich. Berlin 1959.

Stein, Peter, Politisches Bewußtsein und künstlerischer Gestaltungswille in der politischen Lyrik 1780–1848. Diss. Hamburg 1971.

Stern, Alfred, Der Einfluß der französischen Revolution auf das deutsche Geistesleben. Stuttgart und Berlin 1928.

Stulz, Percy, und Alfred Opitz, Volksbewegungen in Kursachsen zur Zeit der Französischen Revolution. Berlin 1956.

Streisand, Joachim, Deutschland von 1789 bis 1815. Berlin 1961.

Träger, Claus, Aufklärung und Jakobinismus. Die Mainzer Revolutionspropaganda 1792/93. In: Claus Träger, Studien zur Literaturtheorie und vergleichenden Literaturgeschichte. Leipzig 1970. S. 307 ff.

Trösch, Ernst, Die helvetische Revolution im Lichte der deutsch-schweizerischen Dichtung. Leipzig 1911. (Untersuchungen zur neueren Sprach- und Literaturgeschichte, 10. Heft.)

Tschirch, Otto, Geschichte der öffentlichen Meinung in Preußen im Friedensjahrzehnt vom Baseler Frieden bis zum Zusammenbruch des Staates (1795 bis 1806). 2 Bände. Weimar 1933–34.

Uhlig, Ludwig, Georg Forster. Einheit und Mannigfaltigkeit in seiner geistigen Welt. Tübingen 1965.

Valjavec, Fritz, Die Entstehung der politischen Strömungen in Deutschland 1770–1815. München 1951.

Venedey, Jakob, Die deutschen Republikaner unter der französischen Republik. Leipzig 1870.

Verzeichnis sämtlicher in Mainz herausgekommenen patriotischen Revolutions-, Wochen- und Monatsschriften, welche um die beigesetzten Preise zu haben sind bei J. B. Zech. Mainz 1793.

Voegt, Hedwig, Die deutsche jakobinische Literatur und Publizistik. 1789–1800. Berlin 1955.

Wangermann, Ernst, Von Joseph II. zu den Jakobinerprozessen. Wien-Frankfurt-Zürich 1966.

Weißel, Bernhard, Von wem die Gewalt in den Staaten herrührt. Beiträge zu den Auswirkungen der Staats- und Gesellschaftsauffassungen Rousseaus auf Deutschland im letzten Viertel des 18. Jahrhunderts. Berlin 1963.

Weller, E., Die Freiheitsbestrebungen der Deutschen im 18. und 19. Jahrhundert, dargestellt in Zeugnissen ihrer Literatur. Leipzig 1847.

Werner, Hans-Georg, Geschichte des politischen Gedichts in Deutschland von 1815 bis 1840. Berlin 1969.

Wilhelm, Richard, Friedrich Christian Laukhard. Aufklärer und Revolutionär. In: Alzeyer Geschichtsblätter, Heft 6. Alzey 1969. S. 26 ff.

Wrasky, Nadeschka von, A. G. F. Rebmann. Leben und Werke eines Publizisten zur Zeit der großen Französischen Revolution. Heidelberg 1907.

Wuthenow, Ralph Rainer, Vernunft und Republik. Studien zu Georg Forsters Schriften. Bad Homburg 1970.

Zeim, Ch., Die rheinische Literatur der Aufklärung. Köln und Bonn 1932.

Zur Frage des Charakters der französischen Kriege in bezug auf die Entwicklung in Deutschland in den Jahren 1792 bis 1815. Protokoll der Arbeitstagung des Instituts für Geschichte an der Deutschen Akademie der Wissenschaften zu Berlin vom 18. November 1956. Berlin 1958. (Deutsche Akademie der Wissenschaften zu Berlin, Schriften des Instituts für Geschichte. Reihe III, Bd. 2.)

Editorische Notiz

Sämtliche Gedichte und Lieder — außer den Übersetzungen der Marseillaise (Nr. 49–52) — sind ungekürzt wiedergegeben worden. Die Orthographie wurde unter Wahrung des Lautstandes der modernen Schreibweise angeglichen. Ebenso wurde die Interpunktion weitgehend dem heutigen Gebrauch angepaßt. Die Anmerkungen im Textteil sind von den Originalen übernommen. Eine in jeder Hinsicht überzeugende Anordnung der hier abgedruckten Texte zu finden war nicht möglich. Bei der Vielfalt der Aspekte kann die hier angestrebte thematisch-chronologische Anordnung der Gedichte nur eine Orientierungshilfe für den Leser bieten. Genauere Angaben zu den Texten finden sich in den Anmerkungen.

Allen Wissenschaftlern und Institutionen, die diese Ausgabe unterstützt haben, sei herzlich gedankt. Ganz besonderer Dank gebührt Walter Grab, der dieses Projekt anregte, förderte und betreute. Wesentliche Hinweise verdanke ich Heinrich Scheel, Gerhard Steiner und Hedwig Voegt. Wichtige bibliographische Details teilte mir Gerhart Baron mit. Ferner erhielt ich fördernde Einzelauskünfte von Bernd Lutz, Friedrich Speiser und Michael-Peter Werlein. Carl-Alfred Zell bin ich für Hilfe beim Korrekturlesen und beim Anmerkungsapparat zu Dank verpflichtet. Weiterhin möchte ich meiner Frau für die redaktionelle Hilfe danken, ohne die dieser Band nicht rechtzeitig fertiggeworden wäre.

Verbunden bin ich den Mitarbeitern der Hamburger Staatsbibliothek und anderer Bibliotheken und Archive, die mir bei der Suche nach den seltenen Drucken der Zeit behilflich waren. Durch das Entgegenkommen des Volksliedarchivs in Freiburg, des Schiller-Nationalmuseums in Marbach, der Staatsarchive in Hamburg, Koblenz und Speyer, des Stadtarchivs in Flensburg, der Stadtbibliotheken in Mainz und Trier und der Bayerischen Staatsbibliothek in München konnten viele Texte für die Edition bereitgestellt werden. Auf den Nachweis der Standorte der Quellen wurde bis auf Ausnahmen verzichtet. Einige Hinweise der Standorte finden sich in den Quellenwerken von Joseph Hansen und Heinrich Scheel. Umfangreiches Material besitzen die Stadtbibliothek von Mainz und die Bibliotheken von Straßburg und Hamburg. Eine umfangreiche photokopierte Sammlung der Lieder und Gedichte ist in meinem Besitz und kann eingesehen werden.

Hamburg, im August 1971 H. W. ENGELS

Überblick über den Aufbau der gesamten Dokumentation:

J. B. Metzler Stuttgart